P9-CRX-214

Les Éditions du Boréal
4447, rue Saint-Denis
Montréal (Québec) H2J 2L2
www.editionsboreal.qc.ca

# LE JEUNE HOMME
## SANS AVENIR

# ŒUVRES DE MARIE-CLAIRE BLAIS

## ROMANS

*La Belle Bête,* Boréal, coll. « Boréal compact », 1991.

*Tête blanche,* Boréal, coll. « Boréal compact », 1991.

*Le jour est noir* suivi de *L'Insoumise,* Boréal, coll. « Boréal compact », 1990.

*Une saison dans la vie d'Emmanuel,* Boréal, coll. « Boréal compact », 1991.

*David Sterne,* Boréal, coll. « Boréal compact », 1999.

*Manuscrits de Pauline Archange,* Boréal, coll. « Boréal compact », 1991.

*Vivre! Vivre!,* tome II des *Manuscrits de Pauline Archange,* Boréal, coll. « Boréal compact », 1991.

*Les Apparences,* tome III des *Manuscrits de Pauline Archange,* Éditions du Jour, 1970 ; Boréal, coll. « Boréal compact », 1991.

*Le Loup,* Boréal, coll. « Boréal compact », 1990.

*Un Joualonais sa Joualonie,* Boréal, coll. « Boréal compact », 1999.

*Une liaison parisienne,* Boréal, coll. « Boréal compact », 1991.

*Les Nuits de l'Underground,* Boréal, coll. « Boréal compact », 1990.

*Le Sourd dans la ville,* Boréal, coll. « Boréal compact », 1996.

*Visions d'Anna,* Boréal, coll. « Boréal compact », 1990.

*Pierre – La Guerre du printemps 81,* Boréal, coll. « Boréal compact », 1991.

*L'Ange de la solitude,* VLB éditeur, 1989.

*Soifs,* Boréal, 1995 ; coll. « Boréal compact », 1996.

*Dans la foudre et la lumière,* Boréal, 2001.

*Augustino et le chœur de la destruction,* Boréal, 2005.

*Naissance de Rebecca à l'ère des tourments,* Boréal, 2008.

*Mai au bal des prédateurs,* Boréal, 2010.

## TEXTES RADIOPHONIQUES

*Textes radiophoniques,* Boréal, coll. « Boréal compact », 1999.

## THÉÂTRE

*Théâtre,* Boréal, coll. « Boréal compact », 1998.

*Noces à midi au-dessus de l'abîme et autres textes dramatiques,* Boréal, 2007.

## RÉCITS

*Parcours d'un écrivain, notes américaines,* VLB éditeur, 1993.

*L'Exilé,* nouvelles, suivi de *Les Voyageurs sacrés,* BQ, 1992.

## POÉSIE

*Œuvre poétique, 1957-1996,* Boréal, coll. « Boréal compact », 1997.

Marie-Claire Blais

# LE JEUNE HOMME
# SANS AVENIR

*roman*

Boréal

© Les Éditions du Boréal 2012
Dépôt légal : 2e trimestre 2012
Bibliothèque et Archives nationales du Québec

Diffusion au Canada : Dimedia

*Catalogage avant publication de Bibliothèque et Archives nationales
du Québec et Bibliothèque et Archives Canada*

Blais, Marie-Claire, 1939-

    Le jeune homme sans avenir

    ISBN 978-2-7646-2176-9

    I. Titre.

PS8503.L33J48    2012    C843'.54    C2012-940008-4

PS9503.L33J48    2012

ISBN PAPIER 978-2-7646-2176-9

ISBN PDF 978-2-7646-3176-8

ISBN EPUB 978-2-7646-4176-7

*À Marie Couillard, avec mon amitié*
*et ma reconnaissance*

*Encore une fois, mes remerciements à Sushi,*
*cet artiste remarquable*
M.-C. B.

Ce serait donc toujours ainsi, l'émergence de ces sons, ces images, quand, pensait Daniel, tout spectacle de la douleur vous pénètre, fût-elle celle que subissait un moineau, un poussin appelant sa mère quand le balayait la poussière des rues, tout enfant, si petit soit-il, de cet univers souvent en détresse, réclamait le cœur aussitôt perforé de Daniel, son regard haletant, cette patience bien qu'inutile, laquelle semblait sans limites, de voir et de souffrir par l'autre, même l'infiniment petit dans sa lutte, ainsi dans cet aéroport dont on venait d'annoncer la fermeture, les vols sans départs ni arrivées, on ne savait encore pour combien de temps, mais Daniel n'avait-il pas l'habitude qu'il en fût ainsi, c'était un homme de son temps, pensait-il, rivé à peu de pesanteur bien que tout lui parût souvent si lourd, ne tournait-il pas lui-même autour de la terre, comme s'il était cette plume de l'oiseau, aucun vol, pour l'instant, il ne suffisait que d'attendre, ce serait plus tard, oui, pourquoi se souvenait-il encore de lui, cet oiseau emprisonné dans les câbles d'un quai de gare, à Madrid, oui, pourquoi, pourvu qu'il n'y eût pas de tels retards au retour, lorsqu'il irait voir Mai, bien qu'on ne puisse jamais rien prévoir de certain, pas même la visite de sa fille, à son collège, oh, si loin, si loin de ses parents, de tous, pouvait-il même être sûr qu'elle était encore sa fille, de quoi était-il quelque peu certain, ce moineau des champs de Madrid, ses cris, tel le poussin ce matin, ses cris, ses pépiements minables, les marchands debout devant leurs boutiques, bras croisés, impassibles, il serait balayé par la poussière des rues, à peine né, sous l'or de ses plumes, quand Daniel ne cesserait d'entendre l'imploration de chacun de ses cris, pépiements, songeant qu'il avait dû abandonner à son sort le moineau des champs dans les câbles d'un quai de gare, à Madrid, qu'il les abandonnait tous à leur sort, qu'ainsi agissions-nous tous, c'était sans doute pour notre malheur sans le savoir, les aéroports, les gares, des déserts d'acier, de béton, mais de celui-ci on voyait la plage, la mer qui était calme, alors pourquoi avait-on annulé tous les départs, et de son lit, de la porte entrouverte de sa chambre, Petites Cendres vit Mabel qui parlait à ses perroquets sur la véranda, eux lui répondaient par des cris stridents, ils semblaient dire, le loyer, tu es en retard pour le loyer, Petites Cendres voyait leurs becs recourbés dans l'ombre, Mabel irait bientôt exhiber ses perroquets, ou bien vendre ses roses, tu en as de la chance, disait Mabel la patronne de la maison de chambres, oui, qu'une personne gracieuse paie pour toi le logis et le pain, par le Seigneur Jésus, toi Petites Cendres qui refuses de te lever depuis bientôt deux semaines, au point qu'on pourrait faire des nattes avec tes cheveux, et tes ongles qui poussent crasseux, n'en parlons pas, tu as de la chance, Seigneur Jésus, qu'une personne gracieuse ait fait de toi son protégé, on ne sait pourquoi, car tu n'es pas meilleur qu'un autre, pendant que je m'échine à présenter mes perroquets à la foule, à vendre des roses, et qu'y a-t-il à l'intérieur des pétales écarlates, dis-moi, Mabel, pas un peu de poudre pour moi, ou seulement pour tes clients, jamais pour moi, hein, non, par le Seigneur Jésus, lui avait dit Mabel, jamais pour toi, tu n'en connais pas le prix, dans ma digne maison tu vis comme un pouilleux, tu déchois tel un mendiant, sans cette personne gracieuse qui refuse de divulguer son nom, tu serais déjà à la rue, rue Bahama, oui, mais toujours cette personne me remet l'argent et dit, c'est pour lui, Petites Cendres, bien que cette personne refuse de dire son nom, ou que je le trahisse, non, tu n'en sauras rien, Petites Cendres voyait ces becs recourbés des perroquets dans l'ombre, et leurs blanches paupières duveteuses lorsque l'un d'eux s'endormait sur l'épaule de Mabel, eux, ces Blancs en ville, disait Mabel, ils maltraitent, en les exhibant aux touristes, leurs perruches, leurs grands oiseaux percheurs volés au Brésil, tiens, j'en ai vu un d'une couleur d'un rose éteint qui semblait avoir la dengue sur sa barre, tant sa tête tanguait d'un côté et de l'autre, qui a dit, si tu fais du mal à des plus petits que moi, tu me fais du mal à moi, qui a dit cela, hein, ces comédiens ventripotents sous leurs colliers, il faut voir comment ils vous traitent, mes perroquets chéris, sans respect, criant aux passants, une photographie, messieurs, mesdames, une photographie en compagnie de nos oiseaux des savanes tropicales, voici comment ils vous traitent, ces imposteurs qui vous ont volés à la jungle, disait Mabel, et toi, Petites Cendres, as-tu oublié que nous lui ferons une fête, à Dieudonné, ton médecin, à son retour, que tout le Chœur Ancestral noir lui fera une fête à Dieudonné, l'homme de Dieu, oui, qui ne demande jamais un sou aux pauvres en les soignant, pourquoi lui fallait-il partir, dit Petites Cendres, dans la nonchalance de son lit, oui, pourquoi, n'a-t-il pas déjà trop à faire dans sa clinique, sans partir, oui, pourquoi, dit Petites Cendres tout à sa malencontreuse paresse, qu'allait-il faire bénévole là-bas, quand nous, ici, quand nous, une fête, oui, pour Dieudonné, poursuivit Mabel de sa voix creuse et chantante, nasillarde par instants, il aura la médaille d'honneur de la ville, notre docteur des insouciants comme toi, des âmes qui n'ont pas réussi, le directeur de deux hôpitaux et hospices, c'est la directrice de notre chorale qui lui remettra de ses mains aux longs ongles rouges la plaque d'honneur, ce docteur qui dit que l'idéal d'un homme comme lui n'est pas d'accumuler une fortune mais de sauver des vies, il a même beaucoup aidé notre Chœur Ancestral, il lui faudra se vêtir d'un smoking noir, lui qui déteste cela, Eureka, notre directrice de la chorale, sera si fière ce jour-là et la révérende Ézéchielle nous invitera tous à chanter dans son église, l'église de la Communauté où échouent si souvent les vauriens et les chenapans, car nul n'en voudrait ailleurs dans son temple ou son église, non, nul n'en voudrait, qu'elle la révérende Ézéchielle, elle qui assume et supporte tout, dont le cœur est magnanime, on le sait, elle se souvient, la révérende, de Dieudonné, l'immigrant d'Haïti, rejeté des universités parmi les premiers étudiants noirs, c'est pourtant un étudiant blanc, un futur médecin lui aussi, qui le défendrait, toujours aux côtés de Dieudonné, quand aux portes des dortoirs on plantait des croix en flammes, toujours cet ami serait là, comme s'il eût dit, je suis prêt à brûler avec toi, Dieudonné, sous le feu de ces torches, dans l'empoisonnement de l'acide jeté à nos visages, car il en faut un pour être avec toi, Dieudonné, cet autre médecin portait le nom de Valdés et toujours il serait aux côtés de Dieudonné, et il serait honoré par la ville lui aussi, tu es trop jeune pour te souvenir de tous ces faits, Petites

Cendres, ou bien tu feins l'indifférence tel un ingrat, et Petites Cendres dit à Mabel de se taire, qu'il se lèverait, oui, pour honorer Dieudonné à son retour, quand Mabel était déjà dans la rue, ses perroquets agrippés à ses épaules, elle passait avec fierté, silhouette pleine et ronde, devant les affalés de la rue Bahama, pensait Petites Cendres, ces jeunes gens aux mains sales sur leurs guitares, leurs chiens toujours assis, couchés, l'allure crevée et morne, fainéants, au travail, leur dirait Mabel, insolents qui ne faites rien de vos dix doigts, quand moi qui ai trois fois votre âge, quand moi, quand moi, répétaient les perroquets, quand moi, de leurs échos stridents, on veut goûter à la saveur âpre de tes roses, tu n'as rien pour nous, demanda un garçon au visage terreux, lequel semblait encombré de ses cheveux comme d'une toile d'araignée, lorsque je vendrai mes roses ce soir, cette nuit, dit Mabel, je peux vous l'affirmer, ce seront des roses honnêtes, ne contenant rien de plus que leurs pétales et leur suc, rien de plus, je vous dis, je ne veux pas aller en prison comme Marcus, le pauvre innocent, car il ne voulait qu'aider son prochain, cet Herman, qui continue de délirer sur scène, le malheur voulut qu'il soit fouillé, séquestré, ce pauvre Marcus, c'est ainsi en ce monde lorsqu'on veut aider les autres, on est puni, Petites Cendres n'est toujours pas levé, demanda le garçon dont les cheveux striaient le visage tel un voile ou une toile d'araignée, faut-il que j'amène mon orchestre dans sa chambre pour le réveiller, il ne dort pas, dit Mabel, il peut t'entendre d'ici quand tu joues si bien de ta flûte traversière, tes sonatines le font pleurer, il se demande bien comment tu as pu si mal tourner, Fleur, vous tournez tous mal, c'est ce que je disais à Petites Cendres ce matin, je ne m'en consolerais pas si j'étais votre mère, Fleur écoutait, songeur, sa flûte

15

traversière sur les genoux, d'une main il caressait son berger allemand, quand on pense à ce que tu étais, toi, Fleur, on se demande bien, oui, Mabel ne pouvait saisir le regard du garçon sous la protection croulante des cheveux, et c'était bien ainsi, pensait Fleur, elle ne devait rien voir ni percevoir de ses yeux en colère, de son corps qui tressaillait de rage, cette rage, pensait-il, n'était-elle pas surtout contre lui-même, sous son manteau à capuchon, déjà n'enfouissait-il pas la tête dans le capuchon, des habits pour l'hiver quand l'automne était tiède, chaud, soudain torride à midi, mais les mots s'élançaient toujours vers le cœur du jeune musicien, comme s'il entendait sa propre voix dans la voix de Mabel, qu'as-tu fait de lui, le précoce, le virtuose Enfant Fleur, pour n'être plus désormais que cette Fleur piétinée des rues, cette loque sous ton capuchon, hein, dis-moi, tu pues l'alcool, le rhum de ces cocktails que sert ta mère dans un pub, près de la mer, quand le samedi soir des familles d'illégaux viennent danser sur la plage et que ta mère n'hésite pas à leur servir gratuitement ces boissons qui les assomment, quand ton père, ils sont divorcés maintenant, ton père, ton grand-père sont toujours sur leurs terres, en Alabama, des terres pauvres, ne t'ont-ils pas tous fait régresser, rétrécir avec eux, quand tu pouvais partir pour Vienne étudier, les plus grands conservatoires du monde, les plus grandes écoles de musique qui t'attendaient, eux ne disaient-ils pas, non, Enfant Fleur, ne pars pas, tu es si jeune, un enfant ne quitte pas ses parents à onze, douze ans, ce qui serait ta chance, poursuivait Mabel, ce serait de participer au programme d'enseignement de la musique, ici, rue Bahama, oui, mais tu ne veux pas, on ne te donnerait rien pour les leçons, violoncelle ou flûte traversière ou piano, mais tu pourrais manger tous les jours, Garçon Fleur, tu te souviens, c'était ton nom, et on venait de partout pour t'entendre jouer au piano une sonate de Bach ou te voir diriger un orchestre de jazz, Garçon Fleur est mort, c'était une imposture, une illusion, murmura Fleur d'une voix sombre, ou peut-être ces mots avaient-ils pesé à son front, à ses lèvres sans qu'il eût la fermeté de les prononcer, car il ne voyait rien sous son capuchon rabaissé sur ses paupières, ce serait bientôt le soir, la nuit, dormir tel Petites Cendres, son chien allongé près de lui, cachant dans son manteau la flûte traversière, dormir, pensait Fleur, et que je ne les entende plus, ne les voie plus, jusqu'à demain, si je joue encore bien de tous les instruments, quelle illusion et quelle imposture aussi, c'est à cause de cette passion dont je ne peux me détacher, une passion désormais mécanique pour les sons les plus élevés, c'est en moi comme pour me tuer, Bach, Schubert, telle était la réflexion de Fleur, mollement assis contre le mur, rue Bahama, et cette jeune violoniste coréenne, ils avaient alors le même âge, ils étaient les révélations de l'année, dans cette salle de concert de New York, elle n'avait pas, comme Fleur, interrompu sa carrière parce que d'ignorants parents l'aimaient trop, non, bien qu'elle eût grandi, fût une femme maintenant, on l'écoutait encore avec respect, vénération, c'était un éblouissement, disaient les critiques, oui, de l'entendre, un éblouissement, en un monde où s'épuise si vite le talent, les étoiles s'alignaient dans le ciel pour quelques-uns, pas tous, pour Ky-Mani Marley, fils d'un musicien légendaire, toutes les étoiles étaient allumées, le père n'avait pas dévoré ou anéanti le fils par sa disparition, qui sait si ce n'était pas aussi le contraire, le père de Fleur ne possédait aucune connaissance de la musique, il peinait sur une terre aride, c'était un agriculteur, astrologiquement, oui, les étoiles étincellent pour quelques-uns, pour Ky-Mani Marley, il faut que j'aille l'écouter ce soir, l'entendre chanter, *dear dad*, nous portons nos cheveux de la même façon, sauf que je n'ai pas de barbe, c'est de la musique vive, cher père, je pourrais au moins faire l'effort de jouer au Festival de la musique nouvelle, ou d'y faire jouer par mes musiciens de jadis ma *Nouvelle Symphonie*, si j'avais un peu plus de volonté, ce que dirait ma mère, il faut vouloir, fils, il faut vouloir, et elle s'essouffle la grosse femme à son pub, court vers ses clients, pourtant encore belle, ils la courtisent, elle ne veut pas, aucun homme depuis le divorce, elle n'aime que le fils malfamé, que lui, Garçon Fleur, elle m'appelle encore ainsi sans savoir combien elle m'offense, Fleur, cela suffit, m'man, Fleur parmi les crachats de la rue, tu ne veux donc rien comprendre, m'man, c'était une illusion, une imposture, Fleur peut entendre les bruits confus de la rue, et les jacassements de Mabel avec ses perroquets, celui qui s'appelle Jerry dit, Mabel, on part, Mabel, oui, vers les quais, dit Mabel, n'égratigne pas ainsi mon crâne avec ton bec, non, non, dit Jerry, on part, on s'en va, c'est un vieux crâne, ne l'abîme pas, mon Jerry, non, non, dit Jerry, Fleur voit l'œil cerné de bleu, cet œil de Jerry qui le fixe, on part, dit Jerry d'un ton bas, Mabel, hein, on y va, l'amour de Fleur étant destiné à une femme, ne les aimait-il pas toutes, c'est toujours à elle qu'il pensait, la jeune violoniste coréenne, la révélation de cette année-là au concours, la lauréate, elle irait à Moscou, quand Fleur n'irait pas à Moscou, ses parents en ayant décidé autrement, l'insulaire Fleur serait accosté chez lui, comme une pierre à son rivage, trop petit, diraient ses parents, on ne laisse pas ainsi partir ses enfants, et puis il eût fallu acheter un nouveau costume, le jeune garçon potelé qu'il était aimait jouer pieds nus au piano, pas serré dans un costume jusqu'au cou, c'était ce que disait sa mère, non, tu serais bien malheureux, la veste de jeans, dépourvue de manches, le short de jeans en franges, lesquels avaient été brodés par sa mère, le turban à son front, les cheveux plats bien peignés, brossés par cette main maternelle fatidique, ainsi l'avait-elle vêtu pour ce concert à La Nouvelle-Orléans, mais déjà ne s'était-elle pas plainte que c'était trop loin, puisqu'elle n'avait pu l'accompagner, oh, il ne serait pas seul, il aurait avec lui son batteur, son guitariste, son contrebassiste, il aurait grandi, il l'aurait épousée, elle, la violoniste virtuose, son amie dont les doigts voltigeaient dans l'air, dans sa langue son prénom était Brève Lueur du Jour, mais elle préférait qu'on l'appelât Clara, telle Clara Schumann, elle n'appartiendrait ainsi qu'à l'entité de la musique, Fleur n'était-il pas trop simple pour elle toute à la saveur d'une culture lointaine, si complexe quand Garçon Fleur tel que l'avaient élevé ses parents bombait au-dessus de son piano son torse nu, sous la courte veste brodée, on ne fait pas de cet enfant primaire un phénomène dressé pour les salles de concert du monde, pensait Fleur, toujours ils se trompaient, croyant être dans la voie de ce pur bon sens si ennuyeux, car ils étaient sans imagination, terre à terre, eût-on dit, grand-père aurait pourtant vendu son inféconde terre pour moi, oui, il aurait fait cela pour son petit-fils, Fleur aurait grandi, on l'aurait enfin dégarni, épluché de ce Garçon Fleur enfantin, afin que puisse naître un homme de cette mensongère coquille, il aurait chaussé des chaussures, ce qu'il n'avait fait que très tard, et même aujourd'hui, dans la rue, n'était-il pas encore pieds nus sous son manteau hivernal, des chaussures, un costume, pour ce concours de Moscou, où Brève Lueur du Jour serait victorieuse, quand lui était toujours le poisson captif dans son filet, la gorge coupée, quand ses parents, disaient-ils, ne voulaient que son bien, n'avait-il pas assez de sa ville, des villes périphériques pour étendre sa réputation de virtuose, n'était-ce pas assez pour un petit garçon, si jeune encore, on verrait plus tard, disait papa, plus tard, et maintenant Brève Lueur du Jour était mariée, son mari était pianiste, toujours ils étaient en tournée, rarement à leur résidence, à Paris, ou n'avaient-ils pas plusieurs résidences, un jour Fleur la retrouverait, des chaussures à ses pieds, serré dans son costume noir, il lui dirait, mais que lui dirait-il, oui, c'est moi, Fleur, vous voulez entendre cette sonate, nous l'avions rigoureusement répétée vous et moi, et tout en secouant son chien Fleur se leva pour jouer la sonate sur sa flûte traversière, et il lui sembla que les passants s'arrêtaient pour l'écouter, même ceux qui marchaient vite devant lui l'applaudissaient en passant, mais c'était toujours à elle, Brève Lueur du Jour ou Clara, qu'il pensait, c'était elle la lumière du jour qui rayonnait dans son cœur quand sa vraie existence était nocturne, misérable, bon, il irait prendre une douche chez sa mère ce soir, un peu plus elle le laverait des pieds à la tête comme lorsqu'il était petit, elle dirait, de si beaux cheveux, regarde ce que tu en as fait, laisse-moi les brosser, son regard fondant dans le regard hésitant de ce fils errant, malfamé, tu ne peux pas être timide avec ta mère, dirait-elle, l'îlot se refermerait sur lui, telles les mailles du filet sur la peau ouverte du poisson, fût-il un requin, il serait enserré là, les yeux chavirant vers le ciel, ils étaient finis ces temps enjoués quand Fleur allait pour les vacances chez son grand-père, courait dans les champs avec les chèvres, quand son grand-père le prenait sur ses genoux, alors, la musique, demandait-il, bien que je n'y connaisse rien, disait le brave homme, la musique, tu ne veux donc faire que cela dans la vie, oui, de la musique, je te parle en vieil homme qui n'y connaît rien, suis ton chemin, Garçon Fleur, ne m'écoute pas, le grand-père buvait sa bière brune en disant, toutefois n'écoute que la voix de Dieu, car lui, comme toi, aime la musique, je suis un homme de peu de foi, mais je sais cela, on dit qu'il y en a beaucoup au ciel, d'ailleurs s'il n'y avait pas de musique, celle des anges, bien que j'aie peu de foi, personne ne voudrait y être, monter si haut pour n'entendre que la platitude des voix humaines, ou du moins s'en souvenir, qu'il y ait de la musique céleste ou pas, il n'est pas sûr que la porte du paradis me soit ouverte, car j'ai peu de foi, on part, on y va, demanda Jerry, l'un des perroquets de Mabel, elle a des gros seins comme ma mère, comme Martha ma mère, Mabel, pour montrer sur les quais ses perroquets elle s'est mise coquette, avec plusieurs épaisseurs de vêtements, pensait Fleur, sous ses cheveux, car il fera frais près de la mer ce soir, mécaniquement ses doigts jouaient la sonate tant de fois répétée avec Clara, quand ils étaient petits, c'est comme à l'église, dit Mabel, c'est beau comme à l'église, tu sais que la révérende va défrayer mon voyage, l'avion et tout, afin que j'aille voir ma fille en Indiana qui aura son troisième bébé, Mabel était vêtue d'une veste de velours rose un peu râpée, pensait Fleur, d'un maillot rouge d'où rebondissaient ses seins, sous la veste étriquée, elle portait une jupe et des souliers blancs, elle tenait d'une main un sac qui semblait lourd, il y avait là, disait-elle, des bouteilles de boisson au gingembre qu'elle vendrait sur les quais, cela ferait du bien à Fleur d'en boire un peu, disait Mabel, cela guérissait de tout, Mabel forçait Petites Cendres à en boire tous les jours, bien que cela n'eût pas encore amélioré sa triste mine, sa paresse était un vice, il faut que je sois digne de le voir et de l'entendre, que j'aille me rafraîchir chez ma mère, pensait Fleur, il aura trois autres bandes de musiciens avec lui, les étoiles se sont toutes alignées pour lui, en splendeur, oui Ky-Mani Marley, a-t-on idée de faire tant de bébés, disait Mabel, j'ai l'estomac creux, n'ayant rien mangé depuis hier, mais avec m'man je vais déguster des nachos, boire une bière brune, et puis me revêtir d'un jeans propre pour la sortie, le souffle de Fleur coulait, ample, dans la flûte traversière, bien qu'il eût commencé à sentir qu'il avait faim, il y avait aussi ces aigreurs de l'alcool, émanant de ses lèvres, il aurait dû suivre Brève Lueur du Jour à Moscou, ne pas les écouter, eux, partir avec son agent, comme celui-ci lui avait conseillé de le faire, et cette voix de métal annonçait que le vol serait retardé, mais il est interdit de quitter les lieux, répétait la Voix que Daniel écoutait avec docilité, comme tous les passagers, et voici que plus de deux heures s'étaient écoulées déjà, l'une des passagères devançait Daniel au bar, nous n'avons pas d'autre choix que de consommer, dit-elle, je dois parler à quelqu'un, monsieur, comme je ne peux sortir pour fumer, il faut que je vous parle, sinon, cela me ronge, ces cigarettes que j'ai là et que je ne peux fumer, dans quel monde vivons-nous, oui, en des temps bien mystérieux, dit Daniel, comme s'il voulait apaiser la passagère qu'il sentait en crise, elle tremblait aux côtés de Daniel, s'agitait, le vol est retardé, dit Daniel, mais ce n'est que pour peu de temps, voyez, la mer est calme, le ciel bleu sans nuages, c'est d'autant plus troublant ou inquiétant, dit la femme, vous ne trouvez pas, je pourrais aller fumer sur la plage, mais nous voilà tous entassés ici et pour combien de temps encore, oh, ce ne sera plus très long maintenant, dit Daniel d'un ton doctoral, car il avait

22

déjà oublié la femme qui s'agitait si près de lui, pour ne penser qu'à elle, Mai, sa fille, puis-je vous offrir un verre, disait-il à la femme sur ce même ton de l'indifférence qui pontifie, pensait-il, que l'on nous prive ainsi de nos habitudes, c'est trop cruel, dit la femme qui observait le regard de Daniel voguant ailleurs, oui, c'étaient bien les hommes, cela, celui-ci avait l'air plus attentif, affable même, et il ne pensait qu'à la jeunesse, il ne la voyait déjà plus, elle, celle qui lui était inconnue quelques instants plus tôt et qui retournait aux limbes de son anonymat, bien qu'il lui eût offert une consommation, son regard se posait sur un groupe de collégiennes, toutes accourues vers les tables du restaurant, munies de leurs ordinateurs, toutes pareilles dans leurs blousons sportifs, voilà à quoi pensent les hommes mûrs, pensait la femme, à ces filles jeunes toutes semblables, elles vont retrouver des parents tous semblables eux aussi, compacts, denses, tous pareils les uns aux autres, la femme aurait bien téléphoné à quelqu'un, mais il n'y avait personne à qui téléphoner, tous s'étaient empressés de téléphoner, de saisir leurs portables, les imitant, elle avait soudain pensé qu'il n'y avait en cet instant précis personne à qui elle avait le désir de parler, d'annoncer que le vol serait en retard, puisqu'elle partait en vacances seule, et pour son seul plaisir, que le vol fût retardé ou non, cela la concernait peu, ce qui la concernait était cette chose obsessive, son habitude préférée, ces petits paquets colorés dans son sac auxquels elle ne pouvait toucher, ah, ce goût de la fumée descendant dans vos entrailles, mais était-il même permis d'en rêver, et pourquoi cet homme regardait-il ces filles, semblait-il chercher quelqu'une parmi elles, c'étaient les intouchables enfants de leurs parents, toutes bien élevées, bien nourries, un groupe compact, dense, dans leurs jupes courtes ou leurs shorts, filles toutes saines et roses, non, Mai ne leur ressemble pas, pensait Daniel, et pourtant oui, avec un peu de cette aise pour affronter la vie, une assurance toute physique, cette même grâce un peu fruste dans les mouvements, elles regardaient les adultes avec étrangeté, ce que Mai, non, n'aurait pas fait, et cette étrangeté ne créait-elle pas une distance, quelque froideur, intouchables car elles sont comme leurs parents d'une classe bien à elles, si elles vous sourient, c'est comme par mégarde, et Daniel pensait qu'il serait en retard pour Mai, son exposition de photographies au Collège, c'était bien qu'elle se dirigeât vers les arts plutôt que vers les sciences, maintenant elles n'étaient plus deux, dans la même chambre, Mai avait exigé une chambre à elle seule afin d'être moins distraite dans ses études, bien sûr c'était Mai, elle avait encore beaucoup d'amies, c'était une enfant sociable, pensait Daniel, je veux bien dire comme vous, monsieur, que nous vivons en des temps bien mystérieux, dit la femme, cherchant à retenir vers elle, si pitoyable dans ses privations, ce regard gris, charbonneux de Daniel qui, hélas, pensait-elle, semblait la fuir, Daniel, je m'appelle Daniel, et bientôt je reverrai ma fille que je n'ai pas vue depuis six mois, dit Daniel à la femme, c'est ainsi que l'on se sépare peu à peu de ses enfants, dit Daniel, ainsi il avait une famille, c'était pire que tout, ces pères et leurs familles, ils ne vous parlaient que de cela, pensait la femme, quelle vanité que de croire que cela était de quelque intérêt pour autrui, qu'ils aient une femme, des enfants, une conquête de la domesticité qui déplaisait tant à une femme aimant vivre seule, avec des habitudes qui ne soient pas contraintes par la loi, bien sûr, bientôt la loi pénétrerait dans tous les foyers, et cette voix de la loi dirait, il est interdit de fumer dans votre appartement, madame, vous avez vu votre teint, vous entendez ces toussotements, votre santé étant en péril, vous serez notre otage, cette loi aurait une voix impérative, telle cette Voix qui, dans un aéroport, une gare, annonçait le retard ou l'absence d'un vol, ou aucun départ aujourd'hui, une Voix capitale, exaspérante par son impartialité, mais qui commandait quand même la soumission de tous, qu'on lui cède sans résistance, comme lui cédaient tous les gens ici, voyageurs et leurs bagages soudain mobilisés, tous, jeunes ou vieux, dans une même enceinte dont ils ne pouvaient s'évader, aucun corridor secret vers un fumoir, pensait la femme, donc aucun espace vital, que de tourner en rond dans cette détestable homogénéité, et pourtant ils étaient si proches du ciel, de la plage, de la mer, séparés par la ligne de verre d'une fenêtre, d'une baie, et devant cette mer calme, ce ciel bleu, Daniel se souvint d'Augustino qui avait décrit dans l'un de ses livres, mais n'écrivait-il pas trop, se demandait son père, et pourquoi aussi décrivait-il des événements qui s'étaient déroulés bien des années antérieures à l'année de sa naissance, palpitait donc dans ses veines une frénétique pulsion qui lui faisait sans cesse entrevoir le monde dans la totalité de ses ébranlements et tragédies, peu lui importait donc le temps, oui, ici quelques décennies plus tôt, mais n'eût-on pas dit que c'était aujourd'hui ou qu'il en serait ainsi demain, avait écrit Augustino, ici sur cette plage on avait vu l'installation de missiles, c'était par un jeudi du mois d'octobre, un camp de barbelés serait édifié sur la plage par les militaires, serait-ce encore ce même déploiement aujourd'hui ou demain, sur une plage si douce qui portait le nom de plage du Repos, en un instant, l'armée, les armées érigeraient leurs campements, et parmi eux les missiles Aigle, quand pendant quelques heures, quelques jours, on ne vit aucun oiseau dans le ciel, peut-être, sinon les dards des missiles Aigle, prêts à être lancés, ou était-ce en novembre, pensait Daniel quand s'embrumait le ciel, ou bien non, n'était-ce pas un exercice des aviateurs dans les Caraïbes, un exercice habituel, rien d'anormal, un jeune président avait dit non aux boucliers de guerre, non aux dards de feu, sinon, avait-il pensé à ses propres enfants, la génération d'Augustino, de ses frères et sœurs, ne verrait jamais le jour, c'était dans cette revendication de la naissance de ses propres enfants à venir, et de générations encore dans le néant qu'il avait dit, non, assez, avait écrit Augustino né longtemps après ce miracle qu'un homme eût l'impertinence de dire non, et lui qui se disait un jeune homme sans avenir, pensait Daniel, qui disait de lui-même, Augustino, qu'il serait sans avenir, arraché de l'arbre tel un fruit sec, bien avant son heure, oui, cet étrange fils était curieusement reconnaissant qu'on ait dit non afin qu'il puisse être conçu un jour et naître, lui l'enfant de Daniel et Mélanie, curieusement reconnaissant, dans ses écrits impulsifs, spontanés dans leur virulence, peut-être emporté à tout prix par ce désir d'exister au-delà du cratère de l'Histoire, Augustino soulignait cette contradiction des pays envahisseurs n'aimant pas être envahis, l'eussent-ils été qu'en effet l'existence d'Augustino, comme celle de ses parents, eût été effacée par une lame de feu, avait-il écrit, aucune ville et ses habitants, de près ou de loin, n'eût survécu, ainsi serions-nous tous trahis un jour par cette voix qui, elle, sans hésiter dirait, oui, vite il faut assaillir, nous vivions avec la présence de cette inconcevable trahison, comme en ce mois d'octobre où nous avions failli ne plus être, à l'heure où débarquaient sur les plages, et cette plage du Repos au sable blanc, dans la blancheur de ses hérons, de ses aigrettes, de ses colombes, les troupes et leurs campements, les clôtures de barbelés, autour d'eux, le cor de cette trahison était-il sur le point de sonner, chacun s'affairait, écoutant à sa radio transistor moins l'histoire des artilleries et des bataillons qui pouvaient mettre un terme à sa vie que la défaite des Giants de San Francisco dans la septième partie de la Série mondiale, d'autres dans les cinémas grignotaient leur maïs soufflé, car la télévision comme le cinéma étaient spectaculaires quand la vie, l'existence ne l'était pas, on disait à la radio que cela aurait pu se passer pendant la nuit, mais vinrent le jour, l'après-midi et encore le soir, à quoi bon être pétrifié de terreur, quand les trains repartaient des gares, quand les Aigles de fer ne prendraient pas cette fois leur infaillible envol, quand ici, dans l'île, la mer était calme de nouveau et le ciel était bleu, comme ils l'étaient aujourd'hui, pensait Daniel, ne soupçonnant pas plus aujourd'hui qu'hier, en ce mois d'octobre, que ce jour pouvait bien abriter sous sa beauté factice tout un monde occulte fait de lois guerrières, qui serait pour lui et les siens fatalement dangereux. Et il faut venir ce soir, avant l'heure du coucher de soleil sur la mer, disait Robbie, à genoux sur le lit de Petites Cendres et le suppliant en riant, oui, j'aurai mon couronnement ce soir, tu entends la musique de Fleur dans la rue, demandait Petites Cendres, sa voix était mélancolique pendant qu'il glissait un drap par-dessus sa tête, exprimant ainsi à Robbie son refus de sortir, où sont ton caleçon, ton jeans, ton débardeur, il faut que tu sois là, tous tes amis y seront, j'aurai une couronne en argent comme celle-ci, une mince couronne d'or en papier annonçait autour du front de Robbie avec les lettres REINE qu'il serait la couronnée de l'année, à lui donc tous les bienfaits et honneurs, je serai même au pied de l'arbre de Noël pour dispenser des jouets aux enfants de la rue Bahama, et la nuit, je dispenserai des condoms au Saloon parmi d'autres gâteries, biscuits à la cannelle et chocolats, car j'aurai tous les pouvoirs, dit Robbie, tu vois ce point noir au-dessus de ma lèvre, c'est sexy, j'ai décidé que je ne l'enlèverais pas pour mon couronnement, il y aura une scène construite spécialement pour moi dans la rue, et les princesses et reines d'antan seront là, défilant dans un décor de paillettes, et moi j'aurai les mollets noués, oui, par l'émotion, la crainte de tomber de mon escabeau de gloire, et derrière moi, haute, imprenable, il y aura Yinn, dans ses hautains costumes rapportés de son séjour en Asie, un smoking en soie bleu perlé, coinçant la taille en un bouquet de lys, quant aux jambes et aux fesses, elles se prolongent presque nues, jusqu'aux souliers aux talons de verre, cela ne donne-t-il pas le vertige, et en entendant prononcer le nom de Yinn, Petites Cendres avait remué sous le drap, et Robbie avait dit, c'est assez, et l'avait tiré par les cheveux, on entendit dans le silence de l'après-midi qui s'éteignait avec toutes ses couleurs sur la ville, oui, soudain, la sonate de Fleur, ou était-ce le frémissement de Petites Cendres sous les draps, refusant toujours de se lever, victoire, criait Robbie, voici le jeans, le caleçon, le débardeur, Mabel les avait préparés pour toi, à la buanderie, c'est une sainte femme et qui ne cesse de prier, elle prie pour toi, frère, pour moi, deux impies, quel ouvrage pour une humble femme sans mari, elle l'a jeté dehors car il ne travaillait pas, jeté dehors tout bonnement, il disait qu'il était au chômage ce chômeur malveillant, un pourvoyeur de crack, il dit qu'il va ouvrir une distributrice automatique pour les écoliers de la rue Bahama, un dément de plus, oui, victoire, s'écriait

Robbie, je les ai à la main, le caleçon, le jeans, le débardeur, debout, frère, que fais-tu sur ce matelas à moisir lentement, depuis combien de jours déjà, au point que ta logeuse Mabel est venue me chercher, que Yinn, non, je n'en dis pas plus, je te l'ai déjà dit, le cœur des hommes est ainsi fait qu'il peut toujours être rapiécé, il est d'une texture indestructible, debout, frère, et cette belle musique de Fleur, rue Bahama, pourrait bien te ressusciter un peu, jouée par un homme tout aussi paresseux que toi, la langueur, la paresse n'apportent que déshonneur à l'homme malheureux, ne t'ai-je pas dit cela déjà, et Mabel pendant ce temps trépigne sur les quais, avec ses perroquets Jerry et Merlin, elle dit de Merlin au poitrail orange comme la barre du soleil couchant, déployant ses ailes, admirez Merlin qui me survivra de plusieurs années, car il peut vivre jusqu'à quatre-vingts ans, qui sera son prochain maître quand je ne serai plus là, déjà j'ai eu bien du mal à l'éduquer, toujours il ne pensait qu'à son ancien maître, une voix d'homme le faisait sursauter, était-ce lui le premier maître dont il reconnaissait la voix, non, ce n'était pas lui, tel un amoureux déçu il me regardait, tournait vers moi le masque de sa figure au bec recourbé, noir et blanc ce masque du visage, des lignes brunes autour de l'œil jaune perçant, venez, approchez-vous pour rencontrer Merlin, celui qui aura toujours la nostalgie de son maître défunt, un capitaine sur son bateau qui un jour me l'a confié, et pourtant parfois quand il est gentil, il m'appelle mama, ma mama, bleu et or est mon perroquet Merlin, et blanc comme neige est mon perroquet Jerry, la voici, dit Robbie, Mabel parmi les marchands de rêves, sur les quais, qui s'échine et trépigne pour toi, Petites Cendres, afin que revienne en toi le goût de vivre, elle déambule parmi les souffleurs de feu, les animaux savants, les saltimbanques, pour toi, Petites Cendres, elle vend ses boissons au gingembre, au citron, quand Merlin au poitrail orange se demande bien où est son premier maître, celui qui est parti avant lui, comme le fera Mabel, car à lui seul fut offerte l'éternité de l'âge, lui seul Merlin nostalgique de ses amours passées, quand l'aime tant Mabel, dans un présent précaire, quand elle lui est entièrement consacrée, à lui, Merlin, et à Jerry plus raisonnable, tu vois c'est un peu ton histoire, Petites Cendres, tout perclus dans tes comiques nostalgies, ou bien tes rêves, quand au dehors tout n'est que musique, danse et chanson, faut-il que j'aille quérir la doctoresse des dos recroquevillés, des vaincus de l'âme, Dorothea qui te renversera entre ses mains telle une crêpe, tout en massant tes os, c'est son métier, l'imprévisible guérison, et on dit qu'elle a remis debout des paralytiques, qu'elle a reçu du ciel le don du miracle, et je me souviens, pensait Petites Cendres, Mabel ne me surveillant plus, Mabel étant absente de la maison, j'ai marché jusqu'à la véranda, toute la ville chauffait au soleil pendant ces jours d'été, baignant, comme épuisée dans les parfums du jasmin, du maïs sur les grils, rue Bahama, blotti dans le hamac de Mabel, je ne l'ai pas vue, non, ni aperçue, la déesse des temples obscurs, c'est lui qui dans sa voiture me vit en passant, allait-il me voiturer bientôt moi aussi, si telle était sa puissance, était-ce l'approche d'un lugubre convoi lancé vers moi sous ce cuisant soleil, ou simplement lui, Yinn, l'ami me saluant, inclinant la tête vers moi, l'ombre d'une persienne me voilant son sourire, ai-je bien vu qu'il me saluait, ou me disait sans paroles, bonjour ou bonsoir, de la rue, où indifféremment il allait dans sa voiture, était-il désabusé ou triste comme durant les fins de nuit, lorsqu'il remontait sur son torse viril la camisole de Robert le Martiniquais en disant, voyez ce dieu qui se laisse caresser, n'a-t-il pas mûri, Robert, depuis que je l'ai accueilli au Saloon, le voici tout câlin, car au dehors tout n'est que musique et chanson, répétait Robbie, sachant bien que Petites Cendres ne l'écoutait pas, et même tes clients, reprit Robbie, défiant, me demandent où tu peux bien être, ils te cherchent dans les saunas que tu fréquentais jadis, sur les terrasses des hôtels, la nuit, dans les jacuzzis, les piscines où ne vont que les hommes, le gym où tu te baladais souvent, et ces salles de vidéos érotiques où tu venais les cueillir, quelle vie tu menais, Petites Cendres, le gym, le sauna, le bar du Saloon, on te voyait partout, métis charmeur effronté et affolant, c'était au temps où tu te lavais encore, soignais tes ongles et tes cheveux, dessinant, en imitant Yinn, les arcades de tes sourcils, debout, frère, je te veux à la première place pour mon couronnement ce soir, oui, toutes les étoiles s'alignent pour lui, pensait Fleur, pendant qu'il jouait de sa flûte traversière dans la rue, la musique s'élançant de lui comme s'il était sur le point de danser soudain, dans ses haillons, ce sera au Club Soleil Splash et toute la nuit j'entendrai sa voix, celle de Ky-Mani Marley, passer chez ma mère, oui, une chemise propre et comme autrefois un hibiscus dans mes cheveux, des cheveux, un homme tout fleuri comme lorsque je jouais à un concert, enfant, j'étais moi-même cette fleur, je fleurissais dès que j'étais au piano, splash splash, et les fleurs tombent et se flétrissent, comme ces dents cariées au fond de ma bouche pourrissent et tombent, quel est donc ce parfum que je respire, la fleur du jasmin ou cette odeur plus extravagante encore, de la fleur du maïs si rare, c'est à se sentir étouffé, oui, par ce parfum écrasant, et Clara, qui sait, pendant une tournée, m'apparaîtra dans l'une de nos salles de concert, dans le

31

cadre de la série des *Concerts des maîtres*, oui, elle m'apparaîtra, je la verrai, pressant contre son violon son visage pâli par
les lumières de la scène, ce sera pendant un concerto de
Beethoven, alors si je veux pouvoir être admis au théâtre afin
de l'écouter, il me faudra un nouveau costume, et tous me
reconnaîtront aussi dans l'orchestre, et me salueront, splash,
comment tout finit-il par se briser, se casser, j'irai au Club
Soleil Splash, ce soir, l'écouter, lui, l'homme des étoiles, chanter, cher père, cher père, *dear dad*, où es-tu, car cet orchestre
je pourrais en être le directeur, j'aurais pu, je pourrais encore,
avec un nouveau costume noir, des chaussures, chausser ces
chaussures noires cirées, pas comme autrefois auprès de mes
parents si satisfaits de moi, pieds nus, jouant dans des
tavernes où dégustaient et s'empiffraient les gens, marins,
vilains capitaines et leurs femmes ivres, me hurlant leurs bra-
vos, ah, ce petit, il ira loin, ah, ce Garçon Fleur, que Dieu le
garde, la voici sur le podium, délicate fleur, la mienne, Clara,
Brève Lueur du Jour, le visage pressé contre son violon, pour
ce concerto de Beethoven, en écoutant cette céleste musique,
je pleure, oui, je serai là pour l'écouter, l'admirer, mais me
reconnaîtra-t-elle, et quand ce jeune Beethoven ravagé par
la surdité soudain au milieu d'une composition, dans sa
minable pension, répandait sur son front bouillant des cas-
seroles d'eau, quand l'eau pénétrait les lattes du plancher, et
que criaient les voisins, n'était-ce pas une scène scabreuse,
qui eût perçu alors qui était ce jeune homme là-haut, hurlant
et dépossédé, ainsi fut écrite la musique de l'homme humilié,
défait, offensé, ainsi, oui, pensait Fleur, elle fut écrite avec le
sang, cela ne transparaît-il pas, sous les jets d'eau froide,
je reprendrai vie, et je serai là ce soir, pour l'écouter, lui, pour
qui s'alignent toutes les étoiles, et Robbie dit en retirant les

draps dans lesquels Petites Cendres s'enveloppait comme une momie, debout, tu ne peux vivre, frère, dans un tel désordre, entre ton lit et ta commode, pense à notre Fatalité qui de tout temps fut héroïque, toujours debout, vaillante, même lorsqu'elle tenait à peine sur ses jambes, je me souviens du dernier voyage, c'était au Mexique, on avait invité Fatalité à danser, à chanter à un bal là-bas, et Fatalité me dit, viens avec moi, il ne voulait pas être seul avec cette ombre, la première pneumonie, non, il ne voulait pas, ce sera tout un bal si tu viens avec moi, Robbie, me dit-il, on va danser, boire, et tout le reste, on sera toujours givrés, gelés, c'était comme l'élan d'un coureur vers la première ligne, le but qui exalte, fortifie, bien qu'il fût toujours un peu givré, gelé, et même dans l'avion tous remarquaient sa hauteur, ses plumes, son chapeau, sa superbe décadence, et Fatalité disait, si on me remarque, c'est que j'existe, quand je n'existerai plus, il n'y aura alors plus rien à voir, rien, pendant deux semaines nous n'avons fait que rire, chanter, danser, nous allions d'un club à l'autre, dégustant nos martinis, et pour exciter ses admirateurs, Fatalité s'exhibait partout, dans les rues, et plus tard, sur les plages, dans ses excentriques déguisements, la farfelue, il disait, c'est pour mon auditoire de cette nuit, toute cette publicité, sur cette plage Los Muertos nous avons dîné un soir, près de l'océan, si grisés, si heureux, toujours un peu givrés, gelés, car il y avait la petite ombre de la récente pneumonie de Fatalité, rien qui fût trop sérieux, qui l'empêchât de s'amuser, et soudain dans ce romantique paysage Fatalité me dit, je voudrais qu'il en soit toujours ainsi, toi et moi, n'avons-nous pas les plus belles vies du monde, non, n'avons-nous pas, là nous en étions à ne fumer que du cannabis, tant d'expériences, d'aventures quand nous sommes encore

33

jeunes, regarde ce ciel, cet océan, oh, quelle majesté, oui, qu'il en soit toujours ainsi, disait-il, tu joues ce soir au club L'Atlantique, ne l'oublie pas, lui disais-je, une table pour deux, près de l'océan, toujours un peu gelés, givrés, contemplant la richesse de nos existences, lui et moi, tels des trésors, n'est-ce pas ainsi qu'il faut vivre, Petites Cendres, dans cette combativité sans orgueil, se disant, peu importe ce qui arrivera demain, c'est aujourd'hui que vibrent mes sens, qu'en penses-tu, Petites Cendres, et se couvrant les yeux de sa main, Petites Cendres ne répondit pas. Et Daniel observa que l'une des collégiennes se détachait du groupe, elle avait enlevé le blouson sportif dont elle se ceinturait la taille, n'est-ce pas ainsi que Mai aurait voulu s'alléger, ce blouson étant commun à toutes les collégiennes s'attardant à l'aéroport parmi leurs jeux électroniques, à ce groupe appartenant sans doute à une institution privée, Mai, comme cette collégienne s'isolant des autres, aurait refusé, elle aussi, l'insigne, la marque, toute cette uniformité vestimentaire qui l'aurait rattachée à un clan favorisé, et d'un geste brusque aurait relancé le blouson, dont elle aurait eu l'air de jaillir presque déshabillée, si bien que l'on aurait remarqué le *piercing* à son ventre, dans les légers vêtements d'été, tout blancs, qu'elle portait en dessous, ainsi la collégienne s'asseyant par terre ouvrait un livre où il était écrit *Découvertes scientifiques*, Daniel comprit qu'il s'agissait des découvertes scientifiques faites par les femmes, il se dit qu'il avait eu la prétention de croire que sa fille ne s'intéressait qu'aux arts, quand c'était peut-être faux, ne lui était-elle pas aussi fermée dans cette nouvelle croissance où elle deviendrait, en peu d'années encore, une femme, que cette jeune collégienne penchée sur son livre, toute à l'exigence de connaissances, celles de l'avenir, peut-être, auxquelles le père de Mai n'aurait pas droit, comme le lui rappelaient ses enfants, ne devait-il pas saisir qu'il était désormais plus de l'ancien monde que du nouveau, ce qui lui semblait bien injuste, et qui peut être aussi injuste que nos enfants, pensait-il aussi, ne nous jugent-ils pas parfois comme si nous étions leurs ennemis, voilà cette collégienne encore si petite qu'en se penchant vers elle qui lisait, étudiait d'un air appliqué, sous une couronne de cheveux blonds, il eût pu la soulever dans ses bras, la bercer comme il avait bercé sa fille, mais il y avait sous le front pur ces yeux, tels les yeux de Mai, si inquisiteurs qu'ils en étaient impitoyables, la collégienne serait, qui sait, l'auteure, la manipulatrice des découvertes de l'avenir, pendant que Daniel, même s'il était un homme que désiraient les femmes, conserverait ce que ses enfants appelaient sa jeunesse d'écrivain qui ne veut pas vieillir, malgré tout cela, lorsqu'on ferait l'inventaire de toutes ces découvertes de tous ces jeunes gens d'aujourd'hui, encore dans leurs écoles, leurs collèges et universités, filles et garçons à l'aube des créations les plus prodigieuses de demain, Daniel, lui, en serait à cette période sans béatitude de sa vie où, qu'il le veuille ou non, il lui faudrait se résigner à être vieux, c'était là l'origine de cette énorme injustice entre parents et enfants, ce conflit ou cette rage, pensait-il, il allait s'attrister sur cette réflexion quand la femme lui livra son prénom, Laure, dit-elle, accoudée au comptoir du bar, c'était aussi le prénom de ma mère, Laure, répéta-t-il, je suis désolé que vous ne puissiez trouver ici un endroit où fumer, oui, dit Laure, si on me permettait, mais je ne suis pas la seule, si on nous permettait de sortir ne serait-ce que quelques minutes, n'est-ce pas une offense à la liberté qu'on nous prive ainsi, oui, une grave offense, dit Laure, mais il n'y a personne à qui s'adresser afin de demander réparation, non, personne, ils sont tous contre nous, oui, tous contre moi, dit Laure, ainsi ils attaquent l'action même de respirer, d'inhaler ce que chacun veut bien pour sa détente, une cigarette, quoi de plus inoffensif, ils croient assurer la santé de nos voies respiratoires, la ventilation de l'air dans nos poumons, reconstituer ainsi nos cellules, chasser les bactéries, quand ils nous poussent par ces méthodes radicales à ne plus pouvoir respirer, c'est bien ce qui m'attend, oui, je vais en défaillir, et Daniel dit que, oui, c'était en effet bien cruel que Laure soit dans cette position, lui suggérant de boire un peu d'eau minérale, bien qu'il ne pensât qu'à sa fille, qu'à elle, Mai, telle cette jeune lectrice des découvertes scientifiques faites par les femmes, et qui avait ouvert un livre sur ses genoux, évoquant Mai par son regard d'une si totale intransigeance lorsqu'elle levait les yeux vers Daniel, Mai serait peut-être l'ingénieure sauvant une planète en péril, dont le livre que lisait l'étudiante racontait l'histoire, en Inde, elle convertirait le grain en farine dans un incubateur ne requérant pas l'électricité, elle serait l'innovatrice d'un laboratoire où ces machines seraient créées, dans le but de les fabriquer localement, en Afrique, ses inventions seraient des présents qu'elle ferait au monde avec une naturelle élégance, celle de sa philosophie fondée sur les besoins des autres, cela semblait d'une telle simplicité, mais nulle autre qu'elle n'y avait pensé, ou bien Mai serait la réformatrice des finances, elle serait l'économiste de l'avenir sans corruption, ou bien de son humble téléphone portable elle traquerait les désastres qui touchent les enfants, elle aurait un réseau, rapportant les milliers de cas de malnutrition, de malaria, elle et ses collaborateurs auraient ainsi des milliers d'enfants sauvés avant l'âge de cinq ans, mais tout n'était-il donc qu'un rêve, pensait Daniel, un rêve que tous ces enfants ne grandissent pas sur un tas de ruines, comme le voulait tant Daniel lui-même pour les plus déshérités de la terre, c'est pour Mai qu'il avait partiellement renoncé à l'écriture pour s'intéresser à l'écologie, bien que ses conférences, ses prestations fussent aussi littéraires, la terre étant notre vaste sujet de poésie, pensait-il, mais aucun vol n'était encore annoncé, il ne partirait pas aujourd'hui, peut-être, bien qu'on l'attendît si loin, parmi d'autres collègues, à cette université en Irlande, ce n'est que sur le chemin du retour qu'il retrouverait enfin Mai, ou bien cela aussi n'était-il qu'un rêve, tel son désir d'embrasser Augustino, en signe de réconciliation avec lui, quand Augustino, cette tête froide et pensante, se disait Daniel, n'était pas un émotif comme son père, moins encore un sentimental, dans ses écrits, ne s'érigeait-il pas en justicier d'une génération de savants, chercheurs, physiciens qui dans leur aveuglement scientifique avaient cru que la bombe à neutrons serait un bien pour l'humanité, ne jugeait-il pas ces hommes, ces femmes, leurs administrateurs, les politiciens ayant encouragé un tel projet, toutes ces équipes spectrales, tels des criminels dans une guerre latente, se refroidissant elle-même dans l'idée fixe de son horreur, comment un physicien renommé affrontait-il les dernières heures de sa vie, avait écrit Augustino, n'était-ce pas dans l'un des chapitres de ce livre, *Lettre à des jeunes gens sans avenir,* oui, comment un homme qui avait dessiné cette bombe, dont il expliquait qu'elle était l'arme la plus morale qui soit, car si elle tuait les troupes ennemies dans une charpie de particules, elle laissait toutefois les immeubles, les édifices intacts, c'était là la moralité de ce parfait produit nucléaire, il avait été inventé, dessiné pour une attaque magistrale mais sans risques envers tout ce qui était inanimé, ainsi même les tanks ne seraient pas broyés ni les casques des soldats, seulement ceux qui étaient en dessous, et tout terrain vivant, sous leurs pieds, ainsi on réduirait la désastreuse chaleur du feu, tout n'avait-il pas été ultimement calculé par un homme qui, à quatre-vingt-neuf ans, allait mourir avec ce secret, la déception peut-être inavouable que son œuvre fût controversée, que l'arme ne fût jamais utilisée, cette œuvre qu'il défendit peut-être encore sur son lit d'agonie, ce grand esprit se perdant dans sa folie, il aurait fallu prouver au monde entier, en l'attisant de ces particules invisibles, que cette arme était la plus loyale qui fût, en quelques instants elle consumerait tous les organismes vivants, mais la pierre de votre maison serait préservée, peut-être même serait préservée aussi la cage de métal de votre portable, et pourtant cet homme qui avait été vénéré, dont le visage rabougri n'était pas celui d'un criminel, comment affronterait-il les dernières heures de sa vie, si jamais le foudroyait un éclair de conscience, avait écrit Augustino, ne sentirait-il pas qu'il était un damné sans rédemption ni rachat de cette terre qu'il avait gommée, pendant qu'il dessinait, du bout de son crayon, oui, pendant qu'il dessinait les bases, toutes les sinuosités d'un projet aussi démoniaque, inqualifiable, lors de ses discussions avec Augustino, Daniel avait dit, était-ce par lâcheté devant ce fils rébarbatif qu'un tel homme aurait pu éprouver des sentiments de satisfaction devant la tâche accomplie, car son intention n'était-elle pas de sauvegarder son pays, cette bombe nettoyante, désinfectante ne lui semblait-elle pas une découverte, la sienne, même si elle demeurait trop méconnue, dans son machiavélique mystère, son mécanisme de purification, lui seul ne savait-il pas qu'on ne pouvait éprouver aucune culpabilité en espérant protéger, sauvegarder sa patrie, son pays, lui seul ne connaissait-il pas cette zone intermédiaire où, parce qu'ils défendent leurs frontières, les hommes ou les inventeurs comme lui peuvent commettre les pires crimes mais seront toujours pardonnés, dans cette zone de leurs créations, inventions, d'où s'effacent les notions du bien et du mal, tant ils exultent vers cette épiphanie de la science, qui sait, avait dit Daniel à son fils, si, au terme de sa vie, le savant n'avait pas senti qu'il s'approchait enfin du vrai passage vers une lumière dont il avait si longuement attendu le réchauffement, du moins qu'au bout de tant d'essoufflantes recherches il y aurait peut-être pour lui, si questionneur dans son travail, quelque solution, si cette solution ou ce dénouement de tant de pages de calculs s'appelait Dieu, il ne pouvait que s'en réjouir, car la prière avait souvent été son réconfort et il avait lu la Bible tous les jours, il pourrait bien se retrouver aussi devant la porte du doute, laquelle n'était ni la porte de l'enfer ni celle du paradis, et se dire en homme libéré des accomplissements les plus ardus, ceux de détruire la terre, enfin que je dorme, et n'y pense plus, car s'entrebâillait de l'autre côté de cette porte une familière aspiration au néant. Et Fleur se souvint de ce professeur étranger le pliant pendant des heures aux courbatures des exercices, oui, travaillez, mon jeune ami, travaillez encore, on peut travailler toute une journée sans que le piano émette une seule note transcendante, sublime, votre virtuosité est un don phénoménal, mais ce n'est pas le don de la musique, pensez au compositeur Rachmaninov à son piano pendant des heures, pensez à eux tous, et Fleur écoutait cette voix étrangère qui le transportait ailleurs, vers ces nuits de décembre où un compositeur, dans le soulèvement orageux des révolutions, des putschs de Lénine, s'arrachait de sa terre bien-aimée, de sa maison encore somnolente sous les arbres enneigés, dans la nuit où coulait tout près une murmurante rivière sous une patine de glace, s'arrachait, oui, du sol natal avec sa femme et ses enfants, eh que ces histoires étaient belles qui se passaient au loin, pensait Garçon Fleur, se promettant de quitter ainsi son père, sa mère, son grand-père, mais il n'y avait autour de lui ni révolution d'octobre, ni putsch de Lénine, et nul ne l'attendait dans un train comme avait été attendu, recueilli avec les siens, le compositeur à Saint-Pétersbourg, ce train irait jusqu'en Suède où le compositeur exilé, s'exilant, le cœur contrit, jouerait en concert, s'évaderait pour ne plus jamais revenir, n'allait-on pas incendier sa maison, sa forêt, c'est derrière ce brasier qu'il fuyait, ses petits dans les bras, une mince valise à la main ne contenant que ses partitions et feuillets de musique, un ami apporterait un peu de nourriture dans un panier, des vêtements chauds, il y aurait parmi ces feuillets de musique trois compositions écrites par le compositeur, pour piano, Fleur écoutait ces récits, étirant vers le piano, car il était encore si petit, son corps potelé, il partirait bientôt avec le professeur, il partirait lui aussi, et voici que s'écoulaient sous ses doigts les notes fastidieuses de la pratique, aucune de ces résonances sublimes, transcendantes dont parlait le professeur, il disait, recommençons encore, ensuite tu pourras jouer la sonate, il est difficile de faire ressentir à un enfant une musique composée par un adulte, il faut d'abord te dégourdir les doigts, mais soudain les parents obtus apparaissaient, s'opposant farouchement à tant d'heures au piano, au professeur qui amènerait leur fils en Russie, là-bas ils seraient ensemble, Clara et Garçon Fleur, et l'agent de Garçon Fleur, partir enfin, leur fils n'était plus le même, disaient ses parents, ses joues pâlissaient, il dormait mal, la nuit, non, on le garderait ici, dans sa ville, son île, c'était un garçon trop sauvage pour se retrouver ainsi dans un milieu de compétition, et si loin de ses parents, et Fleur entendait encore à travers ces notes douloureuses de la flûte traversière, pendant qu'il jouait dans la rue, la voix du professeur lui disant, au revoir, adieu, c'est bien dommage, oui, bien dommage, le berger allemand grognait doucement contre le mur, car voici qu'arrivaient Kim et son gros chien bâtard, tenu par une corde, non une laisse comme pour le berger allemand de Fleur, cette fille était bien jeune avec ses cheveux en rouleaux, son sac à dos et ses bottes noires, qu'avait-elle à toujours talonner Fleur sur son territoire, à lui seul elle souriait, elle dont le caractère était si mauvais, c'était l'une des rares filles à dormir seule dehors, bien qu'elle évitât le danger des plages, elle montrait vite ses crocs, talonnant partout Fleur, pensait-il, cette fois elle vint s'asseoir près de Fleur pendant qu'il jouait, s'asseyant sur un tambourin qu'elle se mit à battre d'une main molle, Fleur voulut crier, assez, va-t'en, mais il n'éprouvait aucun courage, par une nuit de décembre, oui, ses partitions sous le bras il aurait pu s'enfuir vers un train, un avion, s'enfuir, il aurait pu, car c'est bien à onze ans, douze ans que se décidait pour lui son destin, partir ou l'étiolement, la fin de tout, et Daniel qui possédait en cet aéroport où longtemps il serait en attente de son vol vers l'Europe, qui possédait tant de temps pour se souvenir d'Augustino, de Mai, de Samuel, de Vincent, comme s'ils étaient tous autour de lui, le regardant, non sans une certaine ironie, comme s'ils disaient, alors, papa, que penses-tu vraiment de nous, Daniel se souvint qu'Augustino, dans ses livres, n'était pas toujours un même justicier partial, c'était presque avec douceur qu'il était le récitant de la vie perdue de Jessica, ou était-ce bien une vie perdue dans l'écrasement de son avion, son Cessna, rouge cardinal, quand à cause de la pluie, de la bruine, la pilote de douze ans n'avait pu battre tous les records, n'avait-elle pas dit, je piloterai jusqu'à ce que je meure dans mon Cessna Cardinal, tel l'oiseau du même nom, ou n'était-elle pas plus jeune encore, sept ans, oui, je parcourrai cinq mille kilomètres en trois jours, et son nom serait écrit, près du nom de John Kevin, dans le *Livre Guinness des records,* on n'aurait jamais vu un tel exploit, on pouvait lire dans l'étoffe de sa casquette, sur la grise visière, en lettres noires, *Women Fly,* et depuis ces jours-là, avait écrit Augustino, s'envolaient chaque jour, chaque nuit, tel un cortège, dans leurs Cessna, toutes celles qui avaient appris à voler, de cette base, et on pouvait lire sur l'étoffe de leurs casquettes ces mots de Jessica, *Women Fly,* et c'est ainsi que Jessica, dont la vie n'était pas perdue mais enfuie ailleurs, avait battu tous les records, en disant à toutes celles qui viendraient après elle, le ciel est à vous, mais n'ayez aucun moment de distraction ou de peur, surveillez avec rigueur les commandes de l'aéronef, car un seul moment de distraction, et surtout, n'écoutez pas la pluie, allez bien au-dessus sans entendre son crépitement, car là où elle se retrouvait, Jessica savait que les commandes avaient été reprises, et chacune n'avait-elle pas son instructeur de pilotage, Jessica avait toujours le sien, désormais méconnaissable, depuis cette chute dans les cendres qui les avaient tous les deux calcinés, son instructeur de pilotage qui était son ange, bien qu'elle eût du mal à le reconnaître, mais elle savait qu'il était encore à ses côtés, lorsque chacune de ces pilotes qui avaient remplacé Jessica atteignait les pédales de son avion, l'instructeur de pilotage disait, autrefois il avait fallu ajouter trois oreillers au siège de Jessica afin de faciliter pour Jessica la vue des commandes, l'avion décollera dans deux minutes, disait l'instructeur de pilotage, Jessica n'avait accumulé que quarante-huit heures d'exercices de pilotage, je lui disais que c'était trop peu, je lui avais dit, moi, son instructeur, n'est-ce pas trop peu, et Jessica me répondit que c'était bien assez, elle était morose car elle avait peu dormi pendant la nuit, et l'instructeur de Jessica avait encore dit que, surtout, avec peu de sommeil, même si Jessica était une petite fille qui n'avait peur de rien, quarante-huit heures, c'était sans doute trop peu, mais Jessica ne l'avait pas écouté, l'instructeur de pilotage ressentait ce remords de n'avoir pas su la convaincre, quarante-huit heures, c'était peu, si peu, sur la piste on applaudissait leur départ, ils entendaient ces rumeurs joyeuses autour de l'avion, et ces voix qui disaient, reviens vite, Jessica, quelques instants avant le décollage, Jessica avait souri à sa petite sœur que sa mère tenait dans ses bras, la mère, la petite sœur qui semblaient si minuscules, en bas, sur la piste, plus tard dans son téléphone mobile la mère de Jessica entendrait ces mots éplorés de Jessica, est-ce bien la pluie que nous entendons tomber, maman, il ne doit pas pleuvoir, avait dit Jessica, comme ils étaient encore à la base d'aviation, pourquoi l'instructeur de pilotage n'avait-il pas annulé le vol, car il pleuvait, ne cessait de pleuvoir, et c'est ce qu'il se reprochait, toujours aux côtés de Jessica, dans les cendres bien que méconnaissable, oui, il n'avait pas annulé le vol quand ils étaient encore à la base d'aviation, avant le départ vers cette route 30 de l'aéroport de Cheyenne, quand ils auraient pu être sauvés, intacts, et n'être jamais défigurés, anéantis ensemble, maudit fut cet exploit transcontinental de Jessica, pensait l'instructeur de pilotage, l'orgueil, la témérité d'une enfant les avaient égarés, pendant le survol de la Californie, ne prévoyait-on pas des orages au Wyoming, des orages, du vent, des tempêtes au Wyoming, avait dit l'instructeur à Jessica, et qu'avait-elle répondu, qu'ils décolleraient dans une minute, c'était là où l'instructeur de pilotage ressentait son remords le plus vif, sachant que Jessica n'avait dormi que deux heures, sachant tout ce qu'il savait, pourquoi n'avait-il pas saisi des mains de Jessica, ces mains si frêles dans leurs gants noirs, les commandes de l'avion, par quelle placidité n'avait-il rien fait, n'écoutant que celle qui répétait, cinq mille kilomètres en trois jours, et ils seraient fêtés, loués, admirés, il était trop tard pour renoncer, et maintenant c'est le tonnerre que l'on entendait dans le ciel, le tonnerre, la foudre qui déchirerait l'aluminium de l'avion, non, ce n'était que la pluie, dit Jessica, toujours cette pluie, à huit heures vingt-trois, ils seraient au-dessus de l'aéroport de Cheyenne, Jessica, son instructeur, ils volaient trop bas, il faudrait reprendre les commandes des mains de Jessica, ils volaient trop bas, pensait l'instructeur de pilotage, désormais ils ne voleraient plus, c'était comme un flottement sur des nuages couleur de fumée, parmi les explosions de la foudre, on eût dit que l'aile gauche de l'avion ployait dans la tempête, mais soudain l'instructeur de pilotage ne parlait plus à Jessica, sidéré, il écoutait les bruits de l'avion, ne sachant plus quoi dire, dans son effroi, il pleut beaucoup, maman, entendit la mère de Jessica dans son portable, il pleut beaucoup et nous descendons, sois sans crainte, maman, nous serons bientôt là, l'instructeur, lui, s'était tu, détruits dans un déluge de feu, pensait-il, voilà ce que l'on dira de nous, mon remords le plus vif, mon remords le plus vif, et tous les deux, tels des fiancés, l'instructeur de pilotage et Jessica, avaient fermé les yeux ensemble, c'était peu de temps avant l'écrasement, oui, dans ces nuages de fumée, des flammes, désormais, les encerclant dans les bras l'un de l'autre, et plus tard chacun, chacune des pilotes en volant au-dessus de cet aéroport du Wyoming, dans son Cessna Cardinal, peut sentir un tremblement dans l'air, et aussi cette exaltation de voler, de voler jusqu'à ce qu'elle meure, qui fut le dernier bonheur de Jessica, son dernier cri de joie, car cette passion, avait écrit Augustino, ne l'avait-elle pas vécue jusqu'au bout afin qu'elle fût pour les pilotes à venir une offrande, celle de leur liberté dans le ciel, mais il n'en serait pas ainsi de la jeune sœur de Jessica, celle à qui Jessica avait fait un signe, celui de l'adieu, du hublot de l'avion, quelques secondes avant le départ, la petite sœur avait grandi, et cet azur dans lequel Jessica, dans son Cessna Cardinal, semblait avoir joué, fait des bonds, Jessica qui, comme Icare, avait volé si près du soleil, avec l'air de s'amuser tant il était naturel pour elle de piloter un avion, pour cette jeune sœur cet azur n'était-il pas brouillé, ténébreux, dans le troisième siège rouge, il y avait son père, si absorbée par son instructeur de pilotage, Jessica, dans son ascension vers le ciel en fumée, avait oublié ce père qui était là, derrière elle, si près, voyant qu'elle l'avait oublié, ne lui avait-il pas écrit un mot, ou en avait-il eu l'intention, une dépêche envoyée par le glissement d'une ficelle jusqu'à l'oreille de Jessica, avait-il écrit, nous ne nous reverrons plus, ma chérie, ou bien, il n'y a plus d'espoir, ou n'avait-elle jamais reçu ce message, peut-être y était-il écrit, nous allons bientôt mourir tous les trois, ce message qu'imaginait la sœur cadette de Jessica n'avait peut-être jamais été écrit par son père, car il y avait eu si peu de temps, mais lorsque l'adolescente regardait

45

le ciel, c'était pour le haïr, ce ciel bleu se couvrant bientôt de nuages et d'une pluie drue, dans ces nuages qui s'amoncelaient les trois sièges rouges de l'avion tournoyaient, tournoyaient sans fin, on pouvait entendre les cris de ces fantômes tournoyants, eux aussi, qui les avaient habités, c'était ce ciel des pilotes qui lui avait enlevé en une seule heure sa sœur Jessica, son père et l'instructeur de pilotage, et ce ciel que détestait la jeune fille était aussi le ciel de l'ambition de ses parents, de leur pari, où la vie de Jessica était le gage, oui, tout cela était la tragique erreur de parents ambitieux, pensait la sœur de Jessica, seule désormais, elle voyait tournoyer dans le ciel comme au-dessus des ferrailles jadis sur la piste d'atterrissage les trois sièges rouges, peut-être entendait-elle aussi la voix de Jessica lui disant, désolée, ma petite sœur, ce fut bien en vain, bien en vain, oui, pensait Daniel, les écrits de son fils Augustino ne reflétaient-ils pas ses contradictions, son caractère plurivalent, la multiplicité de ses ressources qu'il puisait partout dans l'univers, quand dans ses livres le père d'Augustino se bornait à un sujet, un seul ensemble de descriptions et de pensées, ou bien était-ce là ce que croyait Daniel, quand il était peut-être enclin lui aussi à vouloir tout dire et décrire du même trait, sans avoir l'habileté de son fils, bien que Laure continuât d'accabler la terre entière de ses remontrances, parce qu'il lui était interdit de fumer, et qu'elle fût toujours aux côtés de Daniel, déterminée à le suivre partout où il irait dans cet aéroport, ce n'était pas convenable de poursuivre, pister cet homme marié, plutôt plaisant, mais Laure, fumeuse dégénérée, c'est bien ce qu'elle pensait d'elle-même, non sans indulgence, devait se confier à quelqu'un, et cet homme n'était-il pas le seul capable d'éprouver pour elle quelque empathie, cette empathie étant la faiblesse de l'écrivain, de cela elle avait une intuition très claire, il valait donc mieux poursuivre celui-ci qu'un autre qui l'eût réprimandée pour son vice, tous vous réprimandaient pour ce vice bien débonnaire, en réalité, pensait-elle, bien que Laure fût toujours dans les pas de Daniel, c'est lui qui l'entraîna vers la haute baie d'où la plage était avoisinante car de son doigt Daniel indiquait la présence d'un oiseau solitaire, c'était un pluvier, grattant le sable de ses hautes pattes, un pluvier, un oiseau assez petit et qui n'était pas pris dans les câbles d'une gare, celui-ci, non, Daniel expliqua que les grands échassiers ne venaient pas sur cette plage, des ondes soniques les repoussant loin des pistes de décollage et d'atterrissage, celui-ci, par sa taille plus moyenne, fréquentait encore librement ses rivages humides, et Daniel ne voyait-il pas en l'apparition inattendue de cet oiseau tous les siens, du moineau encagé dans les câbles d'une gare à Madrid au poussin à peine éclos aperçu le matin sur les trottoirs de la ville, tous ces oiseaux qu'il avait dû abandonner à leur sort, ses yeux fixaient le pluvier avec attendrissement, peut-être même avec la reconnaissance de revoir quelqu'un de cher, quand Laure dit en un geignant soupir, je n'en peux plus, non, je n'en peux plus, elle ne comprenait pas, non, pourquoi se fût-elle donné ce mal, dans son état, l'émotion de Daniel devant cet oiseau, un banal pluvier sur une plage, elle tournait la tête du côté des passagers de première classe, tous assis à leurs bancs comme si on les eût assignés pour eux, aucun d'entre eux ne fumait bien entendu, remarqua-t-elle, elle se mit à les mépriser tous, sachant qu'ils avaient peut-être trouvé quelque combine pour fumer ensemble avant leur arrivée ici, dans leurs limousines appartenant à de grands hôtels, ils semblaient tous satisfaits, donc c'est qu'ils avaient pu fumer en quelque lieu réservé pour eux seuls, voyez les hôtesses qui ne s'adressaient qu'à eux, en disant, mesdames, messieurs, nous regrettons ce retard, pour l'instant tous nos vols sont annulés, mais ce n'est que pour une courte durée, aimeriez-vous quelques rafraîchissements, ou des magazines, nous sommes à votre service, mesdames, messieurs, Laure ne se sentait-elle pas devenir de plus en plus rageuse en les regardant tous, il eût suffi de ne fumer qu'une seule cigarette, pensait-elle, d'en respirer le parfum, et elle eût recouvré sa jubilation, son respect d'autrui, elle n'était pas cynique, après tout, elle fut distraite de sa colère, bien qu'injustifiée mais justifiable, pensait-elle, quand elle vit entrer les derniers passagers en retard sur qui l'on referma toutes les portes de verre, car désormais interdiction d'entrée ou de sortie, était-il annoncé, le regard de Laure se posa sur eux agressivement, c'était une famille d'excentriques, scandaleusement riche sans doute, la mère semblait être une grande star, elle traînait dans le sillon de ses bracelets et colliers un jeune mari beau qui avait une allure servile, et un enfant élégamment vêtu comme ses parents, qui portait dans son sac à dos un ourson dont ressortait la tête, cet ourson était d'autant plus surprenant que l'enfant était trop âgé pour lui, tous les deux, l'ourson et le jeune garçon, avaient un air ennuyé, et paraissaient regarder dans le vide, ce qui frappa Laure telle une excentricité, c'est que la femme avait agrafé à son chic blouson, une veste fabriquée avec la peau d'un loup, la tête du loup se renversant, avec ses yeux sans orbites, sur la taille de la femme star, était-ce concevable qu'on puisse s'habiller ainsi, pensait Laure, elle en fit la remarque à Daniel, qui toujours à la contemplation de son pluvier, sur la plage, de l'autre côté de l'immense fenêtre, eut un sursaut de douleur en apercevant le loup déchiqueté, violenté, que portait la femme sur son dos, n'eût-on pas dit que ce loup tressaillait encore des coups violents qu'il avait subis avant de se retrouver dans une position aussi torturée et humiliante, sur le dos de cette femme, ou cette femme avait-elle cédé à quelque élan de sadique vanité sans même le savoir, recevant la veste en cadeau dans quelque pays où elle avait séjourné, et la revêtant avec une sorte de fierté rebelle et sauvage, comme si elle se fût transformée, elle qui était toute svelte, presque fragile, en ce loup féroce dont l'âme avait été volée, dont elle eût volé l'âme forte, résiliente, comme si elle l'eût abattu elle-même de sa carabine, et peut-être, qui sait, pensait Daniel, l'avait-elle abattu à bout portant, afin de mieux s'en repaître, d'en faire sa possession brutale, la sienne, capturer, oui, le loup, ses bois, ses forêts, ses repaires, les marier à son corps égoïste, à la fadeur de sa chair, afin de se rendre elle-même moins cassable, moins transparente, sous ce manteau lapidé aux poils lisses, parfois le mari, dans sa servile timidité, s'enhardissait jusqu'à frôler le dos de sa femme, effleurant les oreilles droites du loup, lesquelles n'étaient plus droites mais repliées, écorchées, cette main se posait sur cette queue touffue du loup, au bas du dos de sa femme, dont le pelage avait été saigné à blanc, la queue gisant là, décimée, dans son étalage de poils gris, le loup fauve, carnivore n'ayant désormais plus de tanière, de refuge, que le dos de cette femme qui l'exposait publiquement à la honte, spectateur de cette honte du loup, de son humiliation qui le crucifiait au dos d'une extravagante, Daniel s'en éloigna pour revoir le pluvier solitaire sur son rivage, mais son cœur bondissait dans sa poitrine, ce pluvier, ce jeune échassier tout à sa paisible promenade près des vagues, de combien de temps disposait-il, avec nous autour de lui pour tout esquinter, démolir, nous les massacreurs des océans, des mers, des rivages, qu'avions-nous fait, avait écrit Augustino, de l'Atlantique, du Pacifique, sinon des cimetières flottants où les plus beaux oiseaux, hérons, albatros, colombes, toutes les espèces, avaient péri après avoir avalé nos rebuts de plastique, de verre, partout des hécatombes, des cimetières flottants, avait écrit Augustino, et Daniel pensait, oui, mais si Augustino avait raison, si c'était vrai, ce qu'il a écrit, qu'il n'aurait pas d'avenir, cela pourrait donc être vrai, cela pourrait donc être vrai et jamais je ne l'ai cru, et Daniel refoulait vite cette pensée, on requérait son attention, la Voix n'annonçait ni départ ni arrivée, veuillez ne pas vous éloigner, Daniel écoutait la Voix, car nous aurons bientôt d'autres renseignements à vous communiquer, veuillez ne pas vous éloigner, Daniel aurait tout le temps, pensait-il, de contempler son pluvier solitaire, sur la plage ensoleillée, et le ciel bleu au-delà de la vitre, de l'autre côté étaient la chaleur, le soleil, une plage qui semblait s'étendre à l'infini, quand montait, dans l'âme de Daniel, en cette aérogare, une réelle sensation de froid, c'est sans doute qu'il s'était habillé trop brièvement à la façon de Mai, un short blanc, une chemise bleue, c'était sans doute à cause de cela, pensait-il. Et Kim, assise sur son tambourin, retenant d'une main la grosse corde à laquelle était attaché son chien de garde, pensait que si Fleur ne pouvait la tolérer, c'est parce qu'elle avait cette odeur rance des gens qui vivent dans la rue, lui, il avait une odeur d'herbes et de pin, et sa peau n'était pas croûteuse comme la peau de Kim, elle eût voulu lui dire qu'elle se lavait tous les jours, ou presque, sous les douches de la plage, quand on ne la surveillait pas, mais n'étaient-ils pas toujours surveillés, alors ce n'était pas tous les jours, quand le sang des menstrues jaillissait entre ses jambes, la rue, c'était sale et pénible, ce n'était pas pour les filles, et les gamins noirs de la rue Bahama avec qui elle avait bataillé lui avaient dit, dégoûtante, tu as du sang sur ta jupe au ras de ta culotte, du sang, tu veux qu'on le lèche, elle les avait fuis, avec son sac à dos acquis aux dépôts de l'armée, là où elle trouvait toujours des jupes en jeans, des bottes cloutées, des débardeurs kaki, et une casquette kaki pour l'hiver, Fleur jouait encore de la flûte, sans regarder Kim derrière lui, sans la voir, parce qu'elle avait cette odeur rance, pensait Kim, ce n'était pas endurable pour lui, Fleur, que Kim soit là, elle eût voulu lui dire, oui, que si elle s'était battue avec ces gamins, c'était parce que, dans leur bande, il y avait des empoisonneurs de poules et de coqs, on en avait déjà enfermé quelques-uns parmi eux, mais d'autres continuaient leurs méchancetés et Kim les dénoncerait, c'était la raison principale pour laquelle elle se battait toujours avec eux, pour la justice des poules et des coqs du quartier, mais comme on disait maintenant qu'il y avait parmi ces gamins mécréants l'un qui s'appelait le Tireur et qui était connu pour tirer partout, lui lançait des balles à la place des pétards des feux d'artifice, il tirait partout, c'était le Tireur, Kim le dénoncerait aussi, car autrement quelqu'un, pas seulement les poules et les coqs, finirait par être tué, cela elle ne pouvait le dire à Fleur, qui lui ne se battait jamais avec les gamins du quartier, et qui jamais ne se baignait avec eux à la piscine, comme le faisait Kim le dimanche, car avant ou après le temple, personne ne se battait, parce que le dimanche était un jour de prières et que les mères ne laissaient pas leurs fils dans la rue, grâce à son chien et à ses bottes cloutées, Kim ne craignait personne, sous la douche près de la mer, son chien rôdant tout près d'elle, toujours le dimanche, Kim lavait sa jupe, nettoyait, nettoyait, jusqu'à ce que disparaisse la tache de sang, elle allait s'asseoir sur la plage au soleil en attendant que sèchent la jupe et son string et ses chaussettes de laine kaki, jusqu'à ce que l'un de ces intrus vienne lui dire de se rhabiller, alors la jupe était souvent encore trempée et il fallait se rhabiller vite en cas qu'un shérif passe à cheval, c'est ainsi sans doute qu'il y avait toujours une odeur rance, quand lui, Fleur, même s'il vivait dans la rue, avait une odeur d'herbes et de pin, la journée avait été longue, sale, pénible, oui, à cause de cette bataille rue Bahama, des poules et des coqs que poursuivaient dans la rue, parmi les voitures, les gamins noirs dans leurs maillots jaunes, des mécréants que Kim dénoncerait, elle les dénoncerait tous, mais d'abord il avait fallu manger, retirer des poubelles un morceau de pizza, un sandwich, ce qui était toujours long et pénible, car dans cette tâche Kim ne voulait pas qu'on la voie, l'odeur rance venait de là aussi, Fleur, lui, était souvent nourri par sa mère, à son pub, lavé et pomponné par elle une fois par mois, mais comme il marchait toujours pieds nus, ses pieds avaient pris une teinte poussiéreuse et brune, il nous rapportait des bières que nous buvions dans des sacs, sous les pins, à notre plage, quand il n'y avait pas trop de surveillance, souvent on nous voyait, feignant de ne pas nous voir, surtout les jeunes policiers ne faisaient plus attention à nous, sauf pour le crack, mais c'était l'affaire des gamins de la rue Bahama, pas la nôtre, des gamins mécréants, comme je voulais le dire à Fleur, qui de toute façon ne m'écouterait pas, lui et sa musique, c'est lassant, usant surtout pour moi toujours fatiguée quand j'arrive ici en fin de journée, et je leur ai dit, vous ne savez pas ce que c'est qu'une fille, est-ce ma faute si le sang s'est mis à couler, et je les ai griffés autant que j'ai pu, et ils ont dit, le Tireur va se venger sur les Blancs, parce que Marcus est en prison, à cause de l'un de vous, le Tireur a dit qu'il se vengerait, mais on ne sait pas quand même qui est ce fameux Tireur, c'est ce que je voulais dire à Fleur, d'être prudent quand il joue sa musique par là, à Mabel, je voulais lui dire aussi, mais elle est déjà sur les quais avec ses perroquets, donc je n'ai plus qu'à attendre que le soleil se couche, je n'ai plus qu'à attendre, même si Fleur ne daigne pas même me jeter un regard, ni à mon chien ni à moi, aucun regard, rien, hein, Max, dit soudain Kim à son chien qui leva vers elle son énorme tête, hein, Max, il ne nous regarde jamais, Fleur, comme si toi et moi, on n'existait pas, ne te l'avais-je pas dit, Max, que nous avions bien tort de venir par ici, est-ce ton odeur ou la mienne, il ne nous aime pas, alors nous irons voir, mais ce sera long et pénible de marcher encore avec mon sac qui rentre dans mes omoplates, long, pénible, je te dis, Max, nous irons voir Bryan, qui dit s'appeler Brillant, ce prétentieux, parce qu'il écrit des livres, dont personne n'a jamais lu une seule ligne, il est de la tradition orale, dit-il, qui n'écrit qu'en parlant, il se méfie des ordinateurs car les internautes pourraient dérober ses idées, c'est depuis son quatrième ouragan qu'il est ce menteur perturbé, Brillant ne travaille que le matin pour servir les petits-déjeuners au Café Espagnol et parfois aux terrasses, le soir, quand il n'a pas trop bu, mais entre le matin et le soir il a le temps de s'asseoir dans tous les bars, avec sa poésie orale, comme il dit, et d'écrire des livres, en paroles quand personne ne l'écoute, si Brillant n'est pas trop soûl, nous dormirons avec lui dans la voiture de son patron, c'est une décapotable mais on baissera le toit s'il y a trop d'humidité, hein, Max, et on sera bien, Brillant a une chambre mais il ne dort jamais chez lui, il a peur que cela recommence, le déluge, l'eau qui gravit les marches, les vents qui vont lui déraciner la tête avec tous les palmiers qui s'envolent, son ami le géant noir Victor n'y a pas survécu, plus que son ami, son demi-frère, et Brillant dit, si Victor était avec moi, je ne serais pas ce que je suis, non, je ne serais pas ce que je suis, c'était mon frère, nous étions ensemble à crier sur le toit des maisons, au secours, au secours, on devait attendre l'hélicoptère qui passerait, nous sauverait, c'était pendant le premier ouragan, lui, une planche l'a emporté, il ne savait pas nager, est allé sombrer dans une rivière de boue, dans l'écroulement des planches et des arbres, mon frère, mon ami, dans notre grande maison de La Nouvelle-Orléans, il y avait la famille de Victor, sa mère, notre Nanny, les frères de Victor qui sont tous incarcérés pour leurs larcins, notre Nanny disait, je n'ai qu'un bon fils et c'est Victor, le géant Victor, et c'était vrai, les autres étaient des fils manqués, elle le savait, même avec le fouet, ça n'avançait à rien, disait-elle, ils avaient la peau trop cuirassée tant ils avaient été battus, car Nanny avait une main solide, c'était notre Nanny pour ma sœur et moi, nous, on vivait dans les hauteurs de la grande maison en bois blanchi, et maman, au temps où elle ne s'était pas encore convertie, sortait beaucoup avec mon père à son bras, c'était la plus souveraine des mères, une grande dame dans notre ville, une patronnesse, malheur à nous, elle s'est convertie et ne parle plus que de mes péchés, tu n'as pas sauvé Victor quand tu aurais pu le faire, dit-elle, quand Victor a grandi avec toi, qu'il est le seul fils valable de ta Nanny, mais même avant sa conversion, maman était sévère, elle refusait que je sorte de la maison, me faisait garder par Nanny, car je pouvais disparaître, disait-elle, depuis ma fugue en train à l'âge de douze ans, elle ne voulait plus que je quitte la maison, ni le grillage de notre jardin, ma fugue en train avait duré deux jours, deux nuits, lorsqu'ils m'ont trouvé, ce fut à mon tour de sentir le coup de la lanière sur mes reins, maman était trop digne pour me battre, elle a dit à la Nanny de le faire pour elle, et de son air digne et hautain, toujours, maman regardait la Nanny me punir, et Nanny a dit dans sa miséricorde, est-ce que je ne dois pas m'arrêter, et maman, toujours digne et hautaine, a dit, non, continuez car il ne pleure pas, continuez jusqu'à ce qu'il crie, mais je n'ai pas crié, et tu vois, Kim, toutes les cicatrices je les ai toujours, mais ce n'est pas la main de Nanny qui m'a puni, non, c'est celle de ma mère qui regardait Nanny me rouer de coups, et surtout que Nanny a répété plusieurs fois, par pitié, madame, je n'aime pas faire mal à un enfant, ni aux miens ni aux vôtres, le Seigneur me punira, nous aurons un châtiment dans notre famille où tout va déjà si mal, et ma mère hautaine et digne a dit encore, de celui-ci n'ayez pas pitié, de Bryan n'ayez pas pitié, et avec le premier ouragan et Victor qui ne savait pas nager dans les eaux putrides, Nanny a cru que le châtiment de Dieu était arrivé, cela parce que, pour écouter ma mère, elle avait donné des coups à un garçon blanc, sûr que c'était vrai, disait notre Nanny, au deuxième ouragan je n'étais plus là, c'était comme si je volais au-dessus de la crête des vagues des ouragans, à mesure, mais le deuxième ouragan m'a rattrapé plus loin, et encore une fois j'étais sur le toit des maisons à crier au secours, mais Victor, où était Victor, il n'était plus avec moi, non, il n'était plus avec moi, noyé, noyé, c'était ce que racontait Brillant dans son premier livre, celui qu'il écrivait à voix haute, disait-il, je dois d'abord acheter du papier, disait Bryan, sinon mon livre ne sera jamais écrit, et lorsqu'il rentrait dans sa chambre pour écrire, Brillant s'endormait dans son ivresse, puisqu'il en était ainsi, ce serait pour demain, le deuxième livre, l'histoire du deuxième ouragan. Mais dans le deuxième ouragan, pensait Kim, tout avait péri aussi, disait Brillant, s'il n'avait pu rescaper Victor, son ami et frère, et les trois chiens qu'il avait ramenés de La Nouvelle-Orléans avec lui, tout avait péri dans ce que Brillant appelait la Deuxième Grande Dévastation, deux de ses chiens n'avaient jamais été retrouvés, quant au troisième il était toujours en rétablissement chez un vétérinaire tant, comme Brillant lui-même, il était encore secoué, choqué par la peur des eaux et des vents, mais dès qu'il irait mieux, Brillant irait le recueillir, et ils ne se quitteraient plus, non, jamais plus, oui, Kim irait voir Brillant, c'était un cerveau fêlé par les tempêtes et les cyclones, mais peut-être était-ce vrai, pensait Kim, que son manuscrit, tout écrit de son écriture exaltée et rapide, ainsi que ses publications de jeunesse qui lui avaient valu des prix de la ville, que tout avait été détruit dans la Deuxième Grande Dévastation, ou la Troisième Grande Dévastation, et que c'est ainsi que Brillant n'ajoutait plus un mot écrit sur le papier, dans un carnet ou un cahier, se disant qu'au passage d'une Quatrième Grande Dévastation il ne resterait plus rien de lui, qu'il valait donc mieux ce retour à la tradition orale où l'on peut écrire en parlant, parler sans cesse, que cela seul ne se perdait pas, et il pérorait ainsi, discourait, tant pis si nul ne l'entendait en ce monde chaotique, chaviré, il semait sa poésie partout où il allait, comme un peu de baume sur les plaies du monde, disait-il, il écrivait aussi beaucoup à sa sœur Isadora, c'est bien comme maman dans la tour d'ivoire de son esprit de te nommer ainsi, ma sœur, toi ma sœur peintre, pourquoi te contenter d'être une excellente illustratrice de livres écrits pour les enfants dans une maison d'édition de New York quand tu pourrais peindre comme tu peignais jadis à mes côtés, dans la nursery, moi je te disais quoi peindre, tout en te racontant une histoire, tu te souviens du chat Tigre que maman avait fait venir de loin pour les souris de l'écurie, ce n'était pas un chat mais un tigre, il venait de l'Inde, soudain nous avons vu que ce n'était pas un chat mais un tigre, et dans le champ, d'un seul coup de mâchoire, il a mangé la vache, tu n'as jamais cru que cette histoire était vraie, mais tu l'as illustrée dans tes premiers dessins d'enfant, je peux t'assurer, moi, que cette histoire était vraie car nul n'avait jamais vu un chat comme notre chat Tigre qui avait un gigantesque appétit, ma chère sœur aînée, Isodo, reviens, je n'ai que toi au monde, ou téléphone, fais-moi un signe, ne dis pas comme maman que je suis coupable de la noyade de Victor, mon ami, mon frère, que j'aurais pu retenir la poutre qui l'a enfoncé dans les eaux polluées déjà par les cadavres, que j'aurais pu, que je pourrais, depuis sa conversion notre mère m'accuse de tout, nous n'avons qu'une mère toi et moi, et c'est notre Nanny noire qui nous a élevés, tu comprends, Iso, nous n'avons qu'une mère, et c'est cette mama, je te dis, la mère de Victor et de ses frères, nos pauvres frères incarcérés, les jours de festival on peut voir la prison sur la colline, nous, on mange, on chante et on boit dans la rue, et les frères de Victor, de leur bâtiment d'un blanc immaculé, crient et hurlent à travers les barreaux, on peut presque les voir, les toucher, les jours de festival, dans la ville des prisonniers, toi, Isadora, et moi, nous n'avons qu'une mère et c'est notre Nanny, que dirait maman si belle, si hautaine, si elle savait ce que pense son fils Bryan, appelé Brillant, que ce méprisable rejeton aurait dû être oublié à jamais dans ce lit de foin où il fut retrouvé dans le wagon d'un train deux jours, deux nuits après sa fugue, il aurait mieux valu qu'on ne le revoie plus, ou bien allant d'un ouragan à l'autre, et survivant à chacun parce qu'il était leste et petit, il aurait mieux valu que les vents, les ouragans tueurs le décapitent enfin, voilà ce qu'elle aurait dit, notre mère, et Isadora répondait à son frère de ne plus avoir ces discours déraisonnables, qu'il était un adulte maintenant, de se mettre sérieusement à l'écriture, elle promettait d'illustrer son premier roman, elle promettait tout à ce petit frère leste, si leste qu'il s'élevait de toutes les catastrophes, tel un papillon, disait-elle, et elle ajoutait que leur mère depuis sa conversion priait pour son fils, son garçon fou à enfermer, mais que ce n'était pas sa faute, non, ce n'était pas la faute de Bryan, en voulant empêcher la poutre d'emporter Victor, il en avait reçu des éclats sur le front, au réveil de son évanouissement il avait déliré pendant des jours, même dans l'hélicoptère il délirait abondamment, et il décrivait comment il revoyait Victor, tombé face contre le fleuve empli de cadavres et de détritus, sa salopette bleue que gonflait l'écume de l'eau, il voyait tout, voyait tout, disait-il, et il avait fallu le calmer avec des sédatifs, le calmer, lui qui ne serait jamais calme, écrivait Isadora à son frère, donc j'attends, mon cher Brillant, que tu m'envoies ton premier roman, ce roman de ta vie d'exploits et d'aventures, quoi de plus extraordinaire que ta vie, Brillant, afin de l'illustrer, oui, de mes dessins, de dessins flamboyants comme ta vie, Brillant, comme l'histoire de ton évasion en train, pendant deux jours, deux nuits, ton inoubliable fugue au bout du monde, Brillant, et comme tu étais maigrichon au retour, maman te faisait nourrir à la cuillère par Nanny, ne sois pas sacrilège, Brillant, nous n'avons qu'une mère et c'est notre chère maman, elle a bien ses défauts comme toutes les mamans, mais nous n'avons qu'une mère et c'est la nôtre, qui nous aime et te pardonne tout, Bryan, ne t'envoie-t-elle pas de l'argent afin que tu aies une existence convenable, Brillant, peut-être ton emploi ne te plaît-il pas, Brillant, il faut en chercher un autre, mais surtout que ton existence soit convenable, cher frère, je t'embrasse plus de mille fois, comme avant la chute de la poutre, avant tout ce qui nous a séparés, toi et moi, je ne serais pas ce que je suis si tu étais ici dans cette nouvelle île, nouvelle demeure soumise aux caprices des vents et des tempêtes, car c'est ici que j'ai subi ma Troisième Grande Dévastation, ici où je croyais pouvoir enfin me réfugier avec mes chiens, mes livres, mes écrits, je ne serais pas ce que je suis si tu étais encore avec moi, toi, Victor, toujours avec moi, et si maman m'envoie cet argent, c'est afin que je m'éloigne, que je réside au loin, ou que je sois sans résidence, si cela me plaît, c'est qu'elle ne veut plus me voir chez nous, mais je ne serais pas ce que je suis, sans domicile et effaré, choqué et secoué comme mon chien, attendant toujours d'être rétabli, je ne serais pas ce que je suis si tu étais là, chère sœur, oui, pensait Kim, c'est ainsi que Brillant écrivait à sa sœur, souvent la nuit, dans la décapotable du patron, il sortait de sa poche tous ses stylos et écrivait sur les serviettes de table du Café Espagnol où il servait le petit-déjeuner le matin aux touristes, et pendant ce temps, allongée près de lui sur la banquette arrière, Kim pouvait enfin se reposer, dormir, mais voici que Kim entendait la voix fâchée de Fleur qui s'arrêtait un moment de jouer de sa flûte, un court intermède où il reprendrait haleine, disait-il, et sa bouche était sèche, et il avait soif, dit-il à Kim toujours de ce même ton maussade, et n'était-ce pas l'heure pour Kim de tambouriner un peu, pendant l'intermède, et puis cette zone du trottoir, de la rue, n'était-elle pas la zone de Fleur, joue de ton tambourin ou va-t'en, disait Fleur qui était sans doute dégoûté par l'odeur de Kim, ou par celle de son chien, ou par les deux à la fois, leur odeur de ruelles et de fonds de cours, quand Kim se lavait, tenait à ses excès de propreté quand elle amenait son chien à la plage des chiens où il pouvait courir, n'était-ce pas désagréable que les baigneurs toujours s'éloignent d'eux, toujours les repoussent, ou n'était-ce que dans l'imagination de Kim, quand son chien Max avait un poil lustré comme les cheveux de Kim qu'elle brossait tous les jours, seul Brillant disait à Kim, tous les deux vous avez de beaux poils, toi et Max, oui, je t'achèterai une laisse pour ton chien, ainsi Max aura l'air d'un vrai chien de propriétaire, pas d'un chien de rue, tous ces détails importaient au divaguant Brillant parce qu'il avait été élevé dans une famille où il y avait des principes et des bonnes manières, même si maman était trop sévère, répétait-il, mais lui, Fleur, était si susceptible et souvent insupportable, et ne supportant pas Kim, pensait Kim, il ressemblait, malgré ses hardes défraîchies, à ce groupe qui avait envahi la ville, les Enfants arcs-en-ciel, des enfants de richissimes parfois, détenteurs de cartes de crédit, d'ordinateurs et de portables, des contestataires de la fortune de papa, ou du matérialisme des uns et des autres, ils venaient tous d'outre-Atlantique pour l'hiver, les Enfants arcs-en ciel, ou de lointaines villes d'Amérique, les ratés d'une sous-population de l'errance, pensait Kim, oui, Fleur était comme eux, un itinérant gâté ayant tous les privilèges que lui octroyait sa mère, des cartes de crédit, un portable, dont il ne se servait pas, le chef de police en avait arrêté quelques-uns de ces squatteurs dans une école désaffectée, mais c'était une école historique, et les vandales avaient tout défoncé, même les murs, les portes et les fenêtres, ces ignares, ces vandales, pensait Kim, ils se disaient sans violence et voyez comme ils brisaient tout, pour le plaisir, mais Fleur n'était pas un vandale ni un raté, non, Fleur, c'était un musicien, Fleur, c'était une personne noble, pensait Kim, jouant de ses baguettes sur le tambourin, se disant que Fleur, qui caressait maintenant son chien, son berger allemand appelé Damien, le temps d'un court intermède, comme il disait, que Fleur, plus détendu, lui sourirait peut-être enfin, oui, et que la journée ainsi serait moins longue et stupide, pensait Kim. Et Robbie disait à Petites Cendres toujours enfoui sous ses draps et refusant de se lever, Yinn a eu un tel triomphe au Japon, en Thaïlande, le pays de sa naissance, ses performances d'acteur travesti, chanteur, danseur ont été si en vogue que tous les jeunes sont venus l'applaudir, au théâtre comme dans les boîtes de nuit, et il nous est revenu en disant, maintenant, oui, cela est réalisable, nous aurons une maison de retraite, et des salaires de retraités, pour nos reines en vieillissement ou qui ne peuvent plus travailler sur scène, c'était un rêve de Yinn, cette maison, et déjà il consultait un architecte, il dit que la maison serait prête pour le printemps, car ne l'oubliez pas, dans ce louable métier, notre durée est éphémère, et je me disais, Petites Cendres, que si cette maison avait existé pour Fatalité, elle ne serait pas morte seule à vingt-neuf ans dans un appartement où toutes les lumières étaient restées allumées pendant plusieurs jours, sans doute parce qu'elle redoutait le noir, la nuit sans les ornements de la scène, oui, c'était bien dommage que même si jeune mais trop faible désormais pour chanter, danser, être la drôle Fatalité, l'ironique, la rieuse Fatalité, elle n'ait pas eu quelque temps dans une pension chaleureuse auprès de ses semblables, je me disais, oui, bien dommage que notre Fatalité soit en quelque sorte morte debout comme un cheval fourbu, ou bien que désespérée, toujours debout, elle ait eu à s'injecter dans les veines sa propre fin, car dans la pension des reines de Yinn, il y aura amour, compassion, tendresse, oui, il y aura tout ce que cherche une âme qui ne s'en va nulle part, dit Robbie, sans renouvellement de passage, car je ne suis pas bouddhiste comme Yinn, moi, la mère de Yinn protesta un peu, puis très vigoureusement, en disant, mon fils, dès que tu gagnes un peu d'argent, dès que tu vis un moment de triomphe bien mérité, il faut toujours que tu dépenses cet argent pour les autres, quand moi, ta pauvre mère, j'aurais besoin d'une paire de souliers, tu auras tes souliers, maman, répondait Yinn, mais ne les achète pas si étroits que tu te tortures les pieds, ce n'est pas bien, maman, c'est en pensant à Fatalité, ajoutait Yinn, que j'ai eu l'idée de cette maison pour nos jeunes retraités, d'ailleurs je n'aime pas le mot *retraité,* ne dirait-on pas le dernier retranchement, l'exil vers les limbes, non, on appellera la maison La Répétition ou La Maison des Come-back, ce n'est pas beau, ça, La Répétition, et voilà où tu seras un jour, dit Robbie en tirant Petites Cendres par les cheveux, pourquoi pas dès le printemps, car, comme toutes nos vieilles qui ne peuvent sautiller sur scène, tu n'es ni parmi les très mourantes, ni parmi les très vivantes, juste en état de répétition, juste entre les deux, qu'en penses-tu, Petites Cendres, et moi je finirai bien par t'y rejoindre dans quelques années, Herman aussi, et bien d'autres qui se fouleront une cheville, comme cela arrive facilement sur nos talons hauts comme des échelles, et Petites Cendres dit qu'il ne voulait rien entendre de ce que lui disait cet effronté de

Robbie, c'est qu'il voulait déjà le divertir de ce monologue où apparaissait trop souvent, tel un éclair dans sa nuit, le nom de Yinn, as-tu fait d'autres rencontres avec des *sugar daddies*, demanda Petites Cendres, jamais, dit Robbie, je n'en veux plus, j'ai bien peu de temps pour le sexe, mais l'autre nuit j'ai amené un jeunot dans mon antre, sous la corniche de la véranda, il avait des *piercings* partout sur le visage, il était ici pour la fin de semaine avec ses parents, à l'hôtel, tu t'imagines, vingt ans et être encore avec ses parents, il a dit, je ne veux qu'une petite aventure, rien de compliqué, c'est ma première sortie de nuit, sans mes parents, je lui ai dit, tu es bien en retard, mon ami, quand vas-tu donc te dégourdir un peu, et n'oublie pas, garçon, joli garçon, que sous mon maquillage, mes robes décolletées, mes boucles noires, je ne suis pas une fille, moi, mais un homme, est-ce que vraiment tu veux une aventure avec un homme, ou n'as-tu rien compris, j'avais saisi qui tu étais, dit le garçon, mais je ne veux rien de compliqué, étant sans expérience, comme tu vois j'ai déjà mon condom, on dirait une gourmandise, c'est invitant, et toi tu as des yeux très doux, dit le garçon, je l'ai donc amené à la maison, Yinn avait terminé sa nuit de représentations, il est venu vers moi et a dit, n'est-ce pas un mineur, et le garçon, joli garçon, s'est écrié qu'il n'était pas mineur, oh non, il était très expérimenté, comme c'était un soir de pleine lune, les yeux doux de Robbie l'avaient attiré, mais je ne veux rien qui soit trop compliqué, dit le garçon, joli garçon, mais dans mon antre le garçon n'a fait que dormir, sa tête sur mon épaule, il m'a dit le matin qu'il n'avait rien connu d'aussi doux dans sa vie, l'épaule de Robbie, voilà, je dois vieillir sans le savoir pour jouer ce rôle paternel, il m'a dit aussi, le joli garçon, vous vivez donc à plusieurs ici, que je vous envie, et

Yinn, qui est-il, est-ce un maître de yoga, il a l'air d'un grand maître, ses yeux ne sont-ils pas magnétiques, j'aurais bien aimé passer la nuit avec lui aussi, mais le temps me manque, mes parents m'attendent à l'hôtel, ils doivent bien se demander où je suis, je devais rentrer à minuit, tu as bien de la chance, Robbie, de vivre ta vie, moi je ne sais pas, vois-tu, si je pourrai jamais le faire, car je ne veux pas déplaire à mes parents, je peux te le dire, je suis déjà fiancé à une fille, alors cela se voit déjà que je ne pourrai jamais vivre ma vie, ou bien ce serait en parallèle, cela, oui, on ne sait jamais, voilà, dit Robbie, où j'en suis avec mes innocentes fins de nuit, dans mon nid, sous la corniche, père ou confident, ou initiateur de garçons imberbes, il faudrait enlever un à un tous les *piercings* de leur visage afin de pouvoir les embrasser, et cela ne demande qu'à dormir sagement auprès d'un grand frère portoricain, mais cela console aussi des *sugar daddies* qui vous brisent le cœur, dit Robbie à Petites Cendres toujours enfoui sous les draps, et Fleur se souvint du concours de composition musicale, de ses feuillets de musique, partitions qui étaient toujours chez sa mère, ne l'avait-elle pas convaincu de ne pas participer à ce concours, et pourquoi l'eût-elle convaincu quand il ne voulait que cela, prouver qu'il était toujours le musicien de jadis, elle voulait plutôt persuader son fils de jouer dans un trio cajun à la fête des Capitaines et de leurs bateaux, piano ou violoncelle, le festival traditionnel des arts le rémunérerait bien, aucun costume ne serait imposé, il pourrait se présenter pieds nus à sa performance, il reverrait ses amis Seamus et Lizzie, ils seraient tous dehors sous les étoiles, musiciens de ballades et de chansons, en plus le spectacle aiderait les causes que défendait sa mère, mettre à l'abri de la persécution ses illégaux, il ferait mieux d'oublier sa composition, cette *Nouvelle Symphonie* qui n'était pas une symphonie avec ses sons hirsutes, on entendait même hululer à travers eux la sirène de la ville, que Fleur oublie et se joigne au trio cajun, ce serait réjouissant de le voir auprès de ses amis, Seamus et Lizzie, des jeunes gens si doués, eux aussi, que Fleur n'avait pas revus depuis si long-temps, était-il donc indifférent à ses amis, depuis qu'il vivait dans la rue, dans la musique d'aujourd'hui on peut décrire tous les sons, avait écrit Fleur à sa mère, ou tous les cris, que veux-tu dire, mon fils, lui avait répondu sa mère, il était trop tard, écrivait la mère de Fleur à son fils, trop tard pour tout, peu à peu Fleur apprenait qu'il avait été la cause du divorce de ses parents, son père aurait approuvé qu'il parte ailleurs, qu'il poursuive des études musicales à l'étranger, peu à peu il avait subi la bienfaisante influence du grand-père de Fleur, et le séjour en Russie, oui, il aurait dit oui, mais la mère de Fleur avait demandé le divorce, toujours autour de Fleur ils s'étaient disputés, affrontés, quand son destin n'appartenait qu'à lui seul, oui, qu'à moi, pensait Fleur, sous son capuchon, d'un geste rageur il avait repris sa flûte traversière et recom-mençait à jouer la sonate qu'il ne jouait plus que machinale-ment, maintenant, pensait-il, sans égard pour la beauté de l'œuvre, et cela le peinait tant qu'il en fût ainsi, pendant que Kim tambourinait à quelques pas de lui et de son chien, par-fois les deux chiens grognaient ensemble, Damien et Max, et Kim leur criait de se taire, et sa mère lui avait dit en le pei-gnant et le coiffant, il y avait de cela quelques semaines, ses cheveux s'étaient bien emmêlés depuis, qu'il était trop tard, et pourquoi serait-il trop tard, pensait Fleur, Garçon Fleur, il est maintenant trop tard, avait dit la mère de Fleur, le temps des prodiges est passé, et que connaissait-elle de Fleur pour parler ainsi, juger sans la connaissance, comme elle avait toujours fait, dans la présentation d'une composition musicale, à un concours, il y aura un président et des membres d'un conseil musical et tu ne pourras jamais les affronter ni leur faire face, mon fils, ce n'est pas à toi qui vis dans la rue qu'ils vont attribuer un prix, ces gens-là sont des personnes graves, érudites, ce n'est pas pour toi, tu leur feras peur avec ta façon d'être et de vivre, ils verront tout de suite tes imperfections, tes fautes, tu les dérouteras et ils se moqueront de toi, tu n'y peux rien, Garçon Fleur, mais c'est ainsi, je ne suis plus celui qui était hier sur une scène, quelle que soit la scène, dans une taverne, ton pub, sur une terrasse de restaurant, je ne suis plus cet exécrable et faux Garçon Fleur, vivre dans la rue fut ma leçon de sauvagerie bien à moi, et je sais que ce conseil musical pourrait me respecter car je suis intègre, écrivait Fleur, ce n'est que pour écrire à sa mère qu'il utilisait le portable, comme le faisaient les richissimes Enfants arcs-en-ciel que détestait Kim, et ma musique est intègre et décrit la réalité, le monde réel et dur dans lequel je vis, moi, j'ai toujours l'espoir de la musique, mais les autres comme Kim n'ont rien, et bien d'autres encore, moins que rien, et c'est de cette pitié que je vis, écrivait Fleur à sa mère, lorsqu'il prenait le temps de lui écrire, sur la plage, le corps excédé par la faim, se félicitant toutefois que Damien fût toujours bien nourri, eût toujours à boire, car Damien était l'être qu'il aimait le plus au monde, comme pour Kim Max l'était aussi, c'était une indispensable adoration ce chien, qu'il ne pouvait expliquer à sa mère, elle dirait encore que Damien coûtait trop cher à son fils, qu'il se priverait encore pour Damien, et surtout, c'était là sa sourde accusation, Fleur négligeait sa mère pour Damien, enfin, mon fils, es-tu aveugle, ce n'est qu'un animal, après tout, dirait-elle, et Fleur disait à sa mère que sans Damien, le compatissant regard de Damien, il eût été encore plus dévalorisé et découragé, et elle ne pouvait pénétrer le sens de cet abattement, ni de cette amertume, comment Martha eût-elle su que son fils pensait encore à elle, Clara, qu'elle était toujours le seul espoir de ses pensées, mais il lui semblait que son fils lisait trop sur la vie des musiciens et leur musique, lui qui n'avait fait que des études primaires, il lisait trop, de là découlaient tous ses rêves d'ambition ou ce souhait de retourner à la musique quand véritablement il était trop tard, disait-elle, pendant ce temps, pensait Fleur, d'autres écrivent ce que je voudrais écrire, composent ce que je voudrais composer, dirigent des orchestres, sont créateurs, quand je me détériore, en dedans comme au dehors, et tout en jouant dans la rue de sa flûte traversière, il entendait encore cette musique des autres qui lui procurait de mornes élancements, il fallait qu'on puisse entendre dans sa *Nouvelle Symphonie,* qu'il aurait pu appeler aussi symphonie de la déception, de la défaite, l'égosillement des chants du coq dans la chaleur comme le cri lancinant des sirènes, la sirène, c'était le voleur pris sur le fait, ou l'ambulance d'où se plaignait un accidenté ou un malade, les chants du coq évoquaient que vous n'aviez rien mangé depuis plusieurs jours, parfois la musique était concrète, charnelle, un compositeur avait écrit un mémorial pour les astronautes de *Columbia,* le compositeur Péter Eötvös dans son œuvre *Les Sept,* laquelle avait été créée et interprétée de nombreuses fois, car c'était une catastrophe à laquelle chacun avait assisté, une image que diffusait la télévision, celle d'un casque d'astronaute parmi les quelques débris jonchant le sol qu'on ait pu encore retrouver, car l'espace n'était source que de silence, tout ce qui était enseveli dans sa course ne nous revenait pas, et ce silence était peut-être celui de l'éternité, écrivait Fleur à sa mère, oui, l'image de ce casque isolé, et dans l'isolement de son complet silence, cette image avait inspiré le musicien, à ce casque d'un astronaute se liaient sept autres vies toutes fauchées au même instant, dans une même flambée sidérale, avec cette image, chacun, en la regardant à sa télévision, avait senti la montée de la flèche vers le ciel, et la coupure qui l'avait détruite, on eût presque pu entendre les battements de cœur des sept astronautes en voyant cette image, écrivait Fleur à sa mère, et c'était cela le pouvoir de la musique, n'était-ce pas de toucher un instant de réalité, de vérité et de le décrire en suspension entre la vie et la mort, afin de ne pas l'oublier ? Ici, le passage des sept vies vers un au-delà astral sans rémission s'exprimait par un concerto pour violon, dans un échange de voix de ce chœur mixte scindant la nuit, le violon étant la voix de ces multiples cris, de la rupture des sept corps, lesquels, pourtant dans des jets de feu, seraient noués ensemble telles des gerbes de blé, mais le musicien ayant prêté à chacune, chacun une voix, un dernier cri, ou l'explosion de sa joie contrainte, à travers les raclements, frissonnements du violon, il y aurait un violon soliste, et six autres dispersés dans la salle, pendant le concert, les violons refléteraient les ultimes déchirements de chacun, dans ce drame de l'espace, lequel espace était une fosse engloutissant à mesure ses victimes, qu'elles fussent humaines ou animales, et de quelque nation de l'univers, les dévitalisant toutes de leur vie, en une seconde peut-être, quand leurs âmes, leurs sept âmes planaient encore, démembrées, éparpillées, ne cesseraient peut-être jamais de planer, parmi d'autres satellites planeurs, qui sait si ne finirait jamais leur exploration, leur mission dans l'espace, chantaient ces sept violons, pensait Fleur, et cette évocation de tout ce qui refuse de mourir, n'était-ce pas, disait Fleur à sa mère, le pouvoir de la musique, et qu'aurait-elle dit, écrit, que Fleur revienne près d'elle à la maison, même avec Damien s'il ne pouvait vivre sans lui, Fleur serait son assistant, Fleur l'aiderait quand elle avait tant de clients à son pub, elle préparerait pour lui ses repas, il reverrait ses amis de l'orchestre cajun Lizzie et Seamus, il y avait une place pour lui, piano ou violoncelle, pourquoi tardait-il tant à revenir, et tout en jouant de sa flûte traversière, dans la rue, Fleur pensait à ces mots que sa mère lui avait tant de fois répétés, il est trop tard, il est trop tard. Et Petites Cendres se souvenait de ce flottement d'images et de scènes, comme s'il était au théâtre, pendant qu'il se balançait dans son hamac, humant les fragrances de l'été, ses arômes de jasmin qu'il aurait pu sentir sur le corps de Yinn, dans sa chevelure noire s'il s'était approché de lui, au bar ou au Saloon, c'était en été, quand Mabel le laissait seul, tous ces souvenirs, ces images flottantes et parfumées, à se balancer dans le hamac, quel jour étions-nous quand il y avait eu cette arrivée de jeunes modèles new-yorkais, et parmi eux le garçon aux raides cheveux blonds, à la peau laiteuse, celui qui avait souri à Petites Cendres en entrant au Saloon, était-il encore le protégé de son couturier là-bas si loin, le reverrait-il jamais, un autre garçon blond réapparaissait, plus proche et fréquentable, c'était la découverte de Yinn pour le Vendredi Décadent, un angelot qui ne semblait porter nuit et jour que son slip de danseur ou un maillot de bain moulant dans lequel il filait ses billets de banque, dont les pointes étaient toujours visibles, entre ses deux séances de danse sur les tables, le soir, Yinn ne disait-il pas que ce Cupidon ou cet

Éros encore en enfance préférait aux déchaînements amoureux, qui ont parfois une fin sinistre, la pure affection, les
enlacements enfantins dont il faisait à tous l'irrésistible pro-
position, en tendant ses bras autour de votre cou, et combien
de fois lorsqu'il sortait encore le soir, la nuit, Petites Cendres
n'avait-il pas senti l'effleurer de ses baisers volants ce petit
Cupidon aux blonds cheveux courts, dont la poitrine était
rose, virginale, comme celle du modèle new-yorkais, celui
que Petites Cendres appelait encore son garçon, se souvenant
aussi qu'il avait crié, dans la rue, ne faites aucun mal à mon
garçon, quand celui-ci avait été accusé du vol d'une moto,
n'était-ce pas un feint délit puisqu'on l'avait tout de suite
libéré, ou était-ce son couturier, qui, alerté, avait défrayé la
caution, reconquis son voyou, son charmeur, une blague,
avait dit le garçon, une fausse tentative de vol afin d'attirer
votre attention, Messieurs, je suis de ceux qui font des bêtises
quand ils s'ennuient, où était maintenant le garçon de Petites
Cendres, celui qui lui avait souri en entrant au Saloon,
lorsque Petites Cendres sortait encore le soir, toute la nuit,
lorsqu'il pouvait encore humer ce parfum de jasmin dans la
chevelure noire de Yinn, s'il avait eu l'audace de s'en approcher, oui mais, pensait Kim, si c'est le jour de la visite au
vétérinaire, Bryan sera d'humeur chagrine s'il ne peut,
encore cette fois, ramener avec lui son chien et faire avec lui
son habituel tour de l'île à bicyclette, avec Misha courant,
courant, joyeux, à ses côtés, car le médecin vétérinaire disait
à chacune des visites de Bryan, il faut attendre, Misha ne peut
encore être dressé ni apprivoisé, voyez combien il tremble, et
je crains qu'il ne reconnaisse pas encore son maître, et Bryan
s'agenouillerait devant son chien en disant, c'est moi,
Brillant, ne te souviens-tu pas de moi, nous étions ensemble

dans le filet que l'on remontait vers l'hélicoptère, au-dessus des eaux purulentes et des branchages, il y avait Victor mon demi-frère, mon ami, en dessous de nous, qui ne se relèverait pas, noyé déjà, le visage dans les feuilles de palmiers, l'écume de l'eau salie gonflant sa salopette, la sauvegarde serait pour nous, toi et moi, Misha, mais pas pour Victor, s'il était encore avec nous, je ne serais pas ce que je suis, oh, Misha, je t'en prie, pourquoi ces tremblements quand je tente de te reprendre avec moi, la Troisième Grande Dévastation est achevée depuis longtemps déjà, et il n'y en aura plus d'autre, je te promets, et Misha depuis le funeste ouragan était à la clinique vétérinaire parmi d'autres victimes aussi nerveuses que lui, mais il se rétablirait, disait celui qui le soignait avec tant de patience, oh, si c'était le jour de la visite à Misha, Brillant pleurerait toute la nuit, en prononçant le nom de Misha, mon Misha, mon pauvre chien qui fut ainsi foudroyé, et ne me reconnaissant plus, et Kim ne saurait comment agir auprès de ce Bryan sanglotant, elle qui n'aimait pas que l'on s'abandonne ainsi à ses émotions, et si c'était le jour de la visite à Misha, Bryan ne servirait ni aux terrasses ni au Café Espagnol, il ne rapporterait aucun plat exquis, ce serait encore une nuit de jeûne, une de plus pour Kim, car Bryan savait comment servir un déjeuner, un dîner, à minuit sur la plage, lorsqu'on ne les surveillait pas, il versait le vin, le champagne dans les verres, cadeaux, disait-il, de son café, le Café Espagnol, quel miracle était la vie, disait Brillant, oui, mais où était encore son cher Misha, si Misha, Victor, mon demi-frère, le fils de ma Nanny qui n'aimait pas battre ce fils blanc de ma mère, s'ils étaient encore avec moi, je ne serais pas ce que je suis, disait-il, oh non, il en serait bien autrement, mes livres seraient publiés, Kim disait à Brillant, et l'histoire de

Misha, ton chien, pourquoi ne l'écris-tu pas, le sanglotant Brillant disait non, je ne peux pas, car je me sens coupable de tout, tu ne pouvais certes arrêter les foudres du ciel, les vents déments, disait Kim, si Dieu existait, comme le croit ma mère convertie, Victor et mon chien seraient toujours avec moi, mais Kim savait aussi que Brillant était le meilleur cycliste de la ville, qu'il était le deuxième à la course finale, pourquoi pas le premier, disait Kim, à la prochaine course tu seras le premier, disait Kim, posant sa main sur l'épaule grêle de Brillant, il faut que tu sois le premier et ainsi on te respectera, oui, on te respectera, et Brillant éprouvait soudain un vague sentiment de confiance que demain, oui, peut-être la vie serait meilleure, et il disait à Kim, tu as raison, Kim, je serai le premier, et cela te fera honneur, car c'est ce que je veux, oui, te faire honneur, à toi et à Misha, et pendant que Robbie tentait de mater Petites Cendres et de le sortir de son lit, Petites Cendres apercevait dans cette ronde des mouvements de Robbie, le saisissant dans sa paresse, le tatouage du scorpion à son épaule, et la phrase inscrite en dessous, ROBBIE EST LA PROPRIÉTÉ DE DADDY, cette épaule tatouée de Robbie, la signature d'une passion qui avait inspiré un tatouage aussi radical, ou peut-être un excès de romantisme dans les sentiments d'un homme envers un autre éveillait en Petites Cendres la nostalgie de ce monde de la nuit, dont il s'était volontairement écarté pour ne faire que dormir, lui qui estimait peu le sommeil, rêvasser, dans la pension de sa logeuse Mabel, niant ainsi, pensait-il, tous ses maux internes et externes par cette sclérose d'une passivité consciente et que le moindre souvenir énervait jusqu'à l'élancement, ainsi ce scorpion indélébile sur l'épaule de Robbie, laquelle frôlait sa joue pendant que Petites Cendres luttait contre Robbie pour mieux se couvrir de ses draps, ce tatouage rappelait à Petites Cendres que pendant tout ce temps où il vivait dans ses retranchements, les autres, eux, continuaient de vivre, d'aimer, de chanter, de danser, se déployaient comme avant au Cabaret, comme au Saloon Porte du Baiser, les transfigurations nocturnes, tous croissaient en âge sinon en beauté, ou en laideur, pendant ces mois et ce seraient bientôt des années, où Petites Cendres ne quittait ni sa chambre, ni sa véranda d'où il voyait le ciel et la mer, le vol des ibis et des tourterelles de son hamac, comme le lui disait Robbie, les temps changent, mon ami, et c'est à mon tour d'être couronné, sans que Yinn s'en offense, bien au contraire, voilà pourquoi tu dois venir à mon couronnement ce soir, frère, et qu'avait dit Robbie, que ce serait bientôt le trente-troisième anniversaire de Yinn, en un murmure à l'oreille de Robbie, et ce murmure était la cause d'un tel élancement de peine que Petites Cendres eut peur soudain que s'achève aujourd'hui, avant l'heure du soleil couchant sur la mer, que s'achève son existence, comme on dit bonsoir, bonne nuit, sa petite lumière allait s'éteindre, mais Robbie riait dans son oreille, et Petites Cendres se ranima, en riant lui aussi, son regard toujours fixé sur le tatouage du scorpion sur l'épaule de Robbie, ce n'est pas parce que tu dors, disait Robbie, que le monde ne bouge pas, il y eut le triomphe de Yinn en Asie, et à son retour le voici qui dessine de nouveau des costumes pour le théâtre, courant de son atelier de couture à nos répétitions sur scène, nous habillant de ses soies orientales, chaque nuit, présentant à l'architecte les plans de la future maison de nos jeunes retraités, écrivant des pièces pour le théâtre quand il lui reste un peu de temps, mais sonnera bientôt la trente-troisième année dont Yinn avait dit qu'elle serait l'année de sa personnelle révolution, les temps ont changé depuis que tu te reposes, mon ami, avait dit Robbie à l'oreille de Petites Cendres, chuchotant aussi que toute attirance envers les pays de la mort et de la suave éternité était une chose malsaine dont Petites Cendres devait s'éloigner car seules comptaient, n'est-ce pas, la vie et l'amour, le médecin Dieudonné, avant son départ, n'avait-il pas dit que Petites Cendres était sur la voie de la guérison, celle-ci ne contenait pas la guérison de la blessure dont souffrait Petites Cendres, plus mortelle que toute maladie, disait Robbie avec humour, Dieudonné avait peu de temps pour songer aux peines de cœur, ces épreuves superflues ne l'intéressaient pas, c'était un homme mû par l'action, la preuve, c'est qu'il avait offert d'être bénévole en des contrées que dévastait le choléra, où il y avait trop peu de médecins, si l'on y pensait bien, toute peine de cœur n'était pas que superflue, mais ridicule, disait Robbie, oui, ridicule, oui, les temps changent, et ont changé, répétait Robbie à l'oreille de Petites Cendres, et moi-même je n'ai plus la taille mince, les chevilles de demoiselle que j'avais hier, Yinn dit que je dois perdre du poids, enfin n'exagère-t-il pas un peu, les temps changent à ce point, dit Robbie, que le Suivant est maintenant le premier, ou ne le deviendra-t-il pas bientôt, Yinn l'appelle désormais de son prénom, Cheng, et dit, n'es-tu pas fier d'être chinois, Cheng, et mon danseur le plus délicat, le plus perfectionné, et il faut voir Cheng sur scène, dit Robbie, et être confondu par son humilité, toujours vêtu d'un chemisier noir à dentelles qui dévoile son long cou, on pourrait le remarquer à peine sous sa veste de soie noire, car il ne tient pas à exhiber son corps, ce sont son visage et ses gestes si lentement mesurés qui nous émeuvent, je ne puis te dire comment cela se fait, par l'envoûtement de sa danse, ce discret magnétisme qu'il a appris de

Yinn, aucune trace de maladresse désormais, tu ne le reconnaîtras plus, je n'ai plus l'intention de sortir, non, je n'ai plus l'intention de sortir, dit Petites Cendres, peu m'importent ces agitations du monde de la nuit, dit Petites Cendres qui mentait, et le Suivant, qui était si gauche, est le nouveau prince du Cabaret, on le croirait parfois insensible aux désirs des hommes, comme s'il eût assimilé jusqu'aux traits de Yinn, son masque parfois sans mouvement ni sourire, c'est cet art de la dissimulation des sentiments, de la tension souterraine du désir, c'est ce que veut implanter Yinn dans ces nouvelles générations, une grandeur dans notre métier souvent incomprise, malvenue, disait Robbie à l'oreille de Petites Cendres, surtout un dépouillement, une rectitude, puis soudain Robbie interrompit son monologue en parlant de Fatalité, Fatalité qui n'était plus là, jamais plus Robbie ne reverrait Fatalité, ou il ne la voyait plus désormais que sur l'écran de sa vidéo, son image agrandie le hantant jour et nuit, Désirée qui était toujours hilare, dont les yeux pétillaient de malice, comme si elle eût dit dans ses déhanchements à Robbie, dis-moi, Robbie, ne commences-tu pas à m'oublier un peu, c'est la loi des morts, il faut les oublier, mais moi je suis toujours vivante, Robbie, observe bien mes lèvres qui remuent, mes yeux qui étincellent, souviens-toi de notre dîner sur la plage au Mexique, notre dernier dîner, partout où tu vas la nuit, je suis avec toi, Robbie, c'est la loi des morts, s'écria soudain Petites Cendres, il faut les oublier, mais délaissant brusquement Petites Cendres, Robbie se penchait sur son téléphone qui lui transmettait un message, dans des lueurs rouges, c'est le jeunot qui m'écrit et m'envoie sa photo, regarde, dit Robbie, que me dit-il, mon très cher Robbie aux yeux si doux, et parfois si tristes aussi, je t'envoie une photo de nous, ma fiancée et moi, et te remercie de m'avoir accueilli cette nuit-là dans cette grande maison, chez tes amis où vous semblez tous si heureux, il m'a écrit, dit Robbie, le junior, le jeunot et sa fiancée, tu peux le voir, elle est bien aussi drôle que lui avec ses *piercings* partout sur la figure, ne se ressemblent-ils pas, qu'ils sont mignons, ces punks postmodernes, souhaitons-leur beaucoup de bonheur et de nombreux enfants, car le jeunot m'annonce en même temps qu'ils vont se marier, voilà comment est la vie, dit Robbie, ne serait-ce pas, comme le dit Yinn, le cycle imparfait d'un éternel recommencement, et Petites Cendres ne répondit pas, ne dit rien, fixant toujours d'un regard inquiet le tatouage du scorpion sur l'épaule de Robbie. Et Daniel, comme il avait le temps de le faire, maintenant, pendant cette longue attente dans un aéroport, pensait aux amis de sa jeunesse, était-ce pendant ce temps d'accoutumance à la cocaïne, quel repos, pensait-il, que ses enfants ne soient pas dissipés comme il le fut, oui, était-ce pendant cette période erratique de ses jeunes années qu'il avait rencontré le maître chorégraphe Arnie Graal, celui qui serait plus tard le professeur de danse et de chorégraphie de son fils Samuel, Arnie, disait-il, qui voulait abolir dans cet art libérateur de la danse, de la chorégraphie, les frontières du sexe, de la race, ce qu'il avait réussi dans sa chorégraphie *Matinée d'un survivant,* dans une fusion des arts qui était aussi celle des différences, Arnie qui suscitait tous les scandales, car il avait osé mettre sur scène des corps dont nul ne voulait plus, dans le péril de leur départ pour une autre rive, ces corps, dans la chorégraphie d'Arnie, étaient bercés, assoupis par les pas des danseurs, pendant une traversée qui ne semblait que trop réelle, comme si on eût été complice, en toute impudence, pendant trois heures, des derniers soupirs de chacun, femme, homme ou enfant, quelle que soit la couleur de sa peau, chacun subissait cette flétrissure, et c'étaient ces corps flétris que ranimait Arnie en cette cadence les accompagnant vers leur départ, aux sons d'une musique africaine qui les contractait dans leurs extrêmes élans de joie, où était désormais l'ami Arnie, pensait Daniel, lui que l'on avait tellement aimé et désiré, ces frontières mêmes qu'il avait voulu abolir par la danse, la provocation de sa beauté, n'avaient-elles pas glissé avec lui soudain aussi fragile qu'un grain de poussière, eût-il dit de lui-même, une feuille soulevée par le vent, vers un océan où tout s'égare, d'où ne revenait pour Daniel que cette provocation de la beauté, de l'outrageante beauté d'Arnie, et des mots qu'il avait laissés en dansant, j'irai jusqu'au seuil interdit, avait-il dit en dansant dans sa *Matinée d'un survivant,* en me préservant de vieillir, gardant toujours l'éclat de mes dents, danseur charismatique de la danse noire, ces frontières reculées, abolies, s'étaient envolées avec lui, Arnie, l'ami excessif et exceptionnel n'était plus, sinon que Daniel revoyait comme s'ils étaient près de lui, soudain, le visage, le corps provocateurs de son ami, se disant, serait-il vraiment près de moi, Arnie, serait-il là à mes côtés me souriant avec une ironie presque offensante, serait-il tout près, et que me dirait-il aujourd'hui, écoute bien, Daniel, me dirait-il, c'est moi Arnie, comment as-tu pu déguerpir si peu touché par tes déboires new-yorkais, quand moi je n'ai pu y survivre, c'est comme tu l'avais remarqué autrefois, que nous, artistes noirs, avons une vie souvent brève, nous artistes, sportifs, oui, sans doute est-ce le fardeau des ancêtres qui élime ainsi le fil de notre vie, soudain craque le fil, la texture du cœur ou des nerfs se lacère, il est vrai que j'ai fait tous les abus, de danseur génial on m'appelait aussi la Reine des neiges des saunas, les critiques disaient que je cultivais sans honte le culte du moi, et pourquoi pas, toute notre époque est narcissique, mais toi, tu allais apprendre la sagesse et la modération auprès de ta femme et de tes enfants, tandis que moi, tel un animal à qui on plante un couteau dans la gorge, j'allais tomber dans un trou noir, avant ma trentième année, tu entends cet air de saxophone et cette voix d'alto, c'était pour ma chorégraphie, pour deux danseurs, un pas de deux, à cause de mes excès, on souhaitait mon déclin, que je périclite, quand j'étais toujours là, flamme dansante, se consumant dans son ardeur, un jour ton fils Samuel m'a dit que toi et moi nous étions tels des frères, l'un avait choisi une route condamnée par son engagement, l'autre, toi, mon frère, un chemin vers la ligne droite, la clarté, mais qui avait raison, ni l'un ni l'autre peut-être, puisque nous sommes tous dirigés par des forces supérieures souvent intolérantes de nos aspirations les plus désintéressées, les plus droites, qu'en penses-tu ? La vie est un mélange qui nous brasse tous sans pitié, avec un acharnement qui nous mène tous vers ce lieu où je suis, et quand je pense que ton fils, comme toi, peut-être ne rêve que d'un monde où tout serait confortable, écologique et confortable, va, mon ami, poursuis ton rêve, moi je descends avec Nijinski, bien qu'en dansant toujours, sous les vagues de la mer que tu vois de cette fenêtre d'un aéroport, adieu, ami, une voix s'infiltrait soudain dans la pensée songeuse de Daniel, celle de Laure lui disant, mais qu'y a-t-il, vous ne vous sentez pas bien, rien, rien, disait Daniel, je pensais à ma fille, ce serait vraiment dommage que je ne puisse voir l'exposition de ses photographies au Collège, oui, ce serait vraiment dommage, répéta Laure, mais on vient d'annoncer que nous partirons bientôt, sans préciser l'heure des vols, dit Laure, vraiment on se moque bien de nous, que l'on soit fumeur ou pas, on se moque bien de nous, je pensais aussi à un ami, ajouta Daniel, nous avons ici trop de temps pour penser aux amis perdus, mais cette phrase, il ne l'avait dite que pour lui-même, Laure ne l'avait pas entendue, fouillant dans son sac, de ses doigts tremblants, vers ces cigarettes qu'il lui était défendu de fumer, mais c'était rassurant de sentir que le paquet coloré était toujours là, dans son sac, et qu'elle puisse le tâter avec envie, en convoiter l'odeur de fumée et surtout le goût de chacune des cigarettes qu'elle fumerait dès qu'ils seraient tous de retour à une vie normale, quand et où, près de la piscine de l'hôtel où elle serait ce soir en vacances peut-être, pensait Laure, dommage que cet homme plutôt affable, Daniel, soit si préoccupé par lui-même, elle aurait tant aimé échanger quelques mots avec lui, c'était ainsi, pensait-elle, lorsqu'ils étaient mariés, ils n'avaient que des soucis, elle aurait tant aimé échanger quelques mots, oui, mais avec une cigarette entre les doigts, au bord de ses lèvres, sans cette cigarette, il valait mieux ne rien échanger avec personne. Je ne veux pas dormir au Refuge ce soir, pensait Kim, battant toujours son tambourin de ses baguettes, d'une manière alanguie qui ne pouvait qu'irriter Fleur qui jouait doucement de sa flûte traversière, pendant que s'arrêtaient les passants devant lui pour l'écouter et verser quelques pièces à ses pieds, mais lorsqu'il jouait ainsi, pensait Kim, on eût dit que Fleur ne voyait ces passants qu'à travers un brouillard, ou peut-être ne les voyait-il pas du tout, car ses yeux étaient fermés, le Refuge, c'est pour les veuves, les chipeuses, les mégères, les vieilles, ou les mères et leurs bébés qui ne savent où se caser quand vient la nuit, elles se prélassent dans la ville en maillot de bain suintant leur crasse, ou lorsqu'elles sont plus nettes, elles me volent mes quelques biens, les revendent pour un peu de crack ou une bière, bien qu'on les pourchasse de partout, et surtout dans les quartiers où vont beaucoup les touristes, elles sont toujours là, à me suivre, me talonner, hé, la jeune, tu n'aurais pas quelque chose pour nous, un chandail à me prêter pour la nuit, je sais que c'est l'heure du couvre-feu pour nous les femmes, après le crépuscule, aucun dîner, aucun lit, on ferme toutes les portes, on ne garde que les mères errantes et leurs bébés, si elles ressortent du Refuge, la travailleuse sociale leur enlèvera leurs enfants, alors elles sont toujours là, avec leurs bébés morveux qui pleurent jour et nuit, elles ne sont pas mauvaises comme les chipeuses et les voleuses, non, souvent ce sont de bonnes mères, mais sans emploi, sans foyer, et puis on leur trouve quelque emploi, l'un de ces jours, et si je prête mon chandail à l'une de ces veuves, chipeuses, voleuses, l'une de ces vieilles, pensait Kim, bien sûr qu'elle me le volera, et si j'ai pu accumuler pendant la quête aux ordures de la veille quelques sandwichs, elles me les voleront aussi, il faut les craindre, les supplanter de nos tanières, elles n'ont pas de chien, vont seules, dépassent souvent l'heure de rentrer au Refuge, car là-bas aucun alcool, rien, on exerce la surveillance dans ces refuges, aucune drogue non plus, souvent elles ne rentrent pas à l'heure réglementaire car elles savent qu'on pourrait respirer de loin leur puante haleine, elles continuent de faucher les gens pendant la nuit, jusqu'au matin, elles chipent, soufflent l'argent et la coke, ce sont des chipeuses, des mégères, des vieilles sans dignité, et je les crains, tant elles sont opportunistes, leur décrépitude m'écœure, je ne serai pas comme elles plus tard, oh, ça, jamais, j'aurai une maison avec Fleur et nous ne retournerons plus jamais à la rue, nous serons toujours propres et bien habillés, il y a la poule qui appelle ses petits, où est-elle, encore dans l'arbre à appeler ses petits et à caqueter, elle est si haut dans l'arbre, ses petits ne la retrouveront pas, bien qu'elle crie et caquette sans fin, et de l'entendre cela m'excède car j'ai faim et ne veux pas aller au Refuge avec ces femmes aux visages bouffis, les vieilles, les chipeuses, les voleuses, qu'elles aillent dormir en prison, comme elles le font souvent, c'est mieux que la rue, disent-elles, on a trois repas chaque jour, un dortoir, ce n'est pas le rejet de la rue, non, on nous donne des vêtements, on va chaque matin sous la douche, on peut aussi s'instruire si l'on veut, non, ce n'est pas le rejet de la rue, disent-elles, ces chipeuses, ces voleuses, je ne veux pas les voir, elles sont si laides et si anciennes, elles disent, en prison, la jeune, on nous respecte, on nous traite bien, tandis que toi, la jeune, toi et tes amis, les délinquants, les voyous arcs-en-ciel, vous n'avez pour nous que mépris et dédain, dis-le, avoue, fille, que c'est ainsi, je vais te dire, moi, ce n'est pas chrétien ce que vous faites, nous haïr comme vous le faites, ce n'est pas chrétien, même en prison, nous les vieilles, les anciennes, les décrépites avant l'âge, on nous respecte, oui, pourquoi ne sont-elles pas organisées comme le sont les groupes d'hommes, ils sont souvent plus ascétiques, se réunissent pour leurs repas autour des tables des jardins publics, ou des tables sous les palmiers près de la mer, ils maugréent entre eux, partagent leur pain, mais ne sont pas aussi visibles et voyants que les chipeuses, les voleuses, les anciennes à leur plus bas déclin, il y a des clochards qui ressemblent à des moines, qui sont méditatifs et savent vivre en harmonie avec la nature, les chipeuses, non, elles vivent en accord avec rien ni personne, elles sont trop rudes, trop diminuées à voir, elles me font peur, ce que j'aime le plus, c'est vivre en harmonie avec la nature quand il fait si beau que le cœur pourrait bien éclater d'allégresse, les clochards paisibles sont à leur kiosque ou à leur table, ils sont comme des bienheureux, tant ils se sentent libres, aucune autre responsabilité que de regarder l'Atlantique, les centaines d'oiseaux sur la plage, les pélicans qui secouent leurs ailes avant de s'envoler au-dessus des vagues, et Fleur a un kiosque pour lui seul, je le suis, mais il ne veut pas, je gravis les marches derrière lui vers la plate-forme du kiosque d'où la mer est si proche, il travaille, il écrit sa musique, dit-il, et répète qu'il veut être seul, sans moi, Kim, peut-être me parle-t-il sur un ton déplaisant, presque avec colère, mais je n'entends pas ce qu'il dit, dans le vent, je n'entends que les vagues et les pépiements des oiseaux, tourterelles, mouettes, colombes, c'est un si beau spectacle où tout est en ordre, mais lui, Fleur, sous son capuchon, il écrit et ne veut pas que je sois là, dans le même kiosque, je me couche sur le banc afin qu'il ne me remarque pas, je pense que je n'ai pas de parents, rien au monde que Fleur, les parents, je ne sais ce qu'il est advenu d'eux, ils dérivent, dérivent, on a dû mettre leurs enfants à l'assistance publique, ils les auraient massacrés comme ils ont essayé de me massacrer moi, avant ma fuite de la maison, que Fleur et Brillant et Jérôme l'Africain, ceux que je rencontre chaque jour dans la rue, sur la grève, les bateaux ont replié leurs voiles, des chaises vides attendent les baigneurs, les promeneurs, Fleur écrit, dit-il, certains soirs de fête, à un kiosque voisin on peut entendre un orchestre de jazz, quand il décide enfin de me parler, Fleur dit, il faut que tous ces kiosques soient habités par la musique, c'est ici que j'ai entendu pour la première fois le *War Requiem* de Benjamin Britten, un vieux chef d'orchestre à la chevelure folle dirigeait, il faut que dans tous ces kiosques près de la mer on sache que la musique est pour tous, disait Fleur, c'était un requiem pour les plus délaissés, comme nous, les plus pauvres, c'était au temps où Fleur me parlait encore avec gentillesse, ne me rabrouait pas autant, quand tout est si beau que le cœur pourrait bien éclater d'allégresse, quand Fleur me parlait encore gentiment, oui, et que sous sa protection les vilaines, les chipeuses, les décrépites n'osaient plus me voler, me chiper mes quelques biens. Daniel pensait aussi en regardant la mer, une mer calme, presque silencieuse, aujourd'hui, que si le critique Adrien, cet ami de son père, avait décrié son livre, *Les Étranges Années,* qu'il est contrariant qu'un premier roman soit ainsi discrédité, quand son auteur est encore jeune et inexpérimenté, oui, pensait Daniel, c'est que le critique Adrien, toujours aussi caustique, avait cru que Daniel l'avait écrit en prisant une ligne de coke, ainsi la lenteur du livre, l'élasticité d'une écriture qui ne savait comment s'arrêter, ces mots n'étaient-ils pas d'Adrien, produisaient cet effet analgésique du livre, qui engourdissait son lecteur, autour d'événements troubles que Daniel n'avait pas réellement vécus mais dont il avait eu la révélation par la toxicomanie, et qui sait si dans cet aspect de la révélation, par la cocaïne, Adrien, aujourd'hui un vieil homme tout aussi caustique qu'il l'avait été autrefois, mais qu'une jeune femme intrigante telle Charly pouvait séduire, donc un Adrien plus vulnérable, pensait Daniel, qui sait si Adrien n'avait pas eu un peu raison bien que son intention fût acerbe, car sans cet effet soulageant de la cocaïne, Daniel n'eût jamais été délivré des images d'un passé que tous lui cachaient, surtout ses parents qui lui avaient toujours donné l'impression qu'il était né dans un conte de fées, quand le conte de fées, si on en tournait les pages vers le passé, s'avérait une horreur, et ce fut ainsi qu'en utilisant des stupéfiants Daniel soudain les vit tous, ceux qui étaient irrécupérables au fond de son histoire très loin dans le temps, les cousins de Pologne, ceux qui n'avaient pu s'enfuir du village de Lukow, dans le district de Lublin, et parmi eux le grand-oncle fusillé dans la neige en cet hiver 1942, le grand-oncle Samuel, dont le fils de Daniel porterait le nom, Samuel le grand-oncle se prosternant, tous les autres rabbins se prosternant avec lui, levant parfois une main suppliante, mais bien en vain, à genoux dans la neige, devant leurs meurtriers, avant leur finale reddition, et combien de fois Daniel les reverrait-il tous, à genoux tous ensemble, et ne pouvant plus s'enfuir, avec cette pudeur qui existe entre deux amis, Daniel n'eût jamais confié à Arnie l'accablement du fardeau qu'il portait, mais Arnie n'avait-il pas tout deviné, traitant Daniel tel un estimable frère qu'il eût lui-même choisi, respectant la douleur qui est tue, ina-vouée, épargnant plusieurs des enfants de Daniel et Mélanie, le fardeau ne semblait avoir atteint qu'Augustino, pensait Daniel, et n'était-ce pas pesant pour Augustino que son père lui lègue ainsi, de son vivant, une conscience aussi torturée, laquelle transpirerait dans tous les livres qu'écrirait son fils, c'est bien Augustino qui avait écrit ces mots que son père aurait pu écrire avec la même troublante exactitude, n'était-ce pas dès son premier livre, *Lettre à des jeunes gens sans ave-nir*, qu'éprouvait-il au dernier instant de sa vie, celui qui, sous un pseudonyme, avait oublié son propre nom, celui d'Ange démoniaque de la Mort à Auschwitz, médecin soignant et disséquant des milliers de corps qu'il avait suppliciés, avait écrit Augustino, qu'éprouva-t-il, lui qui se croyait à l'abri du jugement des hommes pendant tant d'années, lorsqu'il fut saisi d'un arrêt cardiaque, était-ce dans sa piscine privée ou en nageant dans une rivière, un fleuve, ne revit-il pas en cet instant pétrifié avec l'arrêt du cœur, dans cette eau où il s'exerçait quotidiennement à la brasse, tout à l'exercice de sa nage ventrale, et dépourvu de tout sentiment le reliant aux actions criminelles de sa vie antérieure au Brésil, comme s'il eût été désormais sans mémoire, et peut-être l'était-il, qu'éprouva-t-il lorsque soudain cette mémoire revint le condamner, tout son ignoble laboratoire d'Auschwitz surgissant devant lui, l'eau de la piscine, du fleuve, de la rivière absorbant la couleur de ses meurtres, à quoi bon plier alternativement les bras et les jambes, quand remontaient à la surface tant d'épaves sanglantes, ses victimes n'allaient-elles pas l'ensevelir là, dans cette eau soudainement fangeuse, à cet instant où l'enserrait son tribunal, l'homme démoniaque et rusé pensa qu'il y avait encore une fuite, il valait mieux que son cœur s'arrête, ainsi leur échapperait-il à tous, une fois encore, et il sentit dans sa poitrine ce craquement comme si un arbre l'eût écrasé de l'intérieur, et il pensa qu'encore une fois il allait s'enfuir, s'enfuir, quand des voix le ramenaient vers le fond des eaux, des voix qu'il entendait à peine, ayant effacé de sa muette mémoire ces cris de femmes et d'enfants sous la torture, Docteur, Docteur de la Mort, aie pitié, aie pitié de nous, car comme tous les jours il s'exerçait à la brasse, son exercice quotidien, et leur échapperait à tous. Oui, pensait Kim, je verrai Bryan ce soir, il viendra vers moi, tenant à la main cette boîte en carton renfermant notre dîner, encore un présent du Café Espagnol, dira-t-il, son pas sera sautillant, comme l'est toujours sa démarche, c'est pour notre dîner sur la plage à minuit, dira-t-il, vraiment un excellent repas pour nous deux, poisson pêché aujourd'hui et légumes, et puis il me racontera encore sa victoire de l'an dernier au marathon des coureurs à pied, les participants venaient de sept pays, dira-t-il, c'est une histoire qu'il me raconte souvent, de l'Afrique du Sud, de l'Allemagne, de la France, du Canada, ils venaient de partout, les participants, dira Bryan, on partait à l'aube, dans les frissons du jour qui se levait sur la mer, il n'y avait parmi nous tous qu'un seul coureur à quatre pattes et ce n'était pas Misha qui était toujours en rétablissement, ce n'était pas Misha qui eût tant aimé se joindre à nous, comme autrefois avant les Deuxième et Troisième Grandes Dévastations, et ce chien s'appelait Holé, et on allait lui remettre un grand prix et une médaille, Holé, qui n'était pas Misha toujours chez le vétérinaire, dira en se lamentant Bryan, Holé qui fut le seul chien enregistré pour la course, mais non mon pauvre Misha qui ne reconnaît plus son maître, et ils dîneraient ensemble, Bryan et Kim, sur la plage, dans le bruit des vagues, et on ne les persécuterait plus, car le dîner dans la boîte en carton n'était pas un vol, mais un présent, dirait Bryan, et quand c'était le dimanche, Fleur suspendait sa flûte traversière pour écouter les hymnes que chantait une voix de baryton à l'église épiscopalienne, on entendait aussi sonner une à une très distinctement les cloches à midi, alors tout était calme d'un calme sonore avec la musique des églises et des temples, jusqu'à l'après-midi, et de l'église épiscopalienne on entendait les résonances du piano couvrant la voix du baryton qui chantait ses hymnes, alors j'aurais bien demandé à Fleur, le temps de cette oasis dans la ville, tu sais ce que nous deviendrons demain, toi et moi, Fleur, peux-tu me dire, et nous, toi et moi, peux-tu me dire, mais il se serait vite détourné de moi en disant avec un air ombrageux, toi et tes questions, si tu veux connaître ton avenir, pourquoi ne vas-tu pas chez le Mexicain, Rafael Sánchez te le dira avec ses tarots, ne me pose pas cette question à moi, Kim, car je pense que d'avenir nous n'en avons pas, toi et moi, comme dirait Martha, ma mère, il est trop tard, il est trop tard, les étoiles ne sont pas alignées pour nous, et je serais soudain attristée et si seule dans ce silence un peu après midi, quand ont cessé les sons des cloches, quand on n'entend plus la voix du baryton nous abordant par échos dans la rue, c'est toujours à cette heure que je pensais, oui, Fleur en aime une autre, une autre que moi, il l'a dit ou même s'il ne l'a pas dit, je le sais, il en aime une autre et c'est Clara, la musicienne, mais ce n'est pas moi, non, ce n'est pas moi. On verra les affiches sur tous les murs de la ville, pensait Fleur, ce sera à l'occasion des *Concerts des maîtres,* lauréate du Prix international de Moscou, Clara sera l'invitée d'honneur de nos salles de concert, je lirai sur l'affiche, sous la photo de Clara dont le visage sera incliné vers son violon, Venez entendre la prodigieuse violoniste dans les œuvres de Haydn, Liszt, venez entendre, venez, et mon cœur battra à se rompre, car je l'aurai retrouvée, oui, mais que dira-t-elle lorsqu'elle me verra pieds nus, les cheveux malpropres, elle aura son agent ou son impresario, son chef d'orchestre, que diront-ils en me voyant, ils diront, est-ce lui, ce Garçon Fleur qui fut jadis tout aussi prodigieux que notre virtuose Clara, elle est intacte, voyez la douceur de son visage pendant qu'elle joue de son violon, ne semble-t-elle pas transportée par une extatique douceur, ne peut-elle pas conquérir tous les auditoires, elle fut rompue à cette perfection par d'implacables règles, parents et professeurs l'ont rompue à une discipline sans pitié, de son enfance à sa jeunesse, jamais elle n'eut le droit de se détendre ou de s'amuser telle une enfant de son âge, elle fut rompue comme à coups de bâton sur ses doigts trop rêveurs parfois, sur l'archet, sur son dos qu'elle apprit à redresser comme si sa colonne vertébrale était faite d'acier, pendant que Fleur, que nul ne disciplinait à rien, allait vers sa déchéance, mais que disait Martha, la mère de Fleur, celle qui ne connaissait rien des œuvres de Haydn, Liszt, qu'elle n'aurait jamais permis que son fils soit ainsi rigoureusement traité, qu'on lui inflige cette raideur maltraitante, pour la musique, non, elle aimait trop son enfant peut-être, quand le père de Fleur et son grand-père répétaient qu'un enfant tel que Fleur, aussi phénoménal, surdoué, n'était pas la propriété d'une famille, qu'il aille seul vers la largesse de son destin, qu'on ne se l'arrache pas par amour maternel, imploraient-ils à la fin, car soudain ils avaient été illuminés par cette vérité que Fleur ne devait appartenir à personne sinon à la musique, et pour cela, il fallait quitter l'île, aller étudier au loin, il fallait, afin que puisse vivre Fleur, qu'on se détache de lui, quand la mère de Fleur le garderait près d'elle, dans l'étau de sa domination, oui, mais tout changerait lorsque Fleur retrouverait Clara, lorsqu'il verrait sur les murs de la ville cette affiche, et sous l'affiche le visage de Clara incliné sur son violon, de nouveau accessible, ou lorsqu'il présenterait au *Concours des jeunes compositeurs* sa *Nouvelle Symphonie*, oui, alors viendrait le temps où Fleur ne serait plus cet homme déchu, ce mendiant musicien dans la rue, pensait-il. Non, disait Tammy à son frère, tu ne peux sortir ainsi en pantalon de cuir noir, dans des chaussures noires qui scintillent, ayant enfilé des gants blancs perlés, non, tu ne peux sortir ainsi, c'est un jour d'examens, on ne te laissera pas entrer habillé si excentriquement au Collège de la Trinité, non, Mick, tu ferais mieux d'écouter ta musique dans ta chambre, ne pas sortir aujourd'hui, un jour d'examens, tu ferais mieux d'attendre la nuit, disait Tammy à son frère, les plus beaux looks, la danse la plus sexy, les lunettes noires sous le chapeau noir rabattu sur le front, disait Mick tout en vérifiant son image dans le miroir de sa chambre, n'est-ce pas bien, ainsi, les plus beaux looks, les plus osés, oui, mais le Collège de la Trinité est une école conservatrice, disait Tammy, et puis si maman savait, elle ne te laisserait pas sortir, non, mais maman n'est pas là, c'est le jour de ses cours de création littéraire, elle ne rentrera que ce soir, et de toute façon je ne la crains pas, comme toi, mange davantage, Tammy, tu as encore maigri, c'est à cause de ta maigreur qu'ils ont tous les deux cette force de t'opprimer, ils ont honte de cette enfant rachitique dans leur maison et pour un prix insensé te font soigner dans des cliniques, tu auras bientôt dix-huit ans, nous partirons ensemble, un peu de rouge à lèvres, une ombre de mascara sur les cils, tu ne peux comprendre, toi, ce que cela signifie que d'être un jeune mâle qui aspire à être un modèle pour les magazines, j'y arriverai, tu sais, et ce ne sera pas parce que je suis beau, non, seulement parce que je suis imaginatif, fantaisiste, parce que je tiens à mon inspiration, à mon originalité, n'as-tu pas pris quelque chose, demandait Tammy en serrant son frère par la taille, je sens que tu as pris quelque chose, au Collège de la Trinité, un jour d'examens, tu ferais mieux de ne pas y aller, tu le sais bien, ils décèlent tout de suite ce qui est anormal dans un comportement, ils savent tout, comme nos parents prétendent ne rien savoir mais savent toujours tout, tu peux bien attendre à ce soir, oui, quand ce sera la nuit, pour sortir habillé comme tu l'es, ce sont des étudiants conservateurs qui te verront, et eux ne veulent pas de toi, eh bien ils me verront, c'est tout, répliquait Mick, tu crois que j'ai peur d'eux, ils ont bien essayé de courir derrière moi, mais je suis trop agile pour eux, tous si grossiers, ah, les plus beaux looks, la danse la plus sexy, un vrai modèle dans un magazine, c'est ce que je serai, tu verras, Tammy, et Tammy pensait aux rares mots qu'elle avait reçus de Mai, de son Collège, sur son portable, Tammy, reviens vers nous, Tammy, je ne t'oublie pas, Tammy, reviens sur la terre, te verrai bientôt pendant les vacances de Noël, Tammy, c'est si excitant, j'ai tant de projets, si tu savais combien c'est excitant la vie quand on a des projets, Tammy, comme mes parents me le répètent, je dois oublier Manuel, ne faire qu'étudier, bien hâte de te voir, ma Tammy, bien hâte de, mais je ne peux oublier Manuel, c'était mon ami, pendant de longs mois, il n'y avait aucun message de Mai, de si loin, rien, c'était un silence désemparant, où était Mai, que faisait-elle, pensait Tammy, elle avait toujours des milliers de projets quand Tammy n'en avait aucun, tous aimaient, admiraient Mai si sociable, quand Tammy était si solitaire, cela parce que Tammy était stupide et maigre, comme lui disait Mick, se faire maigrir volontairement est une stupidité, disait-il, et en ce jour d'examens, au Collège de la Trinité, Mick irait à ses cours dans cet accoutrement, et peut-être un peu *high* comme il l'était souvent, s'il n'était pas vraiment *high,* il avait consommé quelque chose, pensait Tammy, et quel pourvoyeur alimentait Mick, quand le père de Manuel était en prison, jusqu'ici il n'y avait que le père de Manuel qui leur eût prodigué des drogues, et cela semblait pourtant en pleine sécurité, dans la maison de Manuel, ou sur la plage, lors de baignades nocturnes, tous les portails bien clos, tout autour, est-ce que l'on avait fermé aussi toutes les discothèques dont le père de Manuel était le propriétaire, au Liban, dans tant de villes où il séjournait souvent avec son fils, pour ses divers commerces, comme il disait, on eût dit pourtant, pensait Tammy, que s'élevaient autour de nous des remparts de sécurité, que nul ne nous observait, la nuit, la lune, les vagues de l'océan, elles seules pouvaient nous voir, et pourtant pendant tout ce temps il y avait quelqu'un toujours à nos trousses, derrière les grilles du jardin, toujours quelqu'un qui entendait nos voix, pendant que nous nous baignions, quelqu'un qui était toujours contre nous, dont la pensée était méchante, il était singulier que Mick continuât ses habitudes, comme avant, qu'il n'eût pas peur de cet œil derrière les grilles du jardin, dont le regard s'infiltrait partout, même dans nos échanges et nos jeux que l'on croyait sans danger tant on pouvait se sentir bien, Mick, mon frère sans prudence, pensait Tammy, as-tu oublié l'histoire de Phoebe, une abominable histoire, disait Tammy à son frère, ce sera bientôt une parabole pour tous les adolescents brutalisés dans les écoles, elle était frivole comme toi, la petite Phoebe, aussi charmeuse, elle plaisait beaucoup aux garçons, les filles étaient jalouses de cette jeune Irlandaise à peine arrivée dans son nouveau quartier, sa nouvelle école, où en peu de temps elle avait déjà un ami, un joueur de football, les autres filles, les jalouses, les malfaisantes, elles ont commencé à la harceler, à la brimer, à la librairie, partout où elle allait, elles ont dessiné une croix sur sa photo, sur un *poster* sur les murs de l'école, continuant leurs abus sur Facebook, la dernière brimade si cruelle fut qu'on lui lança à la figure, quand elle revenait de l'école, une cannette contenant une boisson gazeuse, en lui criant, toi, putain irlandaise, prends cela, les malfaisantes filles riant bien de leurs coups, combien de mois cela dura-t-il, la mère de Phoebe se plaignit aux autorités de l'école qui ne l'écoutèrent pas, et tu veux savoir ce qui arriva,

Mick, après avoir longtemps subi de telles persécutions de la part de ses camarades, les malfaisantes, les ricaneuses qui lui avaient crié tant de fois, Phoebe l'étrangère, retourne chez toi, en Irlande, on ne veut pas de toi ici, putain irlandaise qui nous vole nos amis joueurs de football, l'Irlandaise, va-t'en, un jour, après l'école, Phoebe, la belle, l'orgueilleuse Phoebe, celle qu'on avait tant brimée, éprouva un tel désespoir qu'elle se pendit avec le foulard que lui avait offert sa sœur à Noël, elle se pendit sous l'escalier qui menait à sa chambre qu'elle partageait avec sa sœur, comme toi, Mick, tu partages tout avec moi, tu veux qu'en te voyant les autres te harcèlent, toi aussi, te persécutent, est-ce bien ce que tu veux, Mick, disait Tammy à son frère, et Mick pensait à celui qui était son Prince, son frère de Neverland, Neverland désormais la contrée de ses limbes dans lesquels flânaient des éléphants, des lions, flânant tous sans but parmi des enfants tout aussi déconcertés qu'eux, le Prince n'étant plus là parmi eux, le Prince qui était le frère de Mick, son père aussi, son vrai père, Mick ne voulant pas d'un père historien qui n'écrivait jamais l'Histoire du présent, le père historien de Mick ne faisant dans ses livres que le récit de révolutions poussiéreuses, dans des siècles poussiéreux, tombés en désuétude, ainsi n'évitait-il pas habilement de voir ce qui se passait aujourd'hui dans le monde, soit que les révolutions les plus durables, les mutations les moins effervescentes et les plus passionnées seraient faites par des enfants, et l'introduction de leurs ordinateurs, finies les barricades, pensait Mick, mon père ne comprend rien à nos réformes sans armes ni agitateurs armés, que tout repose pour nous sur un nouvel art de vivre sans leur dégénérescence, et c'est ce que le Prince avait accompli, de sa ferme Neverland, de son ranch, et en parcourant le monde, les trois éléphants, les tigres et les singes allaient seuls, déconcertés, décontenancés dans la jungle de leur sanctuaire, où pouvait donc être le Prince dans ses habits noirs, on entendait encore ses paroles, au soleil couchant, pendant une entrevue avec des journalistes, étonnamment, disait-il, je suis un des hommes les plus seuls sur cette terre, je pleure parfois car cette pensée me blesse, oui, d'être si seul, cela me blesse d'être ce que je suis, mais voyez mes enfants comme ils sont beaux, je leur dis, non, vous n'avez pas à chanter, ni à danser, soyez bien qui vous voulez être, mais ne blessez personne, et nous rions ensemble un peu, oui, chaque jour, et eux savent que je suis un perfectionniste, que mon but était d'ouvrir vers la liberté toutes les portes, un perfectionniste et un pionnier, mais ouvrir toutes les portes est une entreprise souvent douloureuse, mais le Prince l'avait bien dit, pensait Mick, il offrirait au monde l'évasion par cette merveille de la musique, oui, une grande musique qui sera donnée à tous, et n'était-ce pas ce que le Prince chantait dans *Earth Song* qu'écoutait Mick, Mick qui ouvrait soudain les bras comme l'avait fait le chanteur dans la vidéo comme s'il eût embrassé la terre, demeurant ainsi dans cette position, pendant que le regardait Tammy, tu te souviens, dit soudain Mick, quand le Prince a joué devant une salle vide, absolument vide, que des projecteurs et une lumière rouge, tel un ami, un frère, un père, il a chanté *You Are Not Alone*, nous parlant à nous, enfants de la terre nouvelle, vous ne serez jamais seuls, tu te souviens, Tammy, et Tammy dit à son frère, je préférerais que tu n'ailles pas au Collège de la Trinité aujourd'hui, jour des examens. Je serais chef dans ma loge, ou compositeur, ou pianiste, pensait Fleur dans le tintement des cloches, quand le soleil couchant allait bientôt s'étendre sur la mer, j'aurais toujours en cours d'écriture une nouvelle pièce d'orchestre, les voyages transatlantiques seraient épuisants mais bénéfiques, ne serais-je pas infatigable, dans mes répétitions, mes concerts, la rencontre avec un public que je voudrais surtout jeune, je partirais demain pour donner quelques concerts en Angleterre, j'aurais l'espoir d'y rejoindre Clara, il y a de ces musiciens qui dirigent et composent, je serais parmi eux, dans tous ces concerts, Clara serait souvent à mes côtés, même si au début je ne serais que pianiste, avec une précaire virtuosité dans tous les instruments, plutôt que de jouer dans la rue, ou selon les bénévolats de ma mère, sur les quais, à la terrasse de son pub, pour les marins et les capitaines de voiliers, j'aurais pu apprendre à diriger des formations symphoniques de jeunes musiciens, j'y aurais dirigé ma musique, parmi celle des autres jeunes compositeurs, on nous aurait tous fêtés, sur le plan international je recevrais aujourd'hui des commandes, comme Clara, je vivrais un jour à Paris, le lendemain à Londres, nous serions mariés, le soir j'irais chercher nos enfants à l'école, tel le vieux compositeur à la folle chevelure dirigeant Britten et Stravinski dans un kiosque près de la mer, je serais moi aussi le compositeur d'un requiem ou bien d'une *Nouvelle Symphonie* aux tons lugubres, oui, mais avec des voix puissantes de résurrection, toute une levée de voix, ma vie serait digne, mes commandes seraient monnayées, avec les années j'aurais un synthétiseur, un ordinateur, j'écrirais dans une cabane toute la nuit, mon chien Damien serait toujours près de moi, j'écrirais, oui, cet *Opéra Extinction*, celui des derniers bruits, des dernières secondes, j'écrirais, oui, j'écris et maintenant nous entendons les cloches, dans la ville, Kim me dit qu'elle a faim mais qu'elle pourra dîner ce soir, elle me dit, il faut se lever à l'aube demain, toi et moi nous allons nettoyer le bateau du Vieux Marin, cet homme édenté, tu sais, tu te souviens, Fleur, tous les samedis nous nettoyons son bateau, je feins de ne pas entendre Kim, il dit qu'il nous donnera une bicyclette, dit Kim, ce sera une bicyclette défraîchie comme le Vieux Marin édenté aux ongles noirs, mais il nous traite bien, une bicyclette, nous pourrons aller partout comme Jérôme l'Africain, mais Jérôme l'Africain ne va jamais nulle part, il est toujours avachi sur sa bicyclette, sur les quais, à vendre ses colliers, c'est qu'il contemple la mer, dit Kim, il vend aussi son crack, dit Fleur avec une froideur maussade, toute la journée à regarder la mer d'un air absent, pensait Fleur, la pause achevait, Fleur allait reprendre sa flûte quand la sueur brûlait à ses tempes, sous le capuchon, et tu sais, j'ai beaucoup réfléchi, disait Tammy à son frère, depuis l'arrestation du père de Manuel, j'ai beaucoup réfléchi, c'était comme une nuit fatale, cette nuit-là, disait Tammy à Mick, bien que, comme d'habitude quand il était *high* il ne semblait pas l'écouter, on eût dit que tout s'effondrait, et il ne faut jamais que tout s'effondre, m'a dit Mai, je traînassais derrière elle, dans la brume, pendant qu'elle roulait sur ses patins, ce fut une nuit fatale, soudain j'ai pensé que le père de Manuel n'aurait pas dû nous fournir ces drogues, que je n'étais pas prête pour tout cet effondrement, oui, d'un seul coup, depuis la nuit de l'arrestation du père de Manuel, j'ai beaucoup réfléchi que si l'on s'effondre soudain, on ne peut plus se relever, Mick, tu écoutes ce que je te dis, mais on peut toujours se relever, dit Mick, quand on mange normalement comme je le fais, quand on fait ses exercices de karaté et de judo, quand on nage pendant des heures dans l'océan, quand on se sent un jeune mâle vigoureux, on peut toujours se relever de tout, et même se relever d'avoir des parents aussi irresponsables que les nôtres, nous sommes les seuls maîtres de nos vies, dès la naissance, pourrait-on croire, je t'assure, Tammy, qu'on peut se relever de tout, ils se sont bien relevés, eux, nos pères ou nos amis ancestraux, le Prince, jaillissant seul du brasier dans ses cheveux, pendant une annonce publicitaire à Los Angeles, son pâle visage se hissant seul au-dessus des flammes, et ce grand guitariste du rock'n'roll, il n'est que hauteur et dédain dans son fauteuil, ses bottes de daim s'enroulant autour de son jeans, il est là, tel un démon en désordre pendant qu'on lui pose des questions, se refusant aux entrevues plutôt que s'y offrant, tenant mollement sa cigarette à la main, Keith Richards, il semble dire, ainsi vous croyez que je vais vous raconter ma vie, l'histoire de mes orgies et de mes caprices sexuels, cherchez encore, même en toute sincérité, je ne vous dirai que des mensonges, enfant j'étais un jeune soprano très doué, j'ai chanté pour la reine, oui, cela, vous pouvez le croire, bien que tout ce qui allait suivre, même en toute sincérité, ce seraient encore un mensonge ou des vérités illusoires, plutôt incongrues, j'ai toujours adoré les animaux, cela, vous pouvez le croire, lisez mon autobiographie, vous verrez, un enfant soprano qui chante pour la reine et qui aime les animaux, lisez mon autobiographie, vous verrez que je cravache tout, tout ce qui pourrait être sincère et ne l'est pas, je cravache tout comme je l'ai toujours fait dans ma vie, n'écoutant personne, ni mes copains ni les autres, nous étions frères, oui, mais voyez nos visages chiffonnés, givrés, au petit matin de nos nuits subversives avec le LSD, la cocaïne, l'héroïne, c'était Dieu en personne qui nous visitait dans tous nos excès, je me fouette de ces excès, je les assume, rien ne m'a fait tant de bien, et puis un jour, j'ai fait une chute, c'était du sommet d'un arbre, j'étais étonné d'être encore vivant, le corps couvert d'herbes et de fleurs, de cette chute d'un palmier de Fidji, il me semblait que ce Dieu visiteur du LSD, de l'héroïne s'approchait un peu trop près, je n'étais qu'un homme épris de ses addictions, j'en voulais toujours plus, j'aurais porté une aiguille sur mon chapeau, de la cocaïne dans les poches de mon manteau, non pas une aiguille mais une seringue, dans les plis d'un chapeau cela se voyait peu, j'aurais écouté tout bourré de mes hallucinations la musique d'Ella Fitzgerald que me chantait ma mère, toujours, encore, il écoutait la musique d'Ella Fitzgerald, avait repris Mick, dansant sur le bout de ses souliers noirs scintillants, car voyez cela, lui, Keith Richards, a su se relever de la chute d'un palmier, il allait former son band, les Rolling Stones, avec un autre frère tout aussi chiffonné, brisé, givré que lui, Mick Jagger, tu vois, Tammy, ils se sont bien relevés, eux, nos pères et nos amis ancestraux, car on peut se relever de tout, disait Mick à Tammy en dansant sur le bout de ses souliers noirs scintillants. Rien de précis encore pour l'heure des vols, disait Laure, toujours debout près de Daniel devant la vitre où brillait la mer, je ne sais combien de temps nous serons encore dans cette salle d'attente, c'est odieux, je n'ai pas fumé depuis ce matin, il me semble que cela fait déjà plusieurs jours, dit Laure d'une voix frénétique, ce que l'on aime nous châtier, nous fumeurs, et cela ira en s'aggravant, vous verrez, ils vont nous bannir de la société, nous arrêter quand nous fumerons dans la rue, et je ne suis pas paranoïaque, Daniel, croyez-moi, mais c'est trop, c'est trop, bredouillant un peu, comme s'il se fût excusé de sa distraction, Daniel renouvelait l'expression de sa sympathie à Laure en disant, oui, vous avez raison, je suis bien désolé pour vous, quand depuis quelques instants, à mesure que le pluvier grattait de ses pattes le sable blanc de la plage, une songerie le gagnait peu à peu, non seulement il était père de quatre enfants, pensait-il, mais son petit-fils Rudolph aurait bientôt six ans, père et grand-père, ne devait-il pas entendre le carillon, l'horloge qui martelait ses pas vers un temps d'exubérance qui serait de plus en plus rétréci, ou céder, comme on se dit il est tard, il est temps que j'aille dormir, au disgracieux repos de la maturité, se disant que ses forces diminuaient peut-être, tant de complaisantes habitudes qui lui eussent semblé déplorables autant qu'à Mélanie, qui partageait avec son mari la robuste exubérance et l'activité, non, tout cela n'était pas réel pour eux, jamais ils n'avaient été aussi amoureux, c'était sans doute le charme d'être si souvent séparés l'un de l'autre, mais pendant que Mélanie rajeunissait et irradiait, toute à son bonheur de son petit-fils, toujours aussi fière d'être une femme leader, une défiante, une combattante, Daniel n'en prenait-il pas ombrage, telle était la vanité de l'homme, pensait-il, d'avoir un petit-fils qui aurait bientôt six ans, quatre enfants gambadant tous ensemble vers l'âge adulte, c'était déjà beaucoup, mais un petit-fils qui avait appris à marcher, à parler comme une grande personne, un enfant presque autonome, c'était la confirmation que Daniel n'était plus le père bohème de jadis, avec tous ses petits autour de lui, quand il lisait, écrivait, quand il était encore ce que l'on eût pu appeler un jeune père écrivain parmi ses jeunes enfants, il lui fallait se distancer du mot *jeunesse* qui lui avait si bien convenu, même si Mélanie, elle, conservait ce droit d'être toujours aussi jeune, car avec l'arrivée de Rudolph Daniel dans sa double paternité, déjà, mon Dieu, père et grand-père en si peu d'années, Daniel ne devait-il pas contempler l'impondérable du mot qu'il ne voulait pas dire, bientôt on ne parlera plus de maturité, mais de vieillesse, un grand-père est un homme qui doit se préparer à être vieux, attraper en un jour des centaines de rides sur son visage, et perdre tous ses cheveux, comme si ses enfants lui avaient soudainement dérobé sa juvénile apparence, cette songerie le rendait triste, car il lui semblait que c'était hier que Samuel caressait la tête de son nourrisson tout lové sur sa poitrine, dans son petit sac de voyage d'où tendrement émergeaient ces jambes de bébé aux pieds laineux, cette vision était si attendrissante pour Daniel, disait-il à Laure, qu'il ne pouvait voir un bébé dans les bras de son père sans vouloir aller caresser aussitôt la petite tête, ses naissants cheveux, mais Laure était boudeuse, elle se réjouissait qu'il n'y eût pas de bébé dans les bras de son père, tout autour, vraiment cet homme était un sentimental, comment osait-il lui parler de bébés et de nourrissons quand elle était si malheureuse sans ses cigarettes, quand, dans cet aéroport, aujourd'hui, après toutes ces heures d'attente, elle était aussi malheureuse, oui, qu'une femme qui eût perdu son amant ? Ce qu'il te faut, disait Robbie à Petites Cendres, c'est un bon poudrage de miettes d'orchidée et d'hibiscus dans ta tignasse, car je renonce à peigner ta tête touffue, ainsi tu seras présentable ce soir à mon couronnement, te voici enfin habillé, mais je n'ai pas l'intention, jamais plus, tu m'entends, Robbie, disait Petites Cendres à Robbie, il était maintenant assis en tailleur dans son lit et frôlait de ses lèvres le tatouage du scorpion sur l'épaule de Robbie, non, jamais plus, de sortir dans ce monde de la nuit, en disant cela, Petites Cendres respirait déjà les parfums enchanteurs de ces nuits de janvier quand les filles, sur qui l'on faisait pleuvoir une neige artificielle qui sentait le froid, sortaient toutes ensemble dans la rue dans leurs fourrures synthétiques, c'était peu de temps avant la dernière représentation, quand s'allumaient les lumières jaunes du chandelier sous l'escalier de bois du Cabaret, l'éclatant moujik Robbie dont la féminité était aussi redondante sous la fourrure, car se dandinant dans le froid pour se réchauffer, il remuait ses seins de caoutchouc sous son décolleté de velours, attirant ainsi tous les regards, n'était-il pas celui que les femmes photographiaient le plus, la grande Cobra se tenant parfois près de lui, le couple répandait dans la nuit sa fulgurance, et ce parfum, ou cette fragrance aussi, des corps prêts pour la fête, pensait Petites Cendres, dans ce poudrage que venait d'évoquer Robbie en empoignant les cheveux touffus de Petites Cendres, où soudain des fleurs collaient au visage de Petites Cendres, en tombant de ses cheveux, ces nuits de janvier ne se ravivaient-elles pas toutes, aussi fleuries, odorantes que glaciales, avec à minuit l'apparition soudaine de Yinn dans un manteau bleu couleur d'un ciel nocturne, si long qu'il masquait les hauts souliers de Yinn, qu'il eût dissimulé ses jambes, si Yinn, dans sa confection, eût oublié les fines ouvertures sur les cuisses sensuelles et le sexe sous le bikini noir, n'était-ce pas l'heure où Petites Cendres se faufilait vers le sofa rouge, se disant que nul ne le verrait dans le noir, quand, dans son manteau, Yinn ne le voyant pas, ne percevant pas qu'il y eût là quelque guetteuse présence, ou le percevant mais n'y faisant pas attention, des pans de son manteau le balayaient au passage, Yinn donnant alors des ordres aux filles pour la prochaine représentation, avec cette voix autoritaire et bien masculine du directeur artistique qu'il était, les pans du manteau en fourrure bleue synthétique qui balayaient les pieds ou les genoux de

Petites Cendres, sur son sofa rouge, n'étaient-ils pas des coups plutôt que des caresses, comme si en passant avec cette parfaite indifférence, dans son manteau somptueux et balayeur, Yinn eût dit chaque fois, tu sais, Petites Cendres, je ne te vois pas, oui, pour moi, tu es invisible, que tu sois ici ou ailleurs, moi, Yinn, je ne te vois pas, je n'en ai pas le temps, comme tu sais, je travaille, et Petites Cendres savait que pour Yinn ce travail impliquait qu'il était le commandant, le maître de la nuit à venir, avec toute l'impatience de ce commandement, que seule le dirigeait alors cette rigide ferveur vers la théâtrale perfection de la nuit, avec ses danseurs et chanteurs, un ensemble dont Petites Cendres, dans sa coupable oisiveté, ne faisait pas partie, lui qui n'était qu'un être vain espérant un client, ou n'espérant plus rien, après plusieurs jours d'attente de la poudre maléfique qui le ranimerait, quand nul ne s'était présenté pour la lui offrir, pendant ce temps autour de lui des couples, des trios d'amis se formaient au bar, s'embrassant les uns les autres dans une douce ivresse, des jeunes hommes au tout début de leurs échanges, des novices, pensait Petites Cendres, la symbiose de ces trois ou quatre visages, bien qu'il y eût entre eux une diversité dans la couleur de la peau, allant d'un rose pêche au noir mat, mais tous avaient la même longueur de cheveux, la même barbiche ornant leurs lèvres, les mêmes yeux en amande enfoncés, sous de larges fronts, et comme il faisait froid, les mêmes bonnets sur la tête, cette symbiose, telle la composition des visages dans des icônes, ne confinait-elle pas Petites Cendres davantage dans sa solitude, car ces trios ou ces quatuors de jeunes gens énergiques et courtois, tous en bonne santé, autant que le manteau balayeur de Yinn, renvoyaient à son invisibilité celui qui ne leur ressemblait pas, celui qui, comme Petites Cendres, n'appartenait à personne, ni à rien, celui qui n'était cette nuit-là, malgré tous les parfums que transportait la fraîcheur de l'air hivernal, et ces corps en fête, dehors dans la rue, celui qui n'était qu'une ombre derrière eux, et n'était-ce pas en pensant à ces nuits de janvier, à ce manteau balayeur de Yinn, que Petites Cendres répétait encore à Robbie, non, je ne retournerai plus, non, jamais, dans ce monde de la nuit, quand Petites Cendres savait combien ces paroles étaient menteuses, et plus encore, que Robbie ne les croyait pas, tout en poudrant sa tignasse des miettes d'orchidée, voilà, disait Robbie tapotant les joues de Petites Cendres, l'heure de la fête approche. Et Kim vit Jérôme l'Africain qui, déposant sur le trottoir sa bicyclette surchargée de bouteilles d'eau et de guenilles, venait vers elle, lui enlevant son tambourin, tu ne sais pas jouer, dit-il en retirant les baguettes des mains de Kim, et il se mit à battre si fort le tambourin, dans la rumeur de la rue et de son incessant trafic à cinq heures, que Fleur alla s'asseoir près de son chien contre le mur, était-ce l'étrangeté de Jérôme l'Africain, qu'il fût toujours si drogué, ou son odeur fauve d'homme qui dormait dans les parcs, sans l'hygiène qu'il eût trouvée davantage près de la mer, avec les kiosques où l'on pouvait se doucher, Fleur ne dit pas à Jérôme l'Africain que cette zone lui était réservée, il pensait qu'il avait faim, se demandant si Kim lui rapporterait encore cette fois sa part de dîner avec Brillant, ce soir, ainsi il n'aurait pas à voir sa mère pendant quelques jours, il pensait que la faim était comme un insecte dévorant son estomac, son foie, et que la musique était la dévoratrice de son âme, qu'ainsi il ne connaissait jamais un moment de paix, il allait ainsi s'assoupir sous son capuchon, quand la voix hurlante de Jérôme l'Africain le réveilla, que disait-il, chantait-il, fredonnait-il dans ses hurlements, tout en défonçant de ses poings le tambourin, en Côte d'Ivoire, chantait Jérôme l'Africain, j'ai vu des viols, des pillages, j'ai été un enfant-soldat conditionné pour les tueries, on m'avait recruté et je chantais, vive les groupes armés et les milices, aucune impunité pour les recruteurs, sous l'emprise de l'alcool on pillait, massacrait, tuait, violait, vive les impunis, les recruteurs d'enfants-soldats, jamais ils ne seront en procès, pour eux aucune Cour pénale internationale, impunis ils recrutent les enfants de sept, huit ans, tueurs, pilleurs, que vivent longtemps les groupes armés et les milices qui nous recrutent pour le viol et le meurtre, car toujours ils iront libres, impunis, qu'ils vivent tous longtemps, ces rois de l'enfer, chantait Jérôme l'Africain, quand malgré ses hurlements on pouvait à peine l'entendre, pensait Fleur, tant la rue était bruyante, stridente aussi de ces sons des sirènes dont Fleur s'étourdissait, c'était cela, pensait Fleur, ces sons perçants, ces hurlements des entrailles de Jérôme l'Africain, mais n'entendrait-on pas bientôt aussi le chant des cigales, ainsi allait s'écrire, pensait Fleur, les oreilles bourdonnantes, la *Nouvelle Symphonie*, ou l'*Opéra Extinction*, oui, mais qu'il faisait bon dormir, pensait Fleur en s'écroulant contre son chien, dans la chaleur de Damien, dormir. Et qu'ai-je à offrir à Rudolph mon petit-fils, pensait Daniel, à quel banquet de la vie sera-t-il invité, lui qui a tout dans un monde où tant d'autres nés en même temps que lui ont déjà péri d'inanition, d'abandon, victimes de toutes les carences, de toutes les conflagrations, de quels égards depuis sa naissance Rudolph n'avait-il pas été choyé, car soudain l'amour pour nos enfants n'était-il pas une indulgence envers nous-mêmes, n'incarnait-il pas quelque inconscient narcissisme reflétant l'appartenance à une classe sociale exclusive, à une parenté exclusive aussi, attachée à ses propres lois et privilèges, dès les premiers sourires de l'enfant, ne reconnaissait-on pas cet attachement admiratif à notre propre personne, ou était-ce un attachement morbide devant l'étonnement de notre propre survivance en un monde aussi périssable, les uns naissaient pour mourir presque aussitôt, les autres pour connaître la longévité et le confort, et Rudolph serait parmi ces derniers, même si Samuel, son père, n'avait jamais éprouvé quelque ferme désir de paternité, tant il était consumé par ses passions artistiques, danseur, chorégraphe, Samuel se reprochait d'être un père maladroit, ce n'était pas un père maternel comme l'avait été pour lui Daniel, bien qu'il eût en Mélanie une mère exquise, n'était-ce pas son père, Daniel, l'âme maternelle de la maison, l'écrivain aimant jouer avec ses enfants, ne cessant de les cajoler, embrasser, allant les chercher dans sa jeep à l'école, on eût dit que tout l'élan maternel de Mélanie allait vers Mai, sa fille, qu'auprès de ses fils elle était une mère, mais elle était d'abord une femme militante, une éveilleuse de consciences, pensait Daniel, et ce père maladroit, Samuel, n'avait-il pas failli noyer son bébé naissant en lui apprenant à nager trop tôt dans la piscine de ses parents, ah, ce berceau flottant sur l'eau verte de la piscine, et le frémissement des petites mains, des petits pieds tendus dans la nuit, comme si, déjà, Rudolph eût exprimé que rien ne lui faisait peur, ni l'eau remuante ni la nuit et le chant des crapauds, déjà un petit homme, à quelques mois, pensait Daniel, aurait-il seulement besoin de nous, il y avait là une telle concentration de forces, une volonté si anarchique d'exister, même lorsque sa mère l'allaitait, comme s'il eût dit, tout est à moi et pour moi, c'était là l'injustice du destin, Rudolph venait au monde pour l'abondance, le bonheur d'exister, pensait Daniel, Augustino avait raison lorsqu'il disait avec un ton d'ironie à son père, car ne le raillait-il pas toujours un peu, ce père qu'il jugeait naïf, mon cher papa, tu feras comme avec mes frères et Mai, tu diras à Rudie, avant que le monde ne soit complètement défait par de néfastes manipulateurs et dictateurs, regarde autour de toi ce qui est encore si beau, tu amèneras avec toi l'enfant dans l'Archipel, tu lui diras comme à nous, voici de grands oiseaux aux ailes roses, vois leurs becs recourbés, vois les flamants roses qui filtrent de leurs becs les eaux vaseuses des lacs, des étangs, et surtout il faut les voir voler de ce vol égal, grandiose, vois l'iridescente abeille creusant son nid dans la plante appelée racines noires, et ce crocodile qui ouvre sa mâchoire aux mille dents, dans la brousse d'un parc des Everglades, et l'aiglon gris et blanc qui se perche sur les clôtures des maisons, vois l'hibiscus écarlate en fleur, et tous ces oiseaux qui viennent pique-niquer à notre table le midi, et voici le papillon doré qui se joint à eux, mais dont s'est arrêté le court voyage, car le vent a brusquement séparé ses ailes, et Rudolph demandera comme je l'ai fait moi, Augustino, enfant, pourquoi, papa, le vent a-t-il brisé les ailes du papillon, et tu répondras, bien, le vent était si puissant pendant la tempête qu'il a interrompu le vol du papillon doré, de même que lorsqu'il fait trop froid, ce froid étant une anomalie dans nos régions, les iguanes meurent dans les jardins, ils ne peuvent survivre à ce froid brutal et sont frigorifiés, c'est ainsi qu'on les retrouve inertes dans nos jardins, en janvier, et comme je l'ai fait, Rudolph te dira peut-être, papa, pourquoi ne dis-tu pas la vérité, cela s'appelle la mort, et toi, pour me réconforter dans mon amère désillusion, ne disais-tu pas, le papillon doré comme les iguanes ne pouvaient survivre à des intempéries dénaturées, des intempéries créées par un climat qui se dénature, voilà comment tu tentais de tout expliquer, bien que ta phrase commençât par ces mots, avant que le monde ne soit défait ou complètement défait, vois ces beautés autour de toi, le vol des flamants roses, ce vol égal, grandiose, ne me disais-tu pas, papa, que nous en étions au début de la fin de notre monde, ne me disais-tu pas, papa, comme tu diras demain à Rudie, que nous tous, générations de papillons dorés et d'iguanes meurtris par l'intense froidure, n'avions que peu d'avenir, et Daniel se défendrait devant le fils irascible, cet Augustino toujours imprévu, dans sa tenue vestimentaire négligée, son jeans troué aux genoux, ses cheveux en broussaille, non, Augustino, je ne partage pas ton ombrageux pessimisme, à Rudolph mon petit-fils je ne raconterai que de belles histoires, je ne lui parlerai que d'un monde où la beauté demeure encore très résiliente, oui, c'est ainsi que je lui parlerai, disait Daniel à son fils Augustino, se disant qu'il connaissait mal Augustino, qu'il ignorait tout peut-être des sentiments d'angoisse qui habitaient ce fils mystérieux si vite outragé, était-ce parce qu'Augustino avait été, avec Mélanie, le plus éprouvé par la mort de sa grand-mère, jamais il ne prononçait le nom de Mère, Esther, l'eût-il fait qu'il eût trahi son immense peine, comme Mélanie, il avait appris à taire sa douleur, pourtant, quand il croyait que nul ne l'observait, lors de ses brèves visites chez ses parents, on eût dit, pensait Daniel, que les yeux d'Augustino se remplissaient de larmes, mais sentait-il qu'une main consolatrice pouvait atteindre son épaule qu'il fuyait aussitôt dans la nuit vers la plage, où pendant des heures il courait, courait, pour ne rentrer qu'à l'aube, s'abattre sur son lit solitaire. Le samedi, le Vieux Marin disait à Kim, celui qui est toujours avec toi, comment l'appelles-tu, Fleur, c'est un rêveur qui ne sait pas même comment amarrer un bateau, le nettoyer, toi seule, fille, t'épuises dans les cordages, qu'est-ce qu'il fait, celui-là, dans la vie, il ne peut pas même se servir d'un seau d'eau, c'est qu'il ne veut pas se salir les mains, disait Kim, ce sont des mains de musicien, disait Kim, qu'il porte des gants comme je le fais, disait le Vieux Marin à la bouche édentée, hein, qu'il se lève, sorte de la cabine et vienne t'aider au nettoyage, fille, il fait un beau ciel bleu, c'est pour être dehors et respirer le vent, c'est un vent de l'est, mon héron viendra sans doute se poser sur ma passerelle à une heure, car tous les jours à une heure il est là, nous bavardons un peu, et puis il repart, il s'envole au-dessus des flots bleus, lui aussi c'est un marin, mais il préfère une cale propre, il aime venir quand tout brille sur mon bateau, et toi, fille, que deviens-tu, ils te traitent avec respect, tous ces hommes, Fleur et les autres, je ne voudrais pas avoir une fille, je n'ai que des gar-çons et il y a bien des années que je ne les ai vus, une fille, c'est trop de considération, et tes parents, quand est-ce qu'ils vont reprendre leur liberté, une vie en prison quand on a des enfants, ce n'est pas une vie, faut-il être privé d'intelligence pour agir ainsi, sans penser aux enfants, bien que je n'aie pas vu les miens depuis des siècles, et les siècles passent et nous aussi, on se demande même si on les a procréés, mon idée à moi, c'était d'être marin, toujours sur l'eau, tu comprends? Et Kim dit, des junkies, rien que des junkies, ils nous auraient vendus pour pouvoir se piquer chaque jour, qu'ils y restent dans le trou, rien que des junkies, je ne veux plus les revoir, je me débrouille mieux sans eux, ils nous auraient vendus pour pouvoir se piquer, ce ne sont pas des parents, non, ce ne sont pas des parents des gens qui vendraient leur descendance, non, ce sont des déchets de l'humanité, dit le Vieux Marin, et se sentant soudain avilie d'être la fille de parents junkies, Kim demandait au Vieux Marin, c'est vrai qu'il vient te voir tous les jours à une heure sur la passerelle, le héron gris, sois patiente, il viendra, disait le Vieux Marin, il viendra nous saluer, le vent de l'est lui plaît bien, il a tant voyagé au-delà des mers, des océans, comme moi, parfois jusqu'à la baie Saint-Louis, par mauvais temps, qu'il sera un peu décoiffé, ses ailes seront fripées, mais il viendra, je te promets, lorsque change le vent, il vient me prévenir que nous aurons de la pluie, des orages, de vilains orages, ou bien le pire, l'ouragan de juillet, de septembre, il arrive alors, descend vers le bateau tout tremblant sous le ciel noir, il me dit, pars avertir tes frères les marins, attachez vos bateaux, sinon ce sera comme l'ouragan de 1909, je m'en souviens encore, le vent a emporté l'usine de cigares, c'était par un matin d'octobre, bien sûr que je n'étais pas là, bien que je sois très vieux, mais on m'a tout raconté, j'en ai encore des frissons dans le dos, en se levant le matin, les gens ont vu qu'ils n'avaient plus rien, ni usines de cigares ni grands hôtels, que des débris de bois, partout, quant à leurs maisons, mais qu'y a-t-il, fille, tu sembles triste, c'est ce garçon, Fleur, qui te dérange, pourquoi n'est-il pas avec nous, à nettoyer le bateau, il ne peut pas, il écrit dans la cabine, il écrit sa musique, il ne peut pas, non, salir ses mains, ce sont des mains de musicien, ce sont des histoires, tout ça, disait le Vieux Marin, tu vois bien que ce n'est pas un garçon pour toi, bon, tu auras ma bicyclette puisque je ne peux plus m'en servir, mes amis me disent que je finirai par me casser le crâne si je m'en sers dans le dédale des rues la nuit, après la taverne, il faut bien se distraire un peu, dis-moi, fille, toi, qu'en penses-tu, ai-je l'air si vieux qu'ils le disent tous, ces matelots, ces marins jaloux, et Kim disait au Vieux Marin, non, qu'il n'était pas si vieux puisqu'il n'avait pas encore cent ans, c'est qu'il avait la peau très tannée par le soleil, et que si ses yeux bleus avaient cette couleur délavée, c'était à cause de l'horizon qu'il ne cessait de fixer, elle disait tout cela en pensant à Fleur qui jamais ne l'aimerait parce qu'il en aimait une autre, à Fleur dans la cabine, Fleur, beau et jeune, c'était comme l'ouragan de 1909, oui, toutes ces pertes, et soudain le vieil homme s'écriait, regarde, il est là, le héron gris, il est venu nous saluer, toujours à la même heure, car il aime ce vent de l'est, comme tu vois, il est peu fripé, échevelé, regarde, fille, il est venu pour toi, et Kim regardait le grand oiseau contre le ciel bleu, le Vieux Marin avait peut-être raison, qui sait s'il n'était pas venu pour elle de ses lointains envols, qui sait, et elle eût voulu dire à Fleur, regarde, Fleur, comme tout est beau aujourd'hui, comme tout est en harmonie, regarde, Fleur, et maintenant il était plus de cinq heures, Jérôme l'Africain avait nonchalamment enfourché sa bicyclette dans le bruit de ses bouteilles d'eau retenues par des ficelles aux roues de la bicyclette, nonchalamment sous un chapeau multicolore se repliant sur ses lunettes noires, Jérôme l'Africain repartait vers les quais où il vendrait ses colliers, disait-il, mais ne marchandait-il pas aussi sa coke, pensait Kim, il s'en allait seul, après avoir aspergé d'eau son visage qui ricanait, comme s'il se fût moqué de Kim et de Fleur se remettant à sa flûte traversière, sans entrain, comme s'il se fût moqué de tout, pensait Kim, et en entendant ces bruits secs des pas de Jérôme l'Africain, sur l'asphalte, de son vélo surchargé de bouteilles et de guenilles, en écoutant ce drôle de cliquetis traînard, ces bruits de leur misère, Kim se souvint que la journée avait été longue, pénible, et sale, il n'y avait peut-être que la musique de Fleur pour en diminuer un peu la désolation, pensait-elle, et la pensée aussi que demain ils seraient sur le bateau du Vieux Marin, peut-être le vieil homme toujours sur les eaux et si près du ciel était-il le père que Kim n'avait jamais eu, peut-être était-il bon, celui-ci, et pas un junkie, comme il était si vieux, mais toujours prévenant envers Kim, dommage que le Vieux Marin n'aimât pas Fleur, qu'il ne vît en lui qu'un paresseux, quand elle ne pouvait lui expliquer que ce n'était pas vrai, que Fleur ne ressemblait à personne, et tout en jouant sans ferveur de sa flûte traversière, Fleur pensait qu'il fallait l'écrire, cet opéra, ou bien cette *Nouvelle Symphonie*, ou bien, ou bien, étrange mission, pensait Fleur, que d'être parmi les arrière-petits-enfants du grand Docteur de la Mort, sans pouvoir s'en défendre, n'était-ce pas un secret châtiment que de se retrouver dans cette même famille accueillant l'ère du crime, car soudain, grâce à la science du physicien poète, ne serait-ce pas une normalité de tuer la vie, on l'appelait le Prométhée de notre ère, et maintenant c'est ce Prométhée que Fleur portait sur son dos, poète déclamant les plus beaux poèmes écrits avant le déclenchement d'une bombe, l'artiste Oppenheimer partageait avec Fleur son ambiguïté dans le mal, car comme Fleur, sans cette idée empoisonnée de la bombe, il n'eût jamais fait de mal à une mouche, n'était-il pas avant tout une âme innocente que l'on avait trempée dans le sang au nom de la science, n'était-il pas avant tout, pensait Fleur, dans une sorte de froid délire qui le faisait frissonner sous son capuchon, le véritable Prométhée d'un temps maudit, qui avait dérobé aux dieux le feu dont il embraserait les hommes et leurs villes, mais comme Prométhée aussi, Oppenheimer était ce bienfaisant homme de science ayant eu l'illusion de créer les mortels, non pas avec de la glaise, mais avec cet atome radioactif qui l'immortaliserait lui-même, comme personne n'était venu l'enchaîner au sommet d'une montagne, qu'aucun aigle ne lui avait dévoré le foie, comme nul ne l'avait arrêté dans la création de son assemblage chimique, il n'y avait eu aucune restriction dans la lancée de sa folie, ce n'était pas que la sienne après tout, n'avait-il pas l'entière approbation de ses collègues physiciens, l'approbation de tous, ce Prométhée du grand âge nucléaire aurait un grand avenir, ne tenait-il pas entre ses doigts fébriles la balle de plutonium dont il serait le mythique lanceur, alléluia, la vie sur terre serait détruite, le projet de Los Alamos serait réussi, la bombe aurait même un petit nom taquin, *The Gadget,* dont le soir, lorsqu'il rentrerait chez lui, le physicien discuterait avec sa femme, cette femme serait peut-être la seule à ressentir ce vent d'effroi qui la séparerait de son mari, la balle de plutonium, *The Gadget,* ne serait-elle pas toujours entre eux, écran de fumée les exilant l'un de l'autre, même dans leurs liens les plus intimes, formé à ne vivre que parmi des groupes d'hommes, l'amoureux docteur de sa femme, qu'il ne cesserait pourtant de tourmenter, celui qu'on appellerait le Prométhée américain ne céderait en rien à cette intuition féminine, ou à cette appréhension d'une femme qu'alertait un sourd et monstrueux danger, écouter cette femme eût signifié renoncer à sa tâche, à son devoir, et le devoir était là devant eux, dans le magnifique paysage de Los Alamos où allait irradier de ses premiers éclats la bombe bientôt projetée sur la nation japonaise, Fleur écrirait ce qui vient après, après la faute, comme si c'eût été la sienne, et qui sait si ce n'était pas la sienne aussi, ce serait l'*Opéra Extinction,* ou la *Nouvelle Symphonie,* celle de la montée des derniers souffles sous les grains de cendre, une main est levée, les fleurs recommencent à fleurir, le désert a explosé dans de riches couleurs aux pétales de sang, les pleurs de regret ou de remords du Docteur au brillant avenir coulent telle une rivière de sang, il ne peut plus embrasser sa femme, car son visage en est aussitôt taché, lorsqu'il se lave les mains dans son laboratoire, une bave de sang et de cendres les salissent aussitôt, il est rongé par ce feu qu'il a volé aux dieux pour brûler les hommes, l'éblouissant physicien, encore si jeune, ne connaît plus le sommeil, seul ou avec sa femme qu'il tourmente du poids de sa faute, il ne dort plus, à peine s'étend-il sur son lit qu'il entend ces mots, la cible est là, Hiroshima, vas-y, la cible, la cible, ne crains rien, la cible est là, qu'as-tu à craindre, ce ne sera qu'une multiple explosion de soleils, une percutante levée de soleils aussi qui aveuglera tes yeux, il entend également cette question, mais eux, ceux qui sont en dessous de tant de lumière, que ferais-je avec eux, dans la nébuleuse lumière, tu ne les verras pas, Docteur, mais ce sera horrible et stupéfiant, pense-t-il, inimaginable, et puis il se rassure, il s'agit avant tout d'une rationnelle expérience scientifique, pense-t-il dans sa confuse insomnie, comment cibler l'ennemi, le vaincre, l'anéantir, qu'une simple expérience de guerre, le général Groves n'a-t-il pas dit qu'il fallait cibler tout, tout, et les propriétés toxiques du plutonium, les qualités radioactives de, tout, tout, cibler tout, et qui, quoi, en un mot toute une ville, l'Histoire m'en félicitera un jour, j'écrirai, un jour, dans un poème comment l'on doit faire face seul au désert, et il pense aux sonnets écrits par John Donne, qu'il eût aimé avoir écrits, et dans son incontrôlable insomnie, bien qu'il soit très agité, les sonnets du poète le bercent, parfois il se lève, tel un somnambule, et marche vers la chambre où dort sa petite fille, des petites filles comme la sienne, il y en a aussi dans la ville d'Hiroshima, il n'y a dans cette ville que des petites filles, toutes semblables à la sienne, non, elles sont différentes, d'une autre race, non, cette pensée des petites filles d'Hiroshima, il ne peut l'accepter, il pense qu'il va retourner à sa chambre, enlacer sa femme, se rendormir, ou bien sera-t-il à jamais privé de sommeil, après les premières explosions, tu n'y verras rien, après la nébuleuse nuit de l'atome, ce sera l'obscurité du jour, tu entendras dans le ciel comme un fracassement de rocs, tu entendras dans le ciel toutes ces voix des petites filles, de milliers de petites filles semblables à la tienne, il entendra dans le chant de leurs voix pleureuses ces mots, Docteur de la Mort, Docteur de la Mort, n'as-tu pas de regrets, Docteur de la Mort, ou bien ce seront les sanglots étouffés, que Fleur fera entendre dans son *Opéra Extinction*, ceux des petites filles suspendues aux arbres, éclaboussées vers le ciel, ici la voix macabre de l'orchestre, on peut entendre sourdre de la terre qui se crevasse une clameur désespérée, de loin cette voix de femme soprano crie encore, non, il ne faut pas, pense à notre petite fille, il ne faut pas, mais la clameur des comètes renversées assourdit la faible voix qui sera désapprouvée par l'homme de science, fût-il toujours amoureux de sa femme, lui récitant jusqu'à la fin des poèmes d'une haute spiritualité, les récitant parfois avec elle, comme s'il priait, à ses côtés, il sait qu'il ne l'écoutera pas, qu'il ne cédera ni à son charme, ni à sa pitié pour l'humanité, à rien, à personne il ne cédera car il est à la fois Dieu et Prométhée, dès que s'allumèrent les premières flammes dans le ciel d'Alamogordo, dans le ciel rose du Nouveau-Mexique, dès le premier test, à travers l'orage d'un ciel rose, le manteau de la divinité ne l'avait-il pas étreint de toute sa magnitude, sa femme ne savait-elle pas qu'elle avait épousé un dieu, celui de la radioactivité, pourquoi toute cette panique autour de lui, le ciel étant d'un rose si vif, il fallut se protéger les yeux sous d'épaisses lunettes, dommage pour cet orage virulent, dommage que cette nuit ne fût pas silencieuse et belle, longtemps après, toujours près de sa femme, il dirait soudain, oui, des enfants suspendus dans les arbres, envolés, oui, et ce chien tout noir de cendres marchant à trois pattes, seul, sous le ciel noir couleur d'encre, était-ce au mois d'août, il dirait, en quelle année était-ce où tout fut de couleur si funèbre, jusqu'aux nuages de suie, étaient-ils tous debout encore ou couchés, les petites filles partaient-elles pour l'école, avec leurs livres, peut-on savoir combien d'entre eux, pour nos archives, car moi, le Docteur de la Mort, ne ferais-je pas mieux de perdre toute mémoire, que pèse l'atroce divinité qui me fut offerte avec mes dons pour la science, en serais-je à la fin écrasé, ici, la voix de soprano qui dit, mon amour, dors, tu peux dormir, dors, car c'est dans cette divinité atrophiée de toutes parts que renaissait un homme, lui aussi de ses propres cendres, pensait Fleur, oui, ici une voix de femme, soprano, ici, là, l'orchestre, et Kim se souvint du Vieux Marin qui lui avait dit, lorsque les hommes font leurs guerres, et j'en sais quelque chose, ils exterminent d'abord les animaux et les enfants, tu aurais dû me voir parmi les autres, exterminant les requins, les baleines dans les eaux du Pacifique, ce fut un tel spectacle de honte qu'aujourd'hui je refuse de pêcher comme les autres marins, mon temps de crimes est passé, mais ma honte me réveille encore la nuit, nous les faisions tous sauter avec nos grenades pour le plaisir, nous, je ne peux même pas te dire, fille, tout ce que nous faisions, car tu es jeune et ne pourrais comprendre pourquoi nous agissons ainsi, ensuite nous tuons les enfants dans les bras de leurs mères, mais de cela je ne parlerai pas, fille, car tu es jeune et ne pourrais comprendre ce degré de nos vilenies, et me voici sur l'eau demandant pardon aux poissons, et ne méritant sans doute pas même d'être pardonné, mais quand vient le héron chaque jour à une heure, je sais qu'il me dit, ça va, me dit-il, n'y pense plus, ainsi êtes-vous faits, vous les hommes, et il repart ouvrant ses larges ailes, ne me disant rien de plus, c'est assez, va, n'y pense plus, c'est ainsi qu'il me visite tous les jours à une heure sur la passerelle de mon bateau, c'est une bien merveilleuse faveur qui me vient du ciel, une faveur en laquelle je crois, disait le Vieux Marin à Kim. Fleur et Kim pouvaient entendre les doubles cris des sirènes qui se croisaient dans la rue, deux ambulances, pensait Fleur, deux blessés, ou bien un garçon, une fille s'amusant trop avec la coke, y succombant ou presque, et les voici sous un drap blanc, quand un infirmier leur presse le cœur, respirez, dit-il, respirez, voici l'oxygène, respirez, et eux se demandent où ils vont ainsi, par quelle erreur de leur circulation sanguine ils ont été trahis, écoutant à leurs tempes ces irréguliers battements qui se mêlent aux sons des tambours le long de la rue, est-ce Jérôme l'Africain qui joue, est-ce lui, ayant déployé sur le trottoir ses tambours, lesquels sont des seaux de métal, les bruits sont longs et caverneux, allons, respirez, et Jérôme l'Africain bat des mains et des pieds, et eux sur leurs brancards l'entendent, et Fleur pensait à cet autre grand physicien qui lui semblait plus compréhensible que le Docteur de la Mort, le Docteur de la Mort de toutes les petites filles d'Hiroshima, et peut-être de la sienne, aussi parmi elles toutes, car comment survivre à la Faute du père Dieu, celui qui avait dit, je ne puis affirmer que Dieu n'existe pas, mais Dieu est le nom que nous donnons à notre raison de vivre ici-bas, je crois toutefois que notre raison d'être ce que nous sommes vient plutôt des lois de la physique et non de ce Dieu avec qui nous n'avons aucune relation personnelle, ou bien si ce Dieu existe, appelons-le le Dieu parfaitement impersonnel, disait le physicien à la bouche tordue, au corps mortifié, et Fleur pensait, oui, c'est lui, ce Stephen humilié dans son fauteuil roulant et d'une dignité superbe, laquelle le mortifie encore davantage, c'est lui qui dit la vérité, le Docteur de la Mort servait le dieu de la personnalité, le dieu personnel, s'érigeant lui-même en cette divinité atomique, bien qu'il ne fût toujours qu'un homme, un mari et le père d'une petite fille, quand Hawking, lui, ne défie aucun dieu terrestre, sinon l'impersonnalité du Dieu avec qui toute relation est absente, cette absence nous condamnant sans doute à nous aimer les uns les autres, pensait Fleur, bien que le physicien ne s'attardât pas aux sentiments comme le faisait Fleur, c'était un esprit réfléchissant à froid à ces lois inexorables de la physique, n'avait-il pas l'air d'un gamin, sous sa mèche de cheveux, ses yeux clignant de douleur sous ses lunettes, ces tics, ces plis, semblait-il dire, ne sont que parties d'un corps que la maladie a accablé, mais autrement je fus un homme que combla la chance, la chance de vivre avec un esprit pénétré par la beauté de l'univers, la chance de pouvoir travailler sur les théories de la physique, l'un des rares domaines où mon handicap ne soit pas un sérieux obstacle à mes opérations, et quelle chance aussi que tous mes livres soient lus lorsqu'ils sont reproduits dans des éditions populaires, aurais-je jamais espéré pouvoir atteindre ici tant de lecteurs, tant d'êtres vivants, aurais-je jamais espéré tant, hélas, on me pose tant de questions auxquelles je ne puis répondre, je ne possède que peu de réponses aux problèmes de la vie, je n'espère pas non plus résoudre ses énigmes, certes la physique et les mathématiques peuvent nous enseigner, nous apprendre comment a commencé le monde, mais des êtres humains, de notre comportement, ces sciences n'apportent aucune équation ni explication, la science comme le Dieu impersonnel, pensait Fleur, nous laisse seuls à nous-mêmes, voilà ce que savait Stephen dans sa modestie, voyez-vous, disait-il, imaginez-vous que votre esprit est essentiellement un ordinateur et que votre conscience est contenue dans le programme de votre ordinateur, la conscience ne cessera-t-elle pas d'agir lorsque votre ordinateur lui-même aura fini de fonctionner, n'est-ce pas ainsi, théoriquement n'est-ce pas ainsi, mais non, pensait Fleur, cela ne peut être ainsi puisque la conscience persiste dans son cheminement même lorsqu'il n'y a plus d'ordinateur, même lorsqu'il n'y a plus de corps, oui, mais quel est ce cheminement de la conscience démantelée du corps et où va-t-elle, dans quelles régions de la mémoire toujours active, ou des mémoires, ou décide-t-elle dans son activité éternelle d'aller vite habiter d'autres corps à peine nés, car elle seule est avide d'éternité, de transcendance, de permanence, n'était-ce pas ainsi, pensait Fleur, le physicien qui avait l'air d'un gamin, n'avait-il pas ajouté, la fin de notre monde n'existe pas, car il y a une continuelle expansion de tous les mondes, à jamais les mondes vont s'étendre et se répandre, jusqu'à ce qu'ils touchent le vide et la nuit, peu à peu ce sera de plus en plus désert et aussi de plus en plus sombre, comme il n'y a qu'obscurité et vide au-delà du sud polaire, bien au-delà de nos mondes connus et inconnus, mais le gamin physicien, car n'était-il pas venu au monde avec les théories de la physique pour faire ses premiers pas, avant même peut-être tant son cerveau en était rempli, était aussi un poète, comme Oppenheimer l'avait été, il disait, sans pouvoir l'affirmer, peut-être, si nous survivions assez longtemps, pourrions-nous maîtriser le système solaire, le coloniser, comme nous avons fait avec la Terre, toutefois il n'y a aucun lieu dans le système solaire qui puisse nous convenir aussi bien que la Terre, ainsi il n'est pas sûr que nous puissions survivre si la Terre nous devenait hostile, inhabitable, afin d'assurer une survie à long terme, nous aurions besoin d'atteindre les étoiles, ce qui prendra beaucoup de temps, mais espérons que nous saurons durer jusque-là, la différence entre ce physicien de l'âge nucléaire et celui qui l'avait précédé, c'est que le Docteur de la Mort avait eu la certitude qu'il coloniserait le système solaire, et plus encore, que les étoiles étaient toutes à sa portée, et qu'avant cette colonisation des autres mondes et planètes il fallait expérimenter jusqu'à la destruction de tous les hommes, sur notre terre, à commencer par toutes les petites filles d'Hiroshima que l'on oublierait aussi vite qu'une pluie d'anges ou une pluie de neige, qu'on oublierait pour ne plus y penser, songeait Fleur en se disant que de sa flûte traversière émanaient des sons grinçants, et où en était-il maintenant dans l'écriture de sa symphonie, de son opéra, écrire sur la plage sous de lourds nuages, écrire en ayant faim, était-ce logique, qui parviendrait à déchiffrer ses manuscrits, les signes cabalistiques de son écriture musicale déchaînée, effrontée quand cet homme en lui qui aimait Clara n'était qu'un inculte, qu'en était-il du prodige enfant devenu hideux, était-ce là, avec les sons heurtés, décousus de sa flûte traversière, tout ce qu'il avait à offrir à une femme, et une femme qui était elle-même un prodige, mais un prodige continu dont l'intelligence supérieure ne s'était jamais tarie en ces vanités, ces servitudes, la conjuration de la faim, de la soif, Clara, elle, ne pouvait-elle pas manger tous les jours et plus qu'à sa faim, quand pour Fleur n'y avait-il que cela, la sujétion, la dépendance à d'incohérents besoins, nécessités, se nourrir de déchets ou n'être plus rien, céder à la torpeur de l'ivrognerie, ou ne plus pouvoir penser, moins encore exister, assujetti, était-il encore vivant bien qu'il fût encore capable d'aimer celle qu'il aimait dans une abrutissante adversité, et assez de ces hurlements des sirènes, pensait Kim, où était Brillant, passerait-il ce soir, souvent après le repas de minuit, sur la plage, ou dans la voiture décapotable de son patron, Brillant disait soudain à Kim, dors pendant quelques heures, moi, je dois sortir, il ne partait que pour quelques heures, mais où allait-il ainsi, pensait Kim, boire sans doute, bien que dans la lumière de l'aube son visage semblât tout bronzé et serein, Kim ne pouvait savoir ce qu'il avait fait, rien de Brillant ni des lieux qu'il eût pu fréquenter pendant la nuit, et qu'arriverait-il si un jour Brillant ne revenait plus de ce furtif vagabondage dont Kim ne savait rien, non que Brillant fût un menteur, non, il disait tout en riant, bien que sans aveu toujours, me voici juste à l'heure du petit-déjeuner au Café Espagnol, je chipe un croissant et voilà, et ton café, Kim, le regard de Brillant se figeait dans le lointain, on ne savait où, pensait Kim, elle remarquait la croissance de ses cheveux autour de ses oreilles, comme s'il eût été un chien, ou son chien dont il eût emprunté l'identité, dans le manque qu'il éprouvait de lui, Misha, Misha, se plaignait-il, quand donc pourrais-je l'avoir avec moi, Brillant, observait Kim, avait de ces accès de fureur où il condamnait les mendiants de la rue abusant de leurs chiens travailleurs, enfants de lâches, criait-il, ils habillent leurs chiens tels des clowns pour les faire mendier, eux aussi, lunettes de soleil et chapeaux, pendant qu'ils cuisent au soleil tout le jour, ces pauvres bêtes, enfants de lâches, ils exploitent les chiens les plus dignes, si le vétérinaire n'avait sauvé Misha pendant la Troisième Grande Dévastation, c'est ainsi qu'il eût été traité par ces mendiants de la rue sans scrupules, des chiens travailleurs, des chiens asservis à leur lâcheté, à leur paresse, mais ces explosions en paroles de Brillant, pensait Kim, n'étaient-elles pas le signe de son existence de plus en plus accidentée, une vie dans le crash, le déraillement, disait Brillant, d'une Grande Dévastation à une autre, s'il était un poète oral imposant dans les bars, ses mésaventures de La Nouvelle-Orléans à son île de refuge, à des auditeurs dont l'esprit peu à peu se brouillait, brouillant ainsi lui-même ses propres pistes, afin que nul ne sache qui était Bryan, Brillant, le poète de cette façon séduisait les foules, mais dans un échange privé, ces accès, ces explosions de colère ou de fureur, pensait Kim avec appréhension pour Brillant, n'étaient-ils pas les symptômes d'une maladie plus grave, celle, pour cet alcoolique depuis l'enfance, du delirium tremens, dans ses trépignements, ses agitations, sa paranoïa qu'on le dépossède de ses écrits qui n'étaient toujours pas écrits, Brillant n'était-il pas avant tout un halluciné, car depuis quelque temps ne racontait-il pas à Kim qu'il voyait ses écrits partout, sur le miroir de sa salle de bain, comme dans le carrelage du plancher, voilà pourquoi il ne retournait plus dans sa chambre en ville que payait sa sœur pour lui, persécuté par les déluges de La Nouvelle-Orléans, il l'était aussi par les mots, tous ces mots écrits partout sur les miroirs, les murs, les carrelages, il pouvait les lire délicieusement lorsqu'il était calme, mais dans ses accès, ne se reconnaissant plus, il disait que quelqu'un avait volé ses mots pour les écrire sur les murs, et tombait alors dans un délire aigu qui durait plusieurs jours, posant des glaçons sur le front de Brillant, Kim disait, tu dérailles, rappelle-toi, tu es en plein déraillement, réveille-toi, Brillant, il faut que tu sois à ton café à huit heures, et soudain intact après tant de batailles avec ses fantômes, Bryan disait, oui, c'est vrai, Kim, où sont mes chaussettes blanches, mon beau short, ma chemise, on m'attend au café, dans cette tenue je dois être impeccable, sinon on me mettra à la porte, par ce temps de chômage, où ai-je la tête, on a dû me l'enlever avec les feuilles du palmier géant, l'acacia, la poutre, oui, la poutre, pendant le crash, mais sentant la main de Kim sur son front, la fonte des glaçons dans ses cheveux, Brillant disait aussi, mais elle est bien là, ma tête, puisque tu la tiens entre tes mains, Kim, ah, elle est bien là, je l'ai retrouvée, je n'ai plus qu'à aller à mon travail, maintenant, elle est bien là tout entière, ma tête. Et ouvrant des yeux surpris sous son capuchon, Fleur voyait soudain Jérôme l'Africain qui, au retour de son bain de la semaine dans l'océan, courait presque nu, les pieds sans sandales, le long de la rue, il ne portait qu'un caleçon noir adhérant à sa peau noire, ne courait-il pas d'un pas leste, dégagé, son air n'était-il pas triomphal bien que Fleur vît le blanc de ses paupières à demi closes, comme si Jérôme l'Africain eût eu la fièvre, quand la course exaltait son corps redevenu fier, il semblait courir libre et nu comme un homme des bois, pensait Fleur, au rythme de la musique de Fleur, ou était-il le gibier galopant que nul ne pourrait rattraper, il ne ressemblait en rien à ces joggers habituels de la ville, ses élans étaient fermes et durs, comme s'il craignait qu'on ne se presse derrière lui, qu'on ne l'attrape par l'épaule, ou était-ce toute cette musique touffue de la ville qui le faisait ainsi frémir sensuellement en proie à une sorte d'extase quand, bientôt, dans des lueurs roses le soleil se coucherait sur la mer, car il était plus de cinq heures et jamais la ville n'avait été aussi turbulente, comment croire que dans tout ce tapage on entende encore les murmures des tourterelles, leurs mélodieuses chansons, qu'un son presque assourdi tel un soupir, ce son que la flûte aurait pu reproduire, amplifier, dans une composition musicale, pensait Fleur, bien que l'art ait souvent tant de mal à imiter la nature, la glorifiant autrement, par d'incroyables inventions de sons, de murmures ou de bruissements des instruments de musique divers, et bourdonnaient aux tempes de Fleur tous ces sons cacophoniques qu'il eût dû transcrire quelque part sans tarder, quand se détachait de toute cette tapisserie sonore le roucoulement solitaire de la tourterelle, sa quête d'amour soupirée, chantée, la terre serait-elle totalement dévastée par la folie des hommes qu'on l'entendrait encore, affinant sa plainte jusqu'au désespoir, et Fleur vit aussi Petites Cendres qui sortait de la ruelle de sa pension chez Mabel, Robbie le retenant par le bras, comme si Petites Cendres eût été sur le point de s'écrouler sur le trottoir tant il y avait longtemps qu'il n'avait pas quitté son lit, le voilà debout, dit Robbie, il viendra à mon couronnement ce soir, c'est ta musique qui l'a enfin réveillé et remis debout, que ferais-je sans toi, Fleur, Fleur sourit à peine et ne répondit pas, les pieds de Jérôme l'Africain couraient toujours dans l'air chaud et humide, Fleur voulut dire à Robbie qu'il avait faim, qu'il n'avait à cette heure de la fin du jour que cette pensée de la faim, irait-il chez sa mère ou pas, et ce Brillant, où était-il avec ses friandises du jour, dans sa boîte en carton, pourquoi Kim continuait-elle de tant le talonner, toujours à ses côtés, mais oubliant sa rancune, Fleur dit à Petites Cendres, cette fille, c'est Kim, on partage la même zone, puis il se perdit dans la musique de sa flûte traversière, une pièce qui avait été écrite autrefois pour le clavecin, dit-il, avant qu'il ne disparaisse sous son capuchon, et Robbie répéta combien c'était beau, et vraiment, comme aurait dit Mabel qui était une femme pieuse, on aurait pu se croire à l'église de la Communauté ou au Temple, bien que Robbie n'allât jamais dans une église ni dans un temple, ce n'était pas là sa vocation, dit-il, oh non, Robbie retenait toujours Petites Cendres comme s'il allait tomber, quand moi j'acquiers des rondeurs, toi tu flottes dans tes vêtements, dit Robbie à Petites Cendres, et Kim voyait le corps amaigri de Petites Cendres, dans son jeans, son débardeur trop larges, sans ses cheveux abondants qui lui donnaient encore quelques ves-tiges de flamboyance, toute sa personne frêle n'était-elle pas d'apparence maladive, c'était comme pour Brillant, à quoi bon éprouver des sentiments de bienveillance, pensait Kim, si ces farfelus garçons refusaient de s'en sortir, car la bien-veillance, la charité n'étaient-elles pas de tristes sentiments que Kim n'aimait pas éprouver, bon, nous avons encore un peu de temps avant mon couronnement, dit Robbie en dési-gnant la couronne de papier en faux or qui ceignait son front, je t'amène boire un cocktail près de la mer, Petites Cendres, avant que tu ne t'apitoies sur toi-même, hé, un taxi, vite un taxi, mon ami ne peut pas marcher si longtemps, dit Robbie en sautant dans un taxi, sa main attirant fermement Petites Cendres contre son flanc un peu proéminent sous sa robe verte trop courte, dont dépassaient ses jambes brunes très musclées, mais ressentant soudain combien Petites Cendres en peu de temps, toujours vautré dans son lit, combien son ami s'était fragilisé, ah, pourquoi ne l'avait-il pas tiré de là avant aujourd'hui, regrettait Robbie, on ne laisse personne à un tel sommeil, à une si malsaine langueur, Robbie se souvint de ses virées en taxi avec Fatalité, de leur promenade à la mer, était-ce quand tout commençait à aller si mal même si l'on n'en parlait jamais, dès qu'ils étaient sur une terrasse, Fatalité, s'enivrant vite de champagne, riait trop fort, et Robbie disait, tu ris trop fort, Fatalité, sans comprendre, sans doute, que les rires de Fatalité étaient peut-être ses seules diversions, dans ses robes de satin, sur ses talons aiguilles, fumant ses cigarettes cubaines, Fatalité riait, riait, comment le spectacle de mon bonheur te déplaît donc, demandait Fatalité, les yeux presque en larmes sous ses cils crémeux, c'est que nous ne sommes pas sur une scène, disait Robbie, mais dans un établissement distingué, chic même, n'avais-tu pas de bonnes manières autrefois, moi, jamais, répliquait Fatalité, jamais, et depuis quand es-tu si précieux, toi, Robbie, est-ce l'éducation de ton dernier Daddy qui te revient, Robbie avait un autre souci qu'il ne confiait pas à Fatalité, c'est que même s'il était toujours amoureux de son mari, Jason, Yinn, n'était-il pas irrésistiblement attiré par mon Capitaine, et Jason n'était-il pas un mari jaloux, aucun Daddy ne me possédera plus, répondait vaguement Robbie, aucun, crois-moi, Fatalité, et Jason, Yinn, la mère de Yinn, Cobra et Geisha même si elles avaient des amants, ils étaient tous la famille de Robbie, un libertinage de Yinn, ou une attirance qui eût brisé l'équilibre dans la maison, n'eût-il pas troublé aussi ou contraint la stabilité de Robbie, cet équilibre, ou cette stabilité, était équivoque car combien de fois Robbie n'avait-il pas fugué, déserté tous les siens pour l'un de ces *sugar daddies* maniganceux dont il s'était vite délesté, après un mois, deux mois d'orageuse liaison, car dans tes pulsions et compulsions, tu concèdes tout à un homme que tu ne connais pas, pour te reprendre aussitôt, disait Yinn à Robbie, méfie-toi des étrangers qui te parlent de fortune et de gloire, ce ne sont que des illusions, ils ne veulent que ton corps, pour une nuit, c'était ce rire fort et tendu qui détonait encore dans l'âme de Robbie, le rire de Fatalité, qu'ils soient à boire leurs cocktails près de la mer ou ailleurs, étendus sur une plage, Fatalité, pensait Robbie, s'en allait par le rire, dans une évasion de l'esprit, laquelle refusait pourtant d'être défaitiste, Fatalité s'en allait, sans drame, dans une cascade de rires comme si elle était encore sur la scène à chanter ou à danser dans de burlesques contorsions, et à cette époque, pensait Robbie, voguait entre eux, Robbie et Fatalité, un malaise, partageaient-ils une même serviette de bain sur la plage que Robbie se levait soudain, mû, pensait-il, par quelque souffreteuse pitié pour le corps de Fatalité, ce corps atteint de malédiction, au soleil, dans toute la nudité de ses maux, tu me fuis, disait Fatalité, hein, Robbie, tu me fuis, car tu ne veux pas entendre le cliquètement de mes vertèbres ou bien ne sont-elles pas trop voyantes au soleil, ces vertèbres sous la peau décharnée, hé, laisse les cadavres aux cadavres et va te baigner, ma chérie, je ne t'en voudrai pas, disait Fatalité, riant encore, et tirant à lui la serviette de bain, ce n'était qu'aujourd'hui, beaucoup plus tard, auprès de Petites Cendres dont il prévenait la chute, sur un trottoir, dans la rue, que Robbie se reprochait cet instant où il avait abandonné Fatalité seule sur la plage, Fatalité qui ne pouvait pas se baigner, car elle était trop faible, ce jour-là, Fatalité qu'il revoyait échouée sur sa serviette de bain, rieuse, mais peinée par Robbie, hé, va donc nager, ma chérie, quand toi tu le peux, toi, ma sportive, il n'y a pas si longtemps, souviens-toi, tu étais assise derrière moi sur ma moto, nous nous lancions à toute vitesse à travers le pays, rien n'était jamais assez pour nous, la Californie, le Mexique, et tu collais à mon dos, ta main sur ma cuisse, quel homme viril j'étais alors et combien je t'impressionnais, homme le jour, femme le soir dans les boîtes de nuit, la ronde complète des sexes, un accomplissement parfait dans la performance des corps, dirait Herman, hé, vas-y, n'hésite pas, Robbie, délaisse ce gisant sur son tapis sur la plage dans l'impudeur de ces rayons de soleil qui le pénètrent, tu es beau et jeune, et en santé, Robbie, abandonne-moi, soudain assailli par le remords pendant qu'il nageait, Robbie accourait vers Fatalité, s'asseyant tout près de Fatalité, sur la serviette de bain qu'il mouillait du poids de son corps, du ruissellement de ses cheveux qu'il secouait, tu es jeune et beau aussi, disait Robbie, mais si absurde dans tes attitudes grandiloquentes et tes rires, c'est à cause de ma mère, disait Fatalité, tout me vient d'elle, une femme absurde, grandiloquente aussi, une prostituée de calibre, je te dis, pas une vaurienne, non, elle m'a quand même élevé et nourri, tout ce qui est sublime en moi me vient de ma mère, répétait Fatalité, il faut le faire, élever un enfant dans de pareilles conditions, tu as quand même fait un peu de prison, disait Robbie, dès l'âge de dix-huit ans, ce n'est pas une bonne éducation maternelle, ça, n'exagérons rien, il a fallu que Yinn me sorte de là, disait Fatalité, Yinn a été ma fée, il en faut toujours une pour un prisonnier, un hors-la-loi, ma mère aimait bien l'héroïne, ma petite maman, c'est ce qui l'a tuée, et j'avais commencé comme elle à en vendre un peu, mais j'ai été sauvé par une fée au grand cœur qui a décidé de m'adopter comme son fils, ou son frère, et c'était Yinn, c'est quand même une seringue souillée qui m'a contaminé, rien que cela, il en faut peu, si peu, et on se retrouve lépreux parmi les lépreux, quelle surprise, on ne s'y attendait jamais, crois-moi, moi l'invincible Fatalité, fils d'une prostituée de calibre, eh non, on ne s'y attendait pas, et ce jour-là, sur la plage, ne riant plus, Fatalité avait beaucoup parlé de sa mère à Robbie, elle n'avait que quinze ans quand je suis né, on aurait dit ma grande sœur, mais qui veut des mères de quinze ans et de leurs bâtards, il lui a fallu forger seule son destin, et ne devais-je pas l'accompagner partout, même dans les bras de ses hommes, personne ne voulait de moi, mais ma mère, elle, m'a gardé, elle a été l'amour sous la détestation, l'humiliation des autres, deux délinquants naufragés, elle et moi, nous étions inséparables, qui a pitié des mères de quinze ans et de leurs fils, nous avions la même pâleur, les mêmes cheveux blonds et les mêmes penchants pour toutes les formes d'ivresse et d'addiction, car nous avions tant de choses à oublier, d'abord ma naissance, et nous étions si pauvres que tout nous était permis si nous apprenions à voler, mais longtemps, longtemps, elle a été ma plus chère compagne, qui a pitié des mères de quinze ans, le sexe, chez elle, était-ce une pathologie mentale, une psychose, une sorte de mélancolie détournée de ses sens à la dérive, si elle était toujours en période de crise, ne sachant jamais si nous allions manger le soir, ni où nous allions dormir, qui donc était là pour la soigner, l'apaiser, dans son corps souffrant, même lorsqu'elle ne voyait d'issue soudain que dans le suicide, lorsque la réalité pour elle se transformait en une perception distendue de tout ce qui l'entourait, lorsqu'elle consommait tant de substances toxiques, croyant aller mieux, aucun psychologue n'était là pour elle, la misère

des désocialisés est souvent invisible, bien que dangereuse-
ment gênante, était-elle atteinte mentalement, nul ne tenait
à la prendre en charge, ni elle, ni moi, quinze ans, pauvre
petite mère et son rejeton, soupirait Fatalité, mais oublions
cela, sous le soleil qui nous fait du bien, oublions cela, disait
Fatalité en se remettant à rire. Et Fleur pensait à cette
musique que l'on entendrait bientôt dans toute la ville, dans
les bars en plein air, les jardins des hôtels, sur les quais, ses
amis seraient là, bien rémunérés, le groupe du Cool Springs,
les groupes de jazz ou de blues, de sept heures à minuit, dans
les cabarets, les théâtres aménagés en salles de concert, tous,
ils seraient là, les uns vêtus de cravates blanches sur des habits
noirs, tous musiciens salariés, eux n'avaient pas investi leur
âme comme Fleur, bien qu'il n'eût que cela à investir, pensait-il, eux avaient des femmes, des maisons, des voitures, on
venait les entendre en buvant sa margarita, les Cool Springs
et les autres, bandes de rockers que Fleur jugeait tapageuses,
auxquelles il ne se mêlait plus, le réprimandait sa mère, et elle
aussi Martha ouvrait son pub de nuit surplombant l'océan,
réfugiés, immigrants viendraient danser avec leurs familles,
leurs enfants très jeunes, sur sa terrasse, et pourquoi Fleur ne
jouait-il pas pour eux tous, il y avait longtemps déjà que
Martha abritait des gens sans patrie, toujours dans l'attente
de papiers qui leur seraient refusés, elle connaissait bien leur
sort, c'est Alfonso, un prêtre insensé, un philanthrope auda-
cieux, qui l'avait autrefois influencée vers ce désintéresse-
ment, longtemps il avait caché Haïtiens et Cubains dans son
église éloignée dans l'Archipel, Alfonso étant aussi un dénon-
ciateur acharné des abus sexuels des prêtres sur les enfants,
on l'avait envoyé ailleurs, de plus en plus loin, d'où il ne capi-
tulait pas, écrivait-il à Martha, l'hypocrite politique du Vati-

can protégeant les auteurs de ces crimes devait être dénoncée plus encore, je ne me tairai pas, disait-il, certes la mère de Fleur avait un cœur juste, pensait Fleur, Martha aimait l'humanité, dommage qu'elle soit la mère de Fleur, une famille de douze enfants ne l'aurait-elle pas comblée, dans cette abondance d'amour qui n'avait couvé qu'un seul fils pour le détruire, car ce n'était pas le fils qu'elle aurait dû avoir, pensait Fleur, non, ce n'était pas, ce n'était pas, et les Cool Springs et tous les autres groupes entonnaient leurs blues et leurs jazz, bientôt l'heure, oui, et sur les quais, qui, parmi les saltimbanques, les dresseurs de serpents, ceux qui les enroulaient à leur cou tels de sinueux colliers, les vendeurs de roses ou de bijoux, parmi eux tous, qui entendit le cri de Mabel, quand soudain son perroquet Merlin chuta de son épaule sur les planches du quai, qui l'entendit crier, un peintre occupé à peindre le soleil couchant sur sa toile s'écria, c'est lui, le Tireur, c'est lui, Mabel, qui a tiré, j'ai à peine eu le temps de le voir quand il a masqué son visage, nous savons tous que c'est lui, le jeune Tireur meurtrier, combien de bêtes n'a-t-il pas tuées déjà, c'est lui qui est recherché, Mabel, le peintre à son chevalet ne semblait pas entendre le cri de Mabel telle une clameur au-dessus des vagues, une clameur, une plainte, un cri affolé, Mabel n'avait-elle pas senti le sifflement de la balle près de sa tête, puis qu'était-il arrivé ou étaient-ce plusieurs balles, des balles minuscules tirées avec une horrible précision autour de la tête de Mabel, non, là sur son épaule, vers le poitrail orange de Merlin, ses ailes bleu et or, le tir si adroit, précis, transperçant le poitrail orange, les ailes bleu et or de Merlin, et tout ensanglanté l'oiseau croulait, croulait, de l'épaule de Mabel quand Jerry le second perroquet disait de sa voix stridente, implorante, mama, mama, regarde, mama, on y va, mama, on y va, qui entendit le cri de Mabel, qui l'avait entendu parmi les marchands d'art et les dresseurs d'animaux, quand un magicien parmi eux se glorifiait de voir danser ses chats à travers des cercles de feu, le peintre occupé à sa toile, à ce soleil descendant en couleurs pourpres sur sa toile, répétant encore, c'est lui, le Tireur, qui se venge sur des innocents, c'est lui, le Tireur, et Mabel ne pouvait croire ce qu'elle voyait maintenant à ses pieds, Merlin, son Merlin, avait été assassiné, un si bel oiseau, voyez-moi sa tête renversée qui ne bouge plus, disait un homme aux côtés de Mabel, lui aussi marchand de roses et qui avait exhibé ses oiseaux, voyez-moi ça, les ailes tachetées de sang, qui a fait cela, qui a fait cela, mais nous n'avons rien vu ni entendu, c'était comme une fête, oui, un feu d'artifice dans le ciel, un divertissement, mais dans ce feu d'artifice, ce divertissement, les pépites des fausses flammes ne contenaient-elles pas des balles, de ces balles minuscules que l'on ne parvenait plus à extirper du corps des oiseaux, d'aucun corps, on ne parvenait plus à les extirper, je vais les extirper moi-même, se lamentait Mabel, oui, mon Merlin ne sera pas enterré au cimetière des animaux avec ces balles à travers les ailes, et Mabel aurait longtemps pleuré et crié avec son oiseau sur les genoux, mais elle craignait de salir sa robe du dimanche, c'est dans cette robe qu'elle irait voir sa fille en Indiana, sa fille et son troisième bébé, la révérende Ézéchielle lui ayant offert le billet d'avion, mais n'était-ce pas un mauvais présage que Merlin soit, que Merlin soit, ne pouvant prononcer le mot qui lui arracherait définitivement Merlin, comme si s'était ouvert devant elle le grand tiroir où s'entremêlaient tous les morts, mais sans Merlin, sans Merlin, oui, qu'elle garderait près d'elle jusqu'à son enterrement au cimetière des animaux, dans des dunes blanches, près de la mer, sous les pins australiens, un peu à l'ombre, oui, n'était-ce pas un mauvais présage ou l'apparition d'un maléfice que Merlin soit soudain, lui si bavard, soit soudain muet, et s'il était si muet, c'était parce qu'il avait l'air de n'être qu'endormi, peut-être dormait-il, lui qui aurait pu vivre jusqu'à plus de quatre-vingts ans, plus longtemps que ses maîtres, plus longtemps que Mabel, lui qui, lui, Merlin, qui n'était plus, ne serait plus, non, il ne faisait que dormir, et l'étincelle de ses yeux s'atténuait doucement, ses yeux se voilaient, oui, comme dans le sommeil, pensait Mabel, non, il ne fallait pas pleurer, ternir de pleurs la robe neuve achetée pour le voyage, la visite à sa fille, non, il ne fallait pas, pensait Mabel, et si Mabel ne pouvait vivre sans Merlin, comment vivrait donc Jerry sans Merlin, ne répétait-il pas à Mabel, on y va, mama, mama, je t'aime, on y va, hein, et Mabel disait, sois patient, mon Jerry, sois patient, il nous faudra partir à vélo, aller jusqu'au cimetière des animaux, sois patient, Jerry, oh, tu n'as plus de frère, oh, mon pauvre Jerry, mon perroquet chéri, comment allons-nous vivre désormais, toi et moi, Mabel se souvenait aussi de la cape en dentelle d'Herman déchiquetée lors du défilé des motards, d'Herman sur son tricycle multicolore criant, il y a un tireur meurtrier dans la foule, on aurait dit le canif d'un enfant qu'une main avait projeté dans l'air, on aurait dit, avait dit Herman, quelqu'un qui tirait des balles d'un feu d'artifice, avait dit Herman sur son tricycle, et Mabel pensait à Marcus en prison à cause d'Herman, ne lui avait-il pas procuré des sédatifs, des médicaments, Herman alors atteint du cancer, Marcus n'avait-il pas risqué sa vie pour lui, perdu pour Herman toujours vivant sa liberté, Marcus ne serait jamais infirmier, ses délits le retenant en prison, pour

Herman qui, lui, n'était plus le convalescent de jadis, chantait et dansait toutes les nuits au Cabaret, et le Tireur n'avait-il pas dit qu'il se vengerait pendant une fête, un divertissement, il se vengerait, et pourquoi Merlin, pourquoi lui, pensait Mabel, son oiseau immobile dans les bras, pourquoi mon Merlin qui jamais n'a fait de mal à personne, c'est que le Tireur tirait au hasard, pensait Mabel, d'un tir aveugle, il tirait, tirait partout, sous les pins australiens Mabel déposerait des gerbes de fleurs, caressant longuement le poitrail orange de Merlin, ses ailes trouées de balles, oui, elle le caresserait longuement, hein, mon Jerry, toi sur mon épaule, c'est ce que nous ferons ce soir, car tu n'auras plus de frère, mon Jerry, alors on y va, on y va, mama, demandait Jerry, d'abord j'extirperai de mes doigts chacune des balles, si minuscules soient-elles, et je me dirai que Dieu, quoi qu'en pense la révérende, que Dieu est bien cruel de me prendre Merlin, de me le prendre, oui, quand c'était mon bien, en bas, sur la plage, des tentes aux pans de soie avaient été dressées pour un mariage, eux s'amusent et rient, pensait Mabel, les femmes en décolleté, les hommes coincés dans des costumes qui les font suer, coule le vin dans les verres, ils rient à gorge déployée, hommes et femmes, un mariage pompeux, pensait Mabel, quand je suis dans le malheur, la détresse, tu entends, Jerry, personne ne pense à nous, que de bouquets de roses jaunes sur les tables, ils vont manger et boire jusqu'à minuit, tous sont indifférents à ce que nous sommes, et que dira Petites Cendres quand il ne te verra plus sur la véranda, que dira-t-il, que peu à peu le monde se vide de ses beautés, se vide, oui, mon Merlin, et nous n'y pouvons rien, voici qu'on allume des torches et que ce sera bientôt le soir, le peintre peignant encore le soleil couchant dit à Mabel, il y a des enfants pervers qui font des mauvais tours pervers, j'ai cru que c'était un enfant, d'abord sans masque, et puis il a disparu, le peintre dit qu'il était bien désolé pour Mabel, et Mabel lui sourit avec des larmes sur son vieux visage, car soudain elle se sentait lasse et vieillie, c'est comme si j'avais reçu la balle en plein cœur, dit Mabel, oui, dit-elle, désignant sa forte poitrine, il faut vous plaindre à la police qui le recherche toujours, il faut vous plaindre, dit le peintre qui peignait la mer, je le ferai, oui, dit Mabel sans conviction, je peux vous accompagner, j'étais le témoin, dit le peintre, oui, nous irons ensemble demain, dit Mabel, se sentant de plus en plus laide et vieillie subitement, j'ai un pensionnaire à la maison, un pensionnaire mélancolique, souligna Mabel, c'est qu'il n'est pas toujours bien, oui, mon pensionnaire, il aura beaucoup de chagrin quand il apprendra que Merlin, Merlin, puis Mabel s'interrompit pour parler de sa fille qui l'attendait en Indiana, en plus je serai grand-mère pour la troisième fois, dit-elle au peintre qui maintenant ne l'écoutait plus, car il peignait une mer soudain farouche fondant dans la nuit ou le soir, avec des bleus, n'y en avait-il pas deux sortes, un bleu foncé, marine, et un autre plus pâle en dessous, n'étaient-ils pas séparés par une imperceptible ligne d'or, pensait le peintre, il pensait aussi que c'était bien dommage, cette histoire d'assassinat d'un oiseau, pourquoi le destin s'acharnait-il sur cette pauvre femme noire, oui, pourquoi, n'avait-elle pas déjà assez de soucis, ce soir elle n'avait rien vendu, ni boisson au gingembre, ni roses, ces roses sans doute recouvriraient la tombe de Merlin, car elles aussi avaient été teintées de sang, non, c'était trop dommage, pensait le peintre qui, lui, avait plus de chance, car à peine avait-il achevé un tableau qu'il le vendait, à bas prix, bien sûr, pensait-il, mais prolifique, il ne cessait de peindre chaque soir ce même soleil couchant et son évanescence dans la nuit, sans doute était-il un peintre, un artiste incompris, il était sans doute le seul à savoir si bien rendre la fluidité de ces bleus successifs, l'un plus foncé, marine, l'autre plus pâle, pensait-il, voilà, c'était bien, il fallait que ce tableau soit structuré comme un tableau de Bonnard, et que les couleurs soient intenses, dominantes, n'eût-on pas dit une scène marine du peintre français, peintre, aquarelliste, tel son *Paysage de Saint-Tropez*, le peintre avait aussi beaucoup vagabondé en Espagne, au Maroc, séduit par les tons chauds, ardents, parmi tous ces artistes de rue, bien qu'il fût un prolifique vendeur, les autres peintres ne l'ignoraient-ils pas, jaloux de son succès, ainsi serait-il toujours incompris, trop subtil pour eux avec ses tons brûlants, trop subtil, pensait le peintre de lui-même, un Bonnard méconnu, mais il deviendrait riche et les autres pas, quant à cette pauvre femme, Mabel, c'était bien dommage, quand ses perroquets étaient son gagne-pain, pour les roses, c'était dommage aussi, et sous son chapeau de paille, le peintre peignait le soleil déclinant dans des tons fauves sur la mer, il eût aimé inclure tous ces gens à leurs noces, près d'une centaine, sur une plage voisine, et les baigneurs tardifs tels des points noirs sous les vagues, ou leurs bras qui s'agitaient allègrement au-dessus de l'eau très bleue, aussi les parasols blancs fermés sur une autre grève presque déserte, comme si on eût déjà perçu ce silence de la nuit qui avançait sur l'océan, tout peindre, tout garder de ce jour bleu, très bleu, ou bien presque vert avec cette ligne qui démarquait tout, lui aussi avait beaucoup vagabondé comme le peintre Bonnard, et surtout il aimait que ses tableaux soient structurés, avec ces tons ardents, si chauds, mais tout serait différent pour lui, ne serait-il pas toujours méconnu, inconnu, bien qu'il fût un bon vendeur de son art, il eût quand même aimé saisir toute l'éternité de ce jour, le ciel, les noceurs, les parasols blancs, ces voix dans les vagues, et si cette femme, Mabel, n'avait pas été si difficile, il eût aimé la peindre aussi, son perroquet dans les bras, oui, tout peindre, tout, pensait le peintre sous son chapeau de paille. Il avait tant de délicatesse, pensait Mabel, même lorsqu'il mangeait dans son bol, c'était avec des gestes élégants, du bout des griffes de ses pattes, il portait le riz sous son gros bec recourbé, oh, Merlin, pensait Mabel, Merlin mon oiseau royal du Brésil, toi qui récitais si bien nos paroles, on y va, mama, on y va, commandait la voix empressée de Jerry, bientôt le soir, on y va, on y va, mama, je t'aime, quelle heure est-il, dodo, Merlin, dodo, Merlin, quelle heure, Merlin, oui, tu imitais si bien, tu récitais si bien, marmonnait Mabel à Merlin toujours dans ses bras, son second perroquet, Jerry, aussi blanc que neige, s'agrippant à son épaule, oui, nous partons, dit Mabel, il nous faut partir très loin à vélo, vers les dunes blanches, c'est là, au cimetière des animaux, qu'ira dormir ton frère, Jerry, on y va, hein, on y va, soyons braves, bien que le Dieu qui t'enlève à moi soit cruel, je le dirai à la révérende, oui, je lui dirai, pourquoi fallait-il m'enlever mon Merlin, pourquoi, je le dirai à la révérende Ézéchielle, oui, et Fleur pensait à ce jour où le concert avait été annoncé sur l'affiche, et à cette photographie de Clara, sa Clara, il lui faudrait un habit, des souliers, des souliers d'abord, que de préparatifs pour ce concert, cela l'épuisait, mais il serait présent, oui, et soudain que se passait-il, la saison de concerts avait été annulée, voilà ce qu'il apprenait par le journal du matin, annulée jusqu'à l'hiver car les musiciens de l'orchestre sym-

135

phonique seraient en grève, aucune association financière
ne payant plus leurs performances, les billets seraient rem-
boursés, ce concert étant si attendu, que l'auditoire se calme,
la saison reprendrait en janvier, ce n'était qu'une question
d'ajustements pécuniaires, oui, que cela, que l'on cesse de
trépigner autour de la salle de concert comme l'avait fait
Fleur, en disant, mais il faut que je sois là, que je la voie, c'est
une grande virtuose, disait Fleur à un portier agressif, vous
n'avez donc pas compris, aucun concert de l'orchestre symphonique jusqu'à l'hiver, et encore, ce n'est pas sûr, ne savez-
vous pas, jeune homme, dans quelle incertitude nous vivons
tous, tenez, moi, je suis portier et je n'ai jamais reçu un sou,
je devais me contenter d'entendre la musique, tout près, et
de vendre des billets à ceux qui arrivaient tard, sans pour-
boire bien souvent, voilà le monde dans lequel nous vivons,
jeune ami, et puis je ne vous aurais même pas laissé entrer
dans cette salle car vous êtes pieds nus, ce qui est interdit dans
nos salles de concert, ni pieds nus, ni téléphones, ni maillots
de bain, je vous aurais interdit l'entrée, croyez-moi, jeune
homme, ni chien, et vous avez un chien, je vous aurais absolument interdit l'entrée, avait dit le portier à Fleur, car c'était
ainsi, pensait Fleur, on ne récompensait que la musique
médiocre, les musiciens médiocres, ces rockers de Cool
Springs et leur tintamarre, quant à ces musiciens dévoués et
sérieux de l'orchestre symphonique, on leur coupait les
vivres, on les forçait à faire la grève, des musiciens en grève,
c'était humiliant, révoltant, pensait Fleur, jouant toujours de
sa flûte traversière dans la rue, quand il tremblait de faim, car
n'était-ce pas plus intolérable encore quand on pouvait
humer tous ces parfums des nourritures autour, dans les
restaurants que l'on venait d'ouvrir, des musiciens en grève,

non, quel affront pour Clara, quel affront pour eux tous, solistes, musiciens disciplinés, fervents artistes à qui l'on infligeait cette avanie, cette illégitime oisiveté, privés de leurs instruments de musique pendant plusieurs mois, et le nom de Clara rayé de l'affiche comme si Clara eût été giflée, pensait Fleur, des musiciens en grève, des absents sur une scène comme dans ce rêve que faisait souvent Fleur pendant ses inconfortables nuits sur la plage, à l'orée d'un petit bois afin qu'on ne les voie pas, Damien et lui, Fleur, dans leur niche en carton sur le sable, dans ce rêve qui se passait en un temps où Fleur n'était pas encore venu au monde, Fleur était le pianiste invité à un concert où se déroulait un opéra, était-ce Mozart ou Beethoven, c'était à un festival à Vienne peu de temps après la Seconde Guerre mondiale, on attendait longuement des musiciens qui ne venaient pas sur scène, où étaient-ils, sous quels décombres, on disait pourtant que c'était une nouvelle ère, une ère de reconstruction, toutes ces personnalités artistiques bien qu'invitées à ce concert, à ce festival, on ne savait ce qu'il était advenu d'elles toutes pendant des années, les années qui précédaient l'ère de la reconstruction, mais on les attendait toutes pour cette représentation d'un opéra dont les musiciens survivants seraient les acteurs, et les chanteurs, Fleur posait les doigts sur le clavier de son piano, regardant autour de lui, mais nul ne venait pendant des heures, des jours, peut-être, même s'il était vêtu d'un smoking, et soudain dans une lumière rouge surgissaient, comme d'une fosse, les exécutants, un groupe d'instrumentistes qui n'étaient que des squelettes, les uns avaient encore quelque lambeau de chair, le chef d'orchestre était au pupitre, en inclinant la tête vers Fleur à son piano, il disait, en tuant mes exécutants, on a aussi tué leur musique, dans cet opéra que je vais diriger, moi seul qui ai survécu à ces inimaginables catastrophes, vous entendrez le silence des morts, nous sommes maintenant dans le silence de l'après-guerre, quand commence l'ère de la reconstruction, il n'y a plus personne dans mon orchestre, personne, et Fleur se réveillait sous un ciel étoilé, où il n'y avait personne, aussi, à part Damien, qui, lui, dormait, aucune musique, rien, pensait-il, aucun exécutant de l'opéra de Fleur, sinon le bruit des vagues, et personne n'est là pour jouer ma musique, sans doute parce que moi aussi je viens de disparaître, tels les disparus de mon rêve, désormais lambeaux de conscience et de vie, mais palpant sa poitrine, Fleur savait qu'il avait rêvé, que ce n'était que l'un de ses cauchemars fréquents, avec la chaleur de Damien qu'il sentait près de lui, la tête, les oreilles de Damien dont il effleurait les poils de ses longs doigts, Fleur pensait, je vis, je respire, et quelle odeur a la mer ce matin, il n'y a pas de doute, ce n'était qu'un rêve, le rêve des absents, des disparus qui me harcèle toutes les nuits, et maintenant, toujours debout dans la rue et jouant de sa flûte traversière, Fleur pensait au visage de Clara, disparu de l'affiche, Clara qu'il ne reverrait plus peut-être, une peinture blanche ayant raturé le nom, le visage de Clara, aucun concert avant l'hiver, et encore ce n'était pas sûr, avait dit le portier, Clara qu'il ne reverrait jamais, peut-être, et ressortaient de la pizzeria dans la rue des jeunes gens qui avalaient à deux, à trois, cela semblait être un concours dans une idiote hilarité, pensait Fleur, la gluante pâte de leurs pizzas, des étudiants en vacances, sans doute, renvoyaient vers Fleur un vulgaire parfum de tomates, d'anchois et d'olives, pensait-il, qui avaient servi à la préparation de la pâte, cette pâte, ils l'étiraient en tous sens au-dessus de leurs bouches avides, aux parfaites dentitions, que cela est infect, pensait Fleur, que la rue soit toujours cette proximité, et ces odeurs ne lui donnaient-elles pas mal à la tête, et Kim dit à Fleur comme pour le dégoûter davantage, tu vois cela, Fleur, des enfants qui gaspillent même leurs nourritures, s'ils ne les finissent pas, leurs pizzas, moi je le ferai, et Fleur ne dit pas à Kim de se taire, comme s'il eût eu pitié d'elle, elle n'avait jamais eu de foyer, ses parents s'étaient défoncé les veines, elle ne connaissait que la rue, à quoi bon lui parler avec arrogance, comme il était si souvent tenté de le faire dans son irascibilité, Fleur se souvint de Brillant qui viendrait bientôt, s'écriant dans ses sautillements, voici le poisson du jour et des légumes frais, asperges et pommes de terre, un banquet ce soir, pensait Fleur, et il n'irait pas chez sa mère, non, il n'irait pas, bien que boire un peu de bière brune avec Martha ne lui eût pas déplu, et il était temps aussi qu'il se lave de la tête aux pieds, oui, il était temps, pensait Fleur en respirant ces parfums d'anchois, de tomates, qu'il ne dédaignait plus tant il était certain maintenant qu'avec Brillant sa faim serait apaisée, et toujours aux côtés de Petites Cendres dans le taxi qu'il avait hélé dans la rue comme au temps de Fatalité, Robbie pensait à Yinn marié à Jason pour toujours, même s'il y avait de cela plusieurs années, marié, incorruptible, mais s'éprenant soudain, comme le feu flambe dans la paille, du capitaine Thomas, mon Capitaine comme l'appelait Yinn, Thomas à ses visites du soir au bar et au Saloon Porte du Baiser, dans ses chemisettes à carreaux sans manches, sa casquette de marin sur l'œil, oh, c'était trop, pensait Robbie, l'équilibre de Robbie ne serait-il pas compromis, où était donc la pondération de Yinn, les plateaux de la balance n'allaient-ils pas se renverser, dans leur maison où tous les poids semblaient toujours bien équilibrés, tout n'était-il pas harmonieux parce que Yinn avait un mari, Jason, et une mère stoïque et révérencieuse des fantaisies de chacun, chacune, mais qui n'aimait pas le désordre, la fantaisie peut-être, mais aucun désordre, n'était-ce pas une époque où tout semblait craquer sous les pas, quand il eût fallu ne penser qu'à Fatalité, qu'au drame de son avenir peu probable, quand Robbie n'avait que cette obsession, sauver Fatalité de ses pensées noires, réincarner ses espoirs dans le présent, ce qui ne serait pour Fatalité qu'un présent jouisseur, fantasque et très poignant, quand Robbie aurait voulu qu'elle devînt enfin plus sage, oh non, pensait Robbie, rien de tout cela ne surviendrait, aucune sagesse de Fatalité, des excès plus encore, des nuits comateuses dans la coke, et là où penchaient plus encore les plateaux de la balance, comme s'il avait eu besoin de se distraire de tout ce qui lui pesait tant avec Fatalité, Yinn attendait le capitaine Thomas, le soir, sa cigarette aux lèvres, distant, peut-être dans une froideur qu'allumait le désir, accoudé au bar dans son débardeur blanc, son jeans bermuda aux quatre poches, pieds nus dans ses sandales, son front bombé dégagé de ses cheveux qui flottaient sur ses épaules, le capitaine Thomas rentrait-il de la rue que son âme était ailleurs, se souvenait Robbie, encore dans ces profondeurs marines qu'il avait visitées tout le jour et même jusqu'aux premières heures de la nuit, j'ai pu nager en toute confiance parmi les requins, disait-il à Yinn, des eaux limpides, des coraux arborescents il remontait avec des élans de mysticisme, là dans les profondeurs de l'océan, disait Thomas, est la véritable paix de l'âme, c'est si étonnant, si beau que l'on ne veut plus revenir, si tu savais, Yinn, ce que l'on peut éprouver lorsqu'on descend de plus en plus bas, quand diminue notre souffle, on redevient cette plante dans le corail, ce poisson qui repose sur un banc de sable, presque rien, c'est d'une inexprimable douceur ou extase, oh, je ne trouve pas les mots, Yinn, non, je ne les trouve pas, Yinn n'écoutait-il pas cette oraison du capitaine Thomas avec impatience, tenant à être remarqué par Thomas, il avait soudain un certain laisser-aller, ce qui semblait en toute inconscience ne l'était pas, Yinn n'étant ni lubrique ni indécent, son attitude était celle alors d'un gentil garçon dévoyé descendant son jeans bermuda, sous lequel ce soir-là il ne portait rien, un peu en dessous de la ceinture, mais se tenant de côté, le capitaine Thomas ne voyait qu'une constellation de tatouages sur la hanche de Yinn, j'oubliais, disait-il à Yinn, que c'est la pleine lune et que nos satyres circulent en toute liberté, avec les blondes toisons de leurs torses, et le jeans descendu, toi, Yinn, tu es incomparable, le torse, les aisselles si lisses, les jambes épilées chaque jour, je te préfère à tous ces garçons velus et ta peau est sans doute un velours, oui, viendras-tu sur mon voilier, Yinn, y amèneras-tu Jason et Robbie, à mes amis j'offre sur mon voilier champagne et déjeuner aux fraises et des cocktails à la lime que tu n'oublieras pas, et qu'offres-tu de plus, demandait Yinn, dans sa position déhanchée, dis-moi, quoi de plus, tout ce qui te fera plaisir, répondait le capitaine Thomas, toujours dans ses songes océaniques, n'observant pas le jeu érotique de Yinn, si minime fût ce jeu qui s'adressait à Thomas, si languide fût Yinn dans sa position offerte, le capitaine Thomas n'y verrait rien, et dans mon voilier nous irons voir la danse des dauphins, dit-il, je vous attends donc demain, toi et tes amis, disait le capitaine Thomas, celui que Yinn appellerait bientôt mon Capitaine, comme si l'infidélité au mari de Yinn eût été consentie par cette appellation, oh, c'était en un temps où

141

Yinn n'avait pas encore atteint sa trente-troisième année, comme aujourd'hui, pensait Robbie, un temps où fleurissait sa glorieuse immaturité, quand Fatalité vivait encore, un temps qui semblait si ancien, pensait Robbie, bien que ce fût presque hier, oui, pensait Robbie, qui semblait si ancien. Mais qu'il était consolant, bienfaisant, cet autre rêve que faisait aussi Fleur, c'était souvent par les nuits sèches de novembre, ou à l'approche de l'été, quand le jasmin était en fleur, pensait-il, les vagues de l'océan ne transportaient-elles pas jusqu'aux narines de Fleur ces enivrantes senteurs, avant qu'il ne s'étende sur le sable avec Damien pour dormir, à peine avait-il fermé les yeux qu'il retournait chez son grand-père à Atlanta, à l'écart de la zone urbaine, les champs, la terre que cultivait le grand-père de Fleur avaient depuis les jeunes années de Fleur pris d'immenses proportions, comme si les plantations avaient grandi avec Fleur, qu'on n'ait jamais brûlé les herbes des champs moissonnés et qu'elles n'aient fait que pousser sans entraves, et Fleur marchait parmi ces herbes si hautes vers le ciel, comme s'il circulait dans les couleurs vives d'un tableau, il y avait des champs de betteraves et de blé, mais aussi un second jardin qui n'était composé que de fruits juteux, un verger verdissant dont les arbres fruitiers s'élançaient eux aussi hautement vers le ciel, on pouvait y manger des pêches, des abricots sauvages, tout en marchant, mais ce qui frappait le plus Fleur, c'était l'étourdissante hauteur des herbes, et qu'elles soient si vertes, immuables dans cette verdeur, et soudain venait parmi les herbes, les écartant de sa main sur son passage, car elles avaient plus qu'hauteur d'homme, quand le grand-père de Fleur était lui-même très grand, oui, il était là, le grand-père de Fleur, qui disait à son petit-fils qu'il avait tant aimé, pour qui il aurait souhaité une splendide carrière musicale, tu entends, Fleur, chaque herbe est une voix de femme ou d'homme, comme dans un opéra, écoute, Fleur, tous ils chantent *Fidelio*, tu entends, Fleur, et Fleur entendait encore la musique de toutes ces voix unies lorsqu'il se réveillait, c'est le vent, avait dit le grand-père de Fleur, qui, en passant sur les herbes des champs, les fruits des vergers, c'est le vent qui les fait chanter ainsi, chanter en chœur, tu entends, Fleur, tu entends, et c'est le vent venu du large qui éveillait Fleur, Fleur et Damien, dans leur niche en carton, sur la plage, le vent et son odeur salée, et on aurait dit, pensait Fleur, que des voix ou leurs inflexions dans un chant répété, des voix de soprano, de basse, chantaient avec les vagues, il fallait donc vite écrire ce que Fleur entendait, vite se lever et écrire, et transcrire, afin de ne jamais l'oublier, ce qui ressemblait à une sensation de bonheur, ou était-ce cela, qu'une sensation, il fallait donc que Fleur modifie le titre de son opéra afin que le mot *joie* soit inclus, peut-être oui, pensait Fleur, et que feront-ils de nous, demandait Laure à Daniel, oui, ce sera bientôt la nuit et nous sommes toujours enfermés dans cette aérogare, que feront-ils de nous, sans même avoir le droit de fumer tout ce temps, c'est une entreprise d'oppression, disait Laure, cela ne peut s'appeler autrement, oui, toutes les compagnies aériennes ne sont-elles pas contre nous, il y a sans doute une raison grave qui nous empêche de partir, répondait Daniel calmement, ou feignant ce calme, Daniel, pourtant le ciel est clair, on ne peut comprendre en effet ce qui pourrait empêcher le départ des avions, oui, par un ciel si clair, mais il y a une raison à un tel retard bien que nous ne la connaissions pas, oui, une cause, disait Daniel, s'il avait été franc, il aurait dit à Laure qu'elle n'était qu'une persévérante égoïste, qu'elle n'était pas seule dans cette paralysante situation, que plus de cent passagers s'entassaient avec eux dans cette aérogare, et que la plupart attendaient en silence, occupés à leurs lectures et jeux électroniques, à leurs cellulaires ou à leurs ordinateurs de poche, quand elle, Laure, était oisive, adhérant aux pas de Daniel comme si elle était son ombre, quand Daniel voulait être seul, seul comme tous les autres passagers, avec son ordinateur qu'il ouvrirait sur le visage de sa fille, Mai la première, les autres enfants et Mélanie suivraient sur la prochaine page numérique, telles des planètes dans l'univers, avec ce visage de Mai aux yeux interrogateurs, les *piercings* de ses oreilles et l'un au sourcil droit, il naviguerait des planètes ou comètes de ses enfants, de sa femme, vers le cosmos, serait en un instant, dans tout cet aérien transport, le maître du monde, pourrait se diriger lui-même vers le campus, l'université où il se déposerait demain en Irlande pour sa conférence, quand brilleraient toujours ces yeux interrogateurs de Mai, la forme de son visage plus adulte maintenant qui la faisait ressembler à Mélanie, la première Mélanie new-yorkaise que Daniel avait aimée à ce même âge tendre, celle qui lui avait dit pourtant que la consommation des drogues dures nuirait à son écriture, plutôt que de la délivrer, de là peut-être ces yeux interrogateurs de Mai, ceux de sa mère, une intransigeance sans mesure pour un homme, pensait Daniel, et ces yeux interrogateurs de Mai, leur expression pensive, semblaient naviguer avec Daniel lorsqu'il lisait, ou écrivait, à son ordinateur, par ces miracles presque surnaturels de la technologie, Mai n'était-elle pas toujours à ses côtés bien qu'inaccessible, telle une image qui n'eût jamais quitté Daniel, comme lorsqu'elle était enfant et que pendant qu'il écrivait Mai jouait parmi ses manuscrits et ses livres, gazouillait seule, en tournant les pages des livres épais, ou en griffonnant avec ses crayons sur un reflux de pages et de feuillets que Daniel avait jetés à la corbeille, ne savait-il pas toujours alors où était Mai, comme si elle eût été un écureuil, un chat ou quelque petit animal fouineur dans son jardin, mais ici, dans cette aérogare, il eût été impoli d'ouvrir son ordinateur sur le visage de Mai, oui, cela eût été un manque de courtoisie envers Laure, Laure qui adhérait aux pas de Daniel comme une ombre, vous voyez bien, Daniel, que nous sommes tous opprimés, réprimés, disait Laure, que c'est volontairement que l'on ne nous laisse pas sortir, même pour marcher dans les corridors, les portes de verre sont désormais closes, qu'allons-nous devenir, dites-moi, Daniel, qu'allons-nous devenir, jamais je n'ai cessé de fumer aussi longtemps, c'est de la répression, oui, de la part de la compagnie, de la part de tous, mais je ne leur céderai pas, non, Daniel écoutait la contestataire en pensant qu'elle avait raison, oui, pour elle-même, elle avait raison, on l'opprimait, car depuis combien de temps n'avait-elle pas fumé, c'était comme de priver un alcoolique d'alcool, elle avait raison, et il se devait de l'écouter et de la comprendre, bien que son esprit fût ailleurs, dans les mots que Mai lui avait écrits la veille, du Collège, tu apprendras par mes professeurs, papa, qu'avec trois autres élèves de ma classe, Karine, Christy et Vita, je pourrais bénéficier d'une bourse dans la section Art et photographie, l'an prochain, mais, papa, ce serait injuste, car Karine, Christy et Vita doivent travailler tout en faisant leurs études, Karine et Christy, qui sont africaines-américaines, travaillent pendant qu'elles font leurs études, et toutes les deux ont dû vivre longtemps dans des foyers nourriciers, car leurs parents ne pouvaient les élever, tant ils étaient pauvres, alors, papa, comprends combien ce serait injuste que je bénéficie d'une bourse, tu peux voir sur cette photo, papa chéri, que nous portons toutes le ruban d'honneur rouge et bleu, lors d'un dîner avec nos professeurs, quel honneur pour mes amies, mon cher papa, et si bien mérité, Karine veut étudier la médecine plus tard, et devenir chirurgienne, elle doit avoir pour elle toutes les chances, mon cher papa, quand moi je t'ai, toi, papa, et maman, et que je n'ai pas à travailler pendant que j'étudie, et tu me connais, cher papa, je ne suis pas ambitieuse, je ne poursuivrai pas de longues études comme mon frère Vincent, non, peut-être suis-je aussi paresseuse que Samuel l'était à l'école, j'aime surtout pouvoir aller danser avec mes amis, à la fin des cours, c'est comme quand je dansais à la plage avec Manuel et Tammy et les autres filles, on dansait en bikini tard le soir, ici je ne peux pas, il n'y a pas de plage, nous allons dans une discothèque, papa, sais-tu si le père de Manuel est en probation maintenant, et Manuel, le rencontres-tu parfois, cher papa, je dois te quitter, c'est l'heure de mon cours, je t'embrasse, mon cher papa unique, comme je t'aime, Mai, ta fille Mai, mon cher papa, Mai, les mots de Mai que Daniel, son père, aimait voir ainsi couler sur l'écran de son ordinateur, ces mots de Mai coulaient à flots, ruisselaient, chantaient, ou retenaient leur afflux dans une soudaine pudeur, car Mai savait qu'il valait mieux ne pas rappeler à son père les noms de Manuel et son père, quand Daniel se reprochait de tout ignorer ou presque de cette période de la vie de Mai, qu'avait-il pressenti, sinon que Mai était en danger dans la fréquentation de Manuel, qu'il pouvait la perdre, ou l'avait-il perdue sans le savoir, pendant cette inquiétante période dont toujours il n'avait rien su, tant nos enfants sont secrets, dont il ne savait toujours rien, comme bien des parents, Daniel et Mélanie avaient séparé leur fille d'un milieu qui la menaçait, en l'envoyant dans un lointain collège, mais avaient-ils eu raison de le faire, pensait Daniel, et même si les mots semblaient si confiants lorsque Mai écrivait à son père, ces mots qui semblaient couler comme d'une source, n'étaient-ils pas opaques à leur façon, chacun des mots sous son voilement n'exprimait rien de cette nostalgie que pouvait éprouver Mai, loin de l'être qu'elle aimait, Manuel, dont on ne devait pas prononcer le nom, ni le nom de son père, ces mots n'exprimaient pas non plus l'ennui de Mai, dans son collège, où rien ni personne ne lui était familier, et l'ennui était une contrariété qui causait beaucoup de tristesse, pensait Daniel, se replongeant dans les souvenirs de ses séjours à l'étranger, pour écrire, quand il n'écrivait rien, une colonie d'écrivains ne lui inspirant pas assez de solitude, surtout cette surprise qu'il fût si différent des autres, d'une originalité asociale, seul de son espèce dans cette confrérie talentueuse, c'est ainsi qu'on lui parlait peu et qu'il parlait peu aux autres, dans sa tendance à l'isolement, alors, lui demandait-on, pourquoi allait-il se cloîtrer dans un monastère espagnol, s'entourant d'artistes et d'écrivains, dans le but d'écrire son roman *Les Étranges Années*, lequel n'était toujours pas achevé, car Daniel n'était-il pas avant tout un écologiste, bien qu'il écrivît tous les jours, et retravaillât sans fin ses *Étranges Années*, les écrivains, les romanciers et poètes ne pouvaient écrire, pensait-il, sans un sentiment d'éternité devant eux, tant, s'ils écrivaient dans le présent, ils accaparaient déjà l'avenir en se disant, j'écrirai mieux ceci demain, pas aujourd'hui, mais demain, du moins il en était ainsi pour Daniel qui pensait plus à ses enfants qu'à son écriture, un jour il serait vieux et pourrait écrire, sans aucun souci que la terre explose, oui, tel serait l'avenir de l'écrivain assagi, culbutant d'un coup dans l'indifférence au monde, l'indifférence à tout, pour vivre seul de l'écriture dans sa chambre, il aurait fallu que cette chambre ait une ouverture sur les oiseaux et la mer, mais qu'il ne soit sensible qu'à la nature, pas aux hommes et à leurs tourments, il aurait fallu que ne lui revienne pas cet ennui qui le prenait à la gorge quand il déambulait dans les vergers, les champs, en Espagne, quand dans leurs cellules tous les autres écrivaient, peignaient, quand dans les ateliers de musique montaient de discordants sons nouveaux, quand c'était l'anarchie de l'art réglée et que Daniel, lui, ne créait rien, ne produisait, avec le néant de son esprit ennuyé et contrarié, que cet ennui dans lequel il s'enlisait un peu plus chaque jour, jusqu'à ce qu'une plus grande douleur que la sienne percute sa conscience, une petite fille pleurait dans l'après-midi brûlant et silencieux, elle pleurait d'un immense chagrin et sa mère lui disait, non, Grazie, ne pleure pas, Grazie, non, tu verras, ce sera un bon dîner, car tous ces artistes doivent manger un bon dîner, Grazie, et la petite fille allait encore pleurer, murmurant dans ses pleurs, mon lapin, c'était mon lapin, tu as coupé le cou de mon lapin, maman, mon lapin, il était à moi, il courait partout dans la forêt avec moi, mon lapin, maman, peut-être n'y avait-il eu aucune parole, deux vieillards, joueurs de pétanque, grommelaient sous les arbres, que Daniel avait rencontrés au hasard de sa promenade, ces étrangers là-haut dans les cellules du monastère, que font-ils ici, on dit que ce sont des artistes, des écrivains, était-ce là ce que Daniel imaginait qu'ils puissent se dire entre eux, ou bien étaient-ils trop absorbés par le jeu pour ne faire que grommeler sous les arbres, en cet été si torride où Daniel avait entendu les pleurs d'une petite fille réclamant son lapin à une mère fermière qui ne le lui redonnerait plus, l'ennui, le lancinant ennui, n'avait-il pas doublement sauté à la gorge de Daniel, en écoutant ces pleurs, voici la première perte, pensait-il, laquelle n'est que l'annonciation de toutes les autres qui seront plus retentissantes encore pour ce cœur d'enfant, et je ne peux rien faire pour la consoler, non, rien, et ce soir je vais me joindre à ces autres boursiers, artistes, écrivains, musiciens, qui vont dévorer à grands coups de dents et de mâchoires le lapin de Grazie, à cette table de réfectoire dans un monastère, que ne puis-je éprouver pour eux tous la honte, la peine que je ressens maintenant, mais Daniel n'étant pas un homme ascétique, lorsque la mère de Grazie servirait le lapin au dîner, le soir, Daniel savait qu'il ne dirait pas non à sa mère, bien au contraire, comme tous les autres convives il serait attiré, attendri par la fermière et ses dons de cuisinière, oh, quels arômes autour de ce plat, dirait-il, et quelles bêtises encore, comme s'il eût oublié les pleurs de l'après-midi, les pleurs du premier deuil d'une petite fille, car avec la délectation de la nourriture si bien cuite et parfumée, il en avait comme oublié l'ennui tenace, carnassier, levant son verre de vin rouge à la santé de chacun, il demandait à ceux qui n'étaient plus ces artistes raffinés à leurs travaux, mais de grossiers mangeurs comme il l'était lui-même, s'ils avaient bien travaillé dans leurs studios, leurs cellules ou leurs ateliers, feignant d'être un peu comme eux, un écrivain qui écrit, un musicien qui compose, un peintre qui peint, quand il savait combien son attitude était mensongère, frivole même, quand depuis son arrivée dans le monastère, il n'avait rien écrit, n'écrirait rien demain non plus, car c'est ainsi quand, avec les pleurs d'une petite fille, par un après-midi brûlant et silencieux, dans une campagne austère, quand l'ennui pénètre votre chair, l'incendie de la douleur de vous savoir mortel, mais dévorant son dîner, Daniel n'avait rien dit, non, rien, il avait simplement ressenti combien il était seul. Les soirs de fête, pensait Fleur, pendant que s'éteignait peu à peu le jour, dans la rue agitée, Martha, opulente mais gracieuse dans sa tunique indienne, accompagnait parfois un chanteur, une chanteuse de sa guitare électrique, elle était alors tout animée et les joues en feu, sur la scène de son pub, et Fleur se souvenait de ces mots dans la nuit, soyez bénis, vous qui errez sans toit ni lieu où dormir ce soir, vous les apatrides, âmes qui errez sans fin, soyez bénis, disait la ballade que chantait une femme aux côtés de ma mère, pensait Fleur, pendant que s'attroupaient sur la terrasse les réfugiés jamaïcains, haïtiens, cubains, tous ces protégés de Martha, soudain ma mère entraînait les uns et les autres dans la danse, sur la terrasse, sous un ciel rempli d'étoiles, Fleur apparaissait-il brièvement qu'elle l'entraînait dans ces rythmes endiablés, mon fils, tu es là, tu es venu, mon fils, disait-elle, tes amis musiciens Seamus et Lizzie t'attendent, mon fils, viens danser avec nous, les amis d'autrefois, ceux qui avaient assisté aux concerts de Fleur, quand il était enfant, ne le couvraient-ils pas maintenant de leur mépris, même s'ils l'embrassaient, semblaient l'accueillir avec chaleur, rien de tout cela n'était vrai, pensait Fleur, non, rien, Fleur ne se souvenait-il pas aussi de leurs calomnies jalouses, lorsque pendant des heures, dès l'âge de cinq ans, ils le voyaient penché sur son piano, vous verrez ce petit prodige, il sera détruit avant d'être un adulte, Garçon Fleur, ah, Garçon Fleur, vous verrez, à vingt ans il ne pourra plus jouer une seule note, soudain, comme s'il eût dû fuir ces faux amis, Fleur éprouvait un impérieux désir de retourner à la rue, non, ne pars pas, disait sa mère, ne pars pas si vite, viens à la maison ce soir que nous parlions un peu, seraient-ils dans la maison de Martha que Fleur s'inquiéterait pour sa mère, avec tous ces gens qu'elle abritait, maman tu seras arrêtée comme le prêtre Alfonso, tu ne peux pas tous les défendre, ils seront déportés, et toi, maman, toi, mais sa mère répliquait aussitôt, tu crois que j'ai peur de la loi, et Alfonso, on ne l'a pas arrêté, ce sont ses supérieurs qui l'ont envoyé dans une paroisse de la Nou-velle-Angleterre, et tu crois qu'il se tait, mon fils, non, il conti-nue de dénoncer les crimes de l'Église envers les enfants, les orphelins des séminaires, on ne le fera jamais taire, car il écrit et dénonce dans ses écrits, et crois-tu que je devrais avoir peur de la loi qui n'est pas une loi juste, si Alfonso cachait des réfugiés dans l'Archipel, s'il a eu le courage de le faire, je peux le faire aussi, mais toi, maman, tu n'es pas Alfonso, tu n'es qu'une femme, et tu es seule, tu n'as que moi, eh bien, voilà, répondait la mère de Fleur, avoir un fils comme toi, un enfant déraciné, un itinérant dans ma propre ville, à quelques pas de ma maison, cela me fait comprendre bien des choses, Martha prenait les mains de son fils entre les siennes, se tai-sant soudain, les yeux humides, apporte au moins une cou-verture, oui, pour la nuit, merci, maman, ce sera pour Damien, merci, maman, le fils de Martha était déjà en fuite, pour combien de temps, cela elle ne pouvait le savoir, et Kim pensait, en regardant Fleur qui jouait toujours de sa flûte traversière, dissimulant son visage sous son capuchon, Fleur a une mère vaillante, il a aussi un père divorcé qui lui écrit parfois, bien qu'il ne sache jamais où est son fils, mes parents toxicomanes végètent en prison, c'est bien ce qu'ils méritent, ils en auront pour dix ou douze ans, c'est ce qu'a décidé le tribunal, mais le tribunal aurait dû décider avant, quand nous étions à leur merci, tous les trois, quand ma mère laissait son dernier mourir de faim, petit frère émacié dans son berceau, il n'atteindrait pas ses treize mois, né prématurément, c'était un bébé déjà affaibli, malade, nous n'avons pas l'argent pour toutes les opérations, les médicaments, disait ma mère, pilleurs d'appartements et de voitures, le bénéfice de leurs vols ne serait que pour eux, leur crack et leur cocaïne, jamais pour les médicaments du petit, si on cesse de le nourrir, disaient-ils, le petit oiseau s'envolera seul, c'est un avorton, un bébé inachevé, il s'envolera, oui, au début, avant nous, ce n'était qu'un couple bohème, nomade, s'implantaient en eux les graines de la criminalité, de la délinquance, et nous allions naître dans leur désordre, pour le frère j'ai tout vu, j'étais là, j'ai su qu'il ne vivrait pas sans ces opérations, ces médicaments, j'ai vu ce qu'ils faisaient, j'ai vu, j'ai su, aucun tribunal n'était là pour les juger, aurais-je dit ce qu'ils faisaient qu'on ne m'aurait pas crue, les aurais-je dénoncés qu'on ne m'aurait pas crue, le bébé émacié dans son berceau, on ne m'aurait pas crue, car j'étais encore petite, je les craignais aussi, combien je les craignais, devant les autres ils disaient nous aimer, montraient leurs tatouages à leurs jambes où il était écrit, VOUS ÊTES DANS NOS CŒURS, OUI, VOUS ÊTES DANS NOS CŒURS, pas des enfants, des fantômes, voilà ce que nous étions, tournoyant autour d'eux, trois grêles fantômes, existant à peine, et puis un jour, comme mon frère de treize mois, n'existant plus, envolé, disparu, tué par leur négligence, un petit corps sans poids, fini l'oiseau, dix ou douze ans de pénitencier, non, ce n'est pas assez pour eux, non, ce n'est pas assez, pensait Kim dans la fièvre de ce jour sale, pénible et sans fin, pensait-elle, quand donc passerait-il, où était Brillant, encore soûl comme hier, si soigneux de sa personne pourtant, pour ses heures de service au Café Espagnol, où était donc Brillant, et à cette heure les poules, les coqs voletaient vers leurs caches de nuit dans les bougain-villiers en gloussant, caquetant, les poussins tout neufs, des blonds, des bruns, pensait Kim, cherchaient leurs mères, dans les rues, sur les trottoirs, une invasion de poussins sans mères, bien qu'elles fussent là, de l'autre côté de la rue, caque-tant de détresse, appelant leurs petits dans cette course des voitures, le soir, les unes s'arrêtaient devant le défilé des pous-sins, d'autres filaient tout droit, la poule attendait, patiente, parfois un coq énorme tout coloré semblait diriger du milieu d'une rue où il se postait toute cette infime chorégraphie des oiseaux dans leur lenteur à longer une rue, un trottoir, un boulevard, jusqu'à ce que les mères puissent recueillir tous les poussins étourdis sous le duvet de leurs plumes, et c'est le cœur ému que Kim suivait la procession de tant de petites créatures qui, comme elle, étaient si peu protégées, bien qu'elles eussent, comme Kim, ce don inespéré de survivre, survivre à tout, ce soir, demain, Kim serait là à se battre dans les rues avec des enfants voyous, dans la sauvegarde, la pro-tection de ses poules et poussins de la rue Bahama, souvent elle en sortait blessée, avec des coups, c'est Brillant qui pan-sait ses ecchymoses, le soir, dans la voiture de son patron, en disant, il faut te méfier du plus méchant de tous, le Tireur, un peu de sel de mer et tout sera oublié, et maintenant tu peux dormir un peu, je vais sortir, j'ai promis à des amis de leur faire entendre mon roman, j'en suis au deuxième chapitre, l'histoire de ma fugue en train deux jours, deux nuits, c'est le plus beau, on en parlait même dans les journaux de La Nou-velle-Orléans, disparition du fils du maire, de madame la mairesse, c'était avant que ma mère ne se convertisse aux Enfants de Dieu, oh, quelle erreur, elle en perdrait toute affection pour moi, son Dieu, selon elle, ne m'aimant pas, n'aimant pas un enfant fugueur comme moi, le quatrième chapitre est dédié à ma Nanny, à qui ma mère commanderait de me fouetter jusqu'au sang, ce qu'elle n'a pas fait avec plaisir, ma pauvre Nanny, qui avait tant de scrupules à offenser qui que ce soit, mon auditoire adore quand je parle du coup de fouet me cuisant les fesses, et ils demandent si je peux montrer les cicatrices, les traces, je suis un livre vivant, disait Brillant, je porte tout sur moi, les stigmates et les souvenirs de ce cuisant moment que je peux raconter dans une éclatante vérité, quoi demander de plus à un poète, oui, c'était ainsi que parlait Brillant, pensait Kim, mais où était-il, quand viendrait-il, et s'il n'avait été si tard, mais à cette heure elle n'était déjà plus dans sa pension, sur le campus, Mai ne sortait-elle pas tous les soirs avec ses amis, quand son père aurait préféré qu'elle soit dans sa chambre à étudier, mais le tempérament de Mai, pour l'instant, n'était pas très studieux, n'était-ce pas un peu désolant, pensait Daniel, mais ne se souvenait-il pas de sa jeunesse débridée, quand Daniel avait-il été un étudiant exemplaire, n'exigeait-il pas de Mai une rigueur qu'il avait été incapable d'appliquer à lui-même, dans le passé, surtout qu'en lui rugissait l'instinct de l'écrivain peu compatible avec la régularité d'une vie d'étudiant, jeune homme révolté, n'avait-il pas alors cultivé cette révolte sans frein, et un même désir d'expériences sans frein qui auraient pu le détruire, et soudain n'agissait-il pas auprès de sa fille tel un précepteur moralisant, c'était là l'erreur des parents, d'oublier qu'ils avaient été jeunes, pensait-il, oui, s'il n'avait été si tard, il aurait aimé entendre la voix de Mai sur son cellulaire, il l'aurait réconfortée sur le sort des trois aiglons que l'on avait trouvés déshydratés sur la pelouse du terrain de golf, ils seraient soignés par les jeunes gens du Centre des oiseaux sauvages, Daniel possédait même une photo qu'il expédierait en un instant de l'un de ces bébés aigles dans les bras de leur salvatrice, il fallait maintenant réparer les muscles des oiseaux, longtemps sans mouvement, on ne savait depuis combien de temps, ils avaient été incapables de voler, dans leur déshydratation, ni comment cela avait pu se produire, il y aurait alors l'approbation de Mai, leur entente pendant ce court récit qui les réunirait magiquement, par la voie de l'air, ce presque rien de tangible qui pourtant effacerait toute distance entre eux, papa, c'est bien, ah, comme c'est bien, mais, papa, au Centre des oiseaux sauvages les cages ne sont pas assez grandes pour des oiseaux en pleine croissance, car les aiglons ont en peu de temps d'immenses ailes, oh, tout ira bien, dirait Daniel, réconfortant toujours Mai, dès qu'ils iront mieux, ils seront libres, et cela ne tardera pas, oh, c'est bien, papa, c'est très bien, papa, dirait-elle, tu continueras à me parler d'eux, n'est-ce pas, à me dire comment ils vont, s'ils guérissent bien, oui, je te dirai, Mai, te dirai tout, je t'embrasse, ma chérie, la voix de Mai s'estomperait, comme si Daniel avait rêvé, en un déclic, il ne l'entendrait plus sinon comme ce candide écho à son oreille, n'oublie pas de me téléphoner dès que tu seras là-bas, en Irlande, papa, à l'université, même s'il est tard, n'oublie pas, papa, et bien qu'il fût tard maintenant, et que Daniel fût encore à l'aéroport dans l'attente de son vol, parmi tant d'autres passagers, il savait qu'il eût inquiété Mai en lui disant que depuis bientôt cinq heures le vol était retardé, Mai eût conclu, elle qui était d'une vive impatience comme l'était sa mère, qu'un tel retard était dramatique, que son père toujours aussi calme de nature était peut-être en danger, trop naïf sans doute pour s'en rendre compte, il attendait sans savoir ce qui l'attendait et ce monde ne contenait-il pas toutes les tragédies et catastrophes en puissance, tel que le percevait Mai, la course des ouragans, tornades, la succession des guerres s'y mêlant, l'esprit de Mai se serait vite affolé, pensait Daniel qui avait l'impression de bien connaître sa fille, dans ce gigantesque développement de la peur qui était le tissu de nos vies quotidiennes dont nos enfants souffrent autant que nous, plus grandement sans doute, tant leurs perceptions sont fines, comme celles des animaux appréhendant de loin un cyclone ou un tremblement de terre, mais à quoi bon cette multiplicité d'antennes et de radars quand la majeure partie des désastres et destructions viennent de l'homme, plus que de la nature, toute annihilation des bêtes et des enfants ne vient-elle pas de nous, pensait Daniel, c'était là l'un de ses sujets de réflexion dans son livre, *Les Étranges Années*, et Mai n'avait-elle pas lu ces pages qui la concernaient, et tu n'aimes pas une petite promenade en taxi, le long de la mer, demandait Robbie à Petites Cendres, Robbie lisait sur les traits de Petites Cendres la déception, le sentiment exaspéré qu'il avait lus sur les traits de Fatalité pendant de semblables promenades dans la ville, quand on a les entrailles agressées par des ennuis intestinaux, dit Petites Cendres, on reste chez soi, tu sais bien que je déteste sortir, maintenant, Robbie, nous irons manger une glace comme tu les aimes, dit Robbie, ce sera une glace à trois étages, vanille, chocolat et caramel, tu vois, je me souviens de tes goûts, tu te trompes, Petites Cendres, ajoutait Robbie en riant, en vivant toujours dans ton lit, tu risquerais d'attraper des fourmis dans tes entrailles, et quoi encore, les lézards doivent t'adorer, toi qui deviens aussi végétal qu'un palmier que le soleil a roussi, brûlé, mais Robbie n'aimait pas ce sourire contraint de Petites Cendres, n'était-ce pas le sourire résigné de Fatalité disant à Robbie, prends ma moto, je ne m'en servirai plus, je préfère le siège arrière, ce sera à mon tour de mettre ma main sur ta cuisse, je te vois déjà dans tes robes somptueuses, filant après la représentation, avec moi derrière, oh, le couple charmant, et pas de casques, tes longs cheveux dans le vent hivernal, ma moto est la tienne, Robbie, mais nous n'irons plus en Californie, au Mexique, non, toi seul, peut-être, ah, vas-tu te taire avec tes prédictions, s'écriait Robbie, et maintenant, aux côtés de Petites Cendres, Robbie aurait aimé ne pas le voir, ne pas l'entendre comme s'ils avaient été tous les deux, Robbie, Petites Cendres, dans cette répétition des faits, à l'entracte d'un malheur, mais je n'aime plus les glaces comme autrefois, disait Petites Cendres qui pensait à Mabel et à l'exhibition de ses perroquets sur les quais, c'est étrange, dit Petites Cendres, Mabel n'était pas là ce soir, elle qui revient toujours si tôt à la maison, et Petites Cendres raconta que l'Aide communautaire lui fournirait bientôt, Yinn avait pensé à toute cette organisation pour lui, afin qu'il eût plus de confort, oui, bientôt, dans quelques mois, Petites Cendres aurait un grand appartement peint en blanc, les constructions des Jardins des Acacias seraient bientôt terminées, tu seras dans le confort, le luxe, frère, disait Robbie à Petites Cendres, avec médecin, assistantes et infirmières aussi, n'est-ce pas, dit Petites Cendres, oh non, je suis déjà bien reconnaissant à ce bienfaiteur ou cette bienfaitrice anonyme qui me permet de vivre chez Mabel, là où je peux dormir toute la journée, c'est cela, dit Robbie, nous allons te déménager afin que tu cesses ce malfaisant sommeil, assez de ton coma stérile, dit Robbie, parmi les colombes et les perroquets de Mabel, tu es un homme, tu dois vivre debout, Mabel, comme moi, ne veut pas que tu périsses de cet assommant repos dont tu n'as pas besoin, tu es fait pour vivre, Petites Cendres, nous allons te déménager en chœur lorsque le moment sera venu, de beaux appartements peints en blanc, entre des murs de marbre, avec la mer au bout de l'allée, tu sais ce que cela signifie, dit Petites Cendres, qu'on nous parque là, qu'on nous, mais Petites Cendres n'avait rien dit, de sinistres pensées se lisaient toujours dans ses yeux, puis il avait souri de nouveau de ce sourire contraint qui heurtait l'âme de Robbie, ça va, dit Petites Cendres, il vaut mieux que je sois avec Mabel, ce sera mon métier d'élever avec elle des colombes et des perroquets, c'est un doux métier, dit Petites Cendres, ce sera le mien, et de la véranda on peut entendre la musique de Fleur, et c'est beau comme au paradis, avec Mabel, c'est le paradis, dit Petites Cendres, c'est une sainte femme mais une femme irritable, protesta Robbie, ça va, ça va, dit Petites Cendres, n'en parlons plus de ces appartements sur la mer, non, n'en parlons plus des Jardins des Acacias, non, rien, dit Petites Cendres d'un air déterminé qui rassura Robbie, bien qu'il pensât que, sans le dire, Petites Cendres avait dit, n'en parlons plus des organisations de constructions de Yinn, n'en parlons plus de Yinn, non, n'en parlons plus. Et songeant toujours à son petit-fils Rudolph, à la viabilité de son avenir, il fallait imaginer Rudie tenant entre ses doigts l'hypothétique iPod le plus avancé auquel l'enfant confierait son habileté tactile, et comme si l'objet était un miroir, son regard blasé, pour le remettre vite dans sa poche, attendant qu'on lui remette un objet plus magique et plus perfectionné encore, car telle serait cette échelle du progrès, elle ne s'élèverait que vers des conquêtes matérielles, que vers la virtualité d'objets de plus en plus subtils mais tous sans âme, si habile et blasé serait Rudolph alors, la terre, l'univers, le monde serait-il encore là avec lui, ou serait-il entièrement dissous par la faute de ses parents et grands-parents, et ces objets seraient-ils alors ses seuls compagnons, entre deux glaciers dont les neiges se seraient dispersées, avec les loups et les ours blancs, en des fleuves de boue, oui, en pensant toujours à cet avenir de Rudolph, Daniel crut entrevoir son petit-fils dans la salle d'attente de cet aéroport, il vit un couple et leur enfant très petit, l'homme était africain, la femme, suédoise, l'enfant possédait des deux parents les traits les plus fins, le regard du père, la bouche ourlée de la mère, soudain, oubliant Laure qui le suivait partout, Daniel se mit à parler aux inconnus comme s'ils étaient ses amis, c'est ainsi qu'il apprit que le père était écrivain, la mère, traductrice, et il lui sembla en les écoutant que tous les deux parlaient toutes les langues, que le monde allait en s'étendant, et que cette extension était prodigieuse, bien qu'il fût toujours enfermé dans un aéroport, n'y avait-il pas autour de lui de vastes étendues qui s'appelaient toutes le monde, et un monde toujours augmenté dans ses largesses et ses surprises, cet enfant qui lui rappelait son petit-fils Rudolph ne lui ressemblait pourtant pas, avec sa peau très brune, ses yeux très noirs, mais c'était Rudolph dans les bras de sa mère, puis de son père, c'était lui, dans sa chemisette blanche sur un jeans tout menu que la mère enlevait pour changer l'enfant, c'était lui hier, quand il avait ce sourire, ces dents nouvelles pour le sourire, ces quatre dents du devant, on eût dit que ce sourire, bien que l'enfant fût déjà colérique, il avait faim, il avait soif, mais repoussait le biberon qui n'était plus assez chaud, depuis combien de temps étaient-ils tous là dans la salle d'une aérogare, oui, que ce sourire était celui de la reconnaissance, une capricieuse reconnaissance, peut-être, car l'enfant était tiraillé par son envie de dormir, serait-ce le sommeil contre la poitrine de sa mère ou le biberon qui n'était plus assez chaud et avait perdu de sa saveur, tiraillé, il ne contenait plus l'irritabilité de ses désirs, comme il le ferait lorsqu'il serait plus grand, comme le faisait aujourd'hui Rudolph auprès de ses parents qu'il semblait toujours vouloir dominer de ses ordres et caprices, mais ce sourire qui attendrissait le père de l'enfant au point qu'il prenait l'enfant des bras de la mère pour l'embrasser, sur les joues d'abord, puis dans ses cheveux qui ondulaient comme les cheveux de sa mère, ce sourire ou cette moue attendrissait aussi Daniel, pour qui s'étendait soudain le monde, la terre, à perte de vue, si jamais à travers cet enfant le monde allait durer, sans céder à quelque ultime calcination, oui, si jamais, cet enfant n'était-il pas le fruit parfait de toute évolution future, lequel serait souvent né de la différence, mais sans l'étrangeté de la différence, sans même qu'on la remarque, car l'esprit humain aurait alors décidé de rassembler plutôt que de diviser, les divers liens du sang qui ne seraient plus qu'un seul lien vital, ou bien Daniel rêvait-il encore, était-ce utopique, chimérique, comme le lui reprochait Augustino, ne pouvant résister à cette pensée que malgré lui le monde deviendrait meilleur, se transformerait en une irréaliste mais bienfaisante réalisation, était-ce un mirage, une illusion de penser ainsi, ce qui était vrai, c'est que le sourire de cet enfant, à peine aperçu, entrevu, dans la salle d'un aéroport où bientôt il se sentirait captif, ravissait Daniel, le transportait vers cet espoir d'un avenir qui ne serait pas saccagé ou déplorable, et pourquoi ne pas espérer plutôt que d'être morose comme l'était Augustino, on ne pouvait vivre sans espoir, après tout, et Kim se souvint de ses flâneries dans la nuit à la recherche de Bryan, où était-il, que faisait-il, et souvent il était là, dans un pub, une taverne, dans cette fumée des bars ouverts sur la rue, lui paraissant si étranger, différent de celui qu'elle connaissait le jour, quand il avait rasé ses cheveux, les favoris sur ses joues vieillissaient sa tête longue et osseuse, il s'entourait de vieilles dames nobles mais défaites dont les cheveux blancs étaient coiffés en bandeaux, et Kim pouvait l'entendre qui récitait son histoire, ah, ma chère Lucia, ma chère brave Lucia, vous venez donc de La Nouvelle-Orléans vous aussi, laissez-moi vous raconter comment ce fut lors de la Deuxième Grande Dévastation, mais après quelques coupes de vin rouge, ces femmes s'ennuyaient aux récits, aux romans pérorés de Bryan, et elles l'étreignaient, le palpaient en disant, tu pourrais être mon fils, mais avec mon fils je ne serais pas aussi libre qu'avec toi, n'as-tu pas trop bu, mon garçon, ne veux-tu pas rentrer chez toi ou chez moi, et Bryan riait en disant qu'il s'amusait beaucoup, qu'il ne s'était jamais autant amusé, oui, mais il fallait écouter le récit du roman qu'il écrirait, l'histoire de sa Nanny noire qui l'avait fouetté avec la méchante approbation de sa mère, et cette Lucia ne ressemblait-elle pas à sa mère, mais une mère qui serait bonne, un peu ivre, complaisante envers le fils prodigue, et Lucia et Bryan riaient ensemble car c'était un coup salace de la vie, cette ressemblance de Lucia avec une femme pieuse, convertie aux Enfants de Dieu, cette mère hautaine de Bryan dont Brillant, même loin d'elle, ne parvenait pas à oublier l'image, et Kim pensait, pourquoi me fuit-il pour de telles fréquentations, pour cette Lucia ou une autre, elles sont si âgées, décrépites, c'est donc ce qu'il aime, il ne sent donc pas qu'après la vieillesse c'est la mort, c'est qu'il est fou, levant son verre de rhum avec d'autres fous, jusqu'à ce qu'on le rejette d'un établissement où il va mal se conduire, et Kim ressentait sa solitude comme si elle eût tremblé de froid bien que son corps fût brûlant et affamé, c'était la faim qui la brûlait de ce feu sec, Bryan, comme Fleur, la fuyait, pas toujours, à certaines heures de la nuit, mais c'était au milieu de la nuit que Kim ressentait soudain combien il n'y avait personne près d'elle, ni Bryan ni Fleur, bien qu'elle fût toujours protégée d'une attaque ou d'un viol par son chien, et peut-être que cette Lucia n'était pas si décrépite mais simplement déchue par une maladie quelconque qui ralentissait son esprit, ou la privait de mémoire, et prématurément vieillie, peut-être qu'elle ne se souvenait plus, lorsqu'elle revenait vers sa maison, qu'elle était surveillée par ses sœurs, ni même qu'elle avait vu Bryan dans un bar, on ne pouvait encore légalement l'enfermer, mais qui sait si cette femme n'était pas sous une étroite surveillance familiale, elle nourrissait ses chats, mais oubliait ses chiens dans la maison, elle se demandait souvent pourquoi elle avait tant de chiens, de chats, c'est qu'elle ne pouvait souffrir qu'ils soient abandonnés, et ses sœurs lui disaient, mais, Lucia, tu as oublié d'acheter de quoi les nourrir tous et regarde l'état dégradé de leurs peaux, et Lucia criait à ses sœurs de la laisser seule, que toutes voulaient l'enfermer parce qu'elle perdait un peu la mémoire, un peu était-ce si grave, et soudain le visage rieur de Bryan se gravait dans cette vague mémoire qui allait en s'émiettant, et elle disait à ses sœurs, j'ai un fils, et il est très gentil, et il me permet de le toucher, il aime les caresses et les baisers, ce n'est pas un fils manqué comme le mien, d'ailleurs il ne vient jamais voir sa mère, comme vous, mes sœurs, il veut que je disparaisse et il veut que mes chiens et mes chats disparaissent aussi, et que je vive dans un trou noir, bien surveillée dans un trou noir, et qui sait, pensait Kim, si ce visage de Bryan avec ses favoris de chien, Bryan qui ressemblait à Misha, son rire strident, sa démarche sautillante soudain, n'était pas la plus grande consolation pour la femme sans mémoire mais qui se souvenait bien de Bryan, car Bryan était sa joie et son bonheur, ce qu'il était aussi pour Kim, pas toujours, mais certaines heures, oui, et Bryan montrait à Lucia ses stigmates, les cicatrices sur ses bras, et à son dos, fouetté, disait-il, regardez, ma chère Lucia, et elle disait en posant sa main sur ses anciennes blessures, mon cher petit, combien cela me désole, de moi tu n'auras que des mots d'amour et de tendres caresses, quelle mère peut ainsi traiter son fils, ne prononce pas son nom, car il est maudit, c'est une Enfant de Dieu, telle est sa religion, dirait Bryan, c'est une religion barbare, je dois lui pardonner, non, dirait Lucia, non, jamais tu ne dois lui pardonner, car quand on a toute sa raison, on ne doit pas pardonner, c'est que ma mère, bien que très hautaine, est très belle, comme vous, Lucia, avec ses cheveux blancs, elle est très belle et comme vous, Lucia, très digne, et le jour viendrait où ce serait lui, Bryan, qui promènerait les chiens de Lucia, demanderait au vétérinaire de Misha de les visiter, ce serait lui le jardinier des jardins sans eau de Lucia, car elle oubliait tout, et très actif, productif, bien que toujours un peu soûl, Bryan rendrait la maison de Lucia habitable, il nourrirait ses chiens et ses chats, et elle pourrait dire à ses sœurs, j'ai mon protecteur, maintenant, vous ne pourrez plus me faire de mal, car vous n'attendez que cela, m'incarcérer dans quelque hospice et prendre tout mon argent, vous n'attendez que cela, mauvaises filles, j'avais mon magasin où je vendais mes bijoux, ceux que je fabriquais moi-même, vous n'attendez que cela, me déposséder, déjà la banque a pris mon magasin, mes bijoux, tout ce que j'avais acquis durant toute une vie, mais j'ai Bryan maintenant, il saura me défendre, oui, je le crois, et ce serait ainsi, pensait Kim, oui, mais ce soir Bryan viendrait-il, le soleil descendait sur la mer, viendrait-il avec le repas du jour, oh, pourvu qu'il vienne comme il le faisait presque tous les soirs, en sautillant, dansant vers Kim, car Fleur irait sans doute chez sa mère où il pourrait jouer pendant des heures au piano de son enfance, sa mère ayant toujours vénéré le piano, ne l'ayant jamais vendu, afin que son fils puisse revenir, peut-être ne revenait-il une fois par mois que pour le piano dans sa chambre d'enfant, sachant que toutes ses compositions, ses partitions, étaient encore là, dans ces murs, peut-être ne la voyait-il pas, elle, Martha, tel un aveugle il marchait vers son piano, ne voyant plus rien, n'entendant plus rien que la musique de sa *Nouvelle Symphonie,* oui, pensait Kim, il en oubliait le repas que sa mère avait préparé pour lui, et les vêtements propres qu'elle allait lui tendre en disant, tu ne peux tout de même pas continuer à vivre dans ces saletés, même dans la rue, mon fils, tu entends ce que je te dis, et elle ajouterait, tu n'entends donc pas que cette musique sonne faux, tu n'entends donc pas, mon fils, toi qui jouais si bien, toi qui, et il voudrait hurler, ou bien il n'irait pas chez sa mère, la connaissait si bien qu'il éviterait de la voir, encore cette fois, il était tard et dans la rue, dans les rumeurs de la dense circulation, Fleur jouait toujours de sa flûte traversière. Cette lumière de la fin du jour était encore brillante, pensait Adrien, sur la pelouse verte du court de tennis, comme à l'aube on y voyait perler la rosée d'une dernière pluie, car Adrien, se levant à l'aube, écrivait et traduisait dans une pièce aux volets et persiennes clos, sous la lumière de sa lampe, avant l'invasion du soleil, le jour apparaissait-il qu'il sortait aussitôt, marchait lentement jusqu'à la mer, puis vers le terrain verdoyant aménagé pour le tennis, c'était dans cette allée des buissons argentés, des hauts palmiers argentés, aussi, qu'il avait vu passer comme pour l'attendre après le tennis, à cette heure où déclinait le soleil sur l'océan dans des éclats de flammes orangées, la voiture noire de Charly, tiens, pensait-il, voici mon chauffeur et ma limousine comme au temps de Caroline, je dois être prudent, vers la fin de sa vie, Caroline ne m'a-t-elle pas dit de me méfier de cette fille, que me disait-elle donc, méfiez-vous de cette fille, car elle est cruelle et diabolique, je regretterai toujours de l'avoir choisie en Jamaïque pour ma collection de visages, pour cette exposition sur l'âme antillaise, j'ai eu bien tort, et voyez, Adrien, comment je me retrouve mainte-nant, si seule, malgré ma réputation de photographe, et qui sait, peut-être la risée de mes amis qui m'avaient tant de fois prévenue et que je n'ai jamais écoutés, pourquoi les aurais-je écoutés d'ailleurs, j'ai toujours été très indépendante, mais cette fois, oui, j'aurais mieux fait d'écouter vos conseils, car vous étiez parmi ces amis, Adrien, et je me moquais bien de vos paroles, il fallait donc que je sois droguée et volée pour enfin comprendre ce qui m'arrivait, était-ce vraiment ainsi que Caroline avait exprimé ce regret que Charly, qui était à son service, son chauffeur, quand Caroline ne pouvait plus conduire sa voiture, abusât d'elle, de son hospitalité, de sa bonté envers une fille étrangère, ou était-ce là plutôt les médisances des amis de Caroline envers une jeune fille métisse qui avaient sali le nom de Charly, cette petite Charlotte qui avait le même âge que l'une des filles d'Adrien, sa douce Karin, dans ces milieux littéraires on médisait et calomniait comme ailleurs, pensait Adrien, que Charly eût abusé de Caroline, Adrien avait-il seulement des preuves, ce qu'il savait, c'est qu'il ne pouvait vivre sans sa femme adorée, Suzanne, et qu'il fallait une distraction à son âme agitée, souvent épouvantée par cette soudaine affliction que Suzanne jamais plus ne serait près de lui quand ils avaient vécu ensemble tant d'années, et des années souvent glorieuses, le couple d'écrivains le plus admiré, ou plus envié qu'admiré, car on disait qu'ils avaient tout pour eux, le disait-on sans envie, Adrien lui-même n'avait-il pas envié sa femme qui lui semblait plus admirable que lui, elle alliait à son talent d'écrivain son altruisme, son ardente philanthropie, elle avait élevé des enfants qui n'étaient pas les siens, les récupérant de foyers pour délinquants, c'était en tout point une femme exemplaire dont l'œuvre poétique avait été remarquée pour sa force, sa clairvoyance, bien qu'on lui reprochât d'être parfois sous l'influence de maîtres spirituels hindous, et lui, Adrien, était-il altruiste, humaniste, peut-être, à l'exception de sa famille et de quelques amis élus, à qui pensait-il d'autre, avant que Suzanne ne fût plus près de lui, ces questions ne le préoccupaient nullement, un poète absorbé par l'écriture et devant traduire par surcroît, des auteurs et des auteurs, des livres et des livres qu'il regardait s'empiler sur sa table, d'un air maussade, lesquels attendaient sa sentence de critique aussi, cette sentence serait-elle pitoyable, généreuse, cynique ou implacable, on verrait bien selon l'humeur du jour, pensait-il, si seulement Suzanne l'avait laissé en paix dans cet égoïsme volontaire et bien entretenu par ses habitudes intellectuelles d'écrivain retraité, oui, qu'elle ne vînt pas le déranger, quand il disposait de moins en moins de temps, Blake, il fallait penser à Blake, entendre la voix de Charles récitant Blake, comme autrefois pendant que Frédéric accompagnait le poème de sa musique, en ce temps, dans leur maison en Grèce où comme dans un temple venaient érudits et savants, que tout cela était loin dans l'esprit d'Adrien, mais voici qu'à peine s'étendait-il sur son lit, le soir venu, car il aimait se coucher tôt, qu'il se souvenait de Charles et de Blake, comme si Charles de l'au-delà, le sien qui devait être particulier, se penchait vers lui en disant, dors, mon ami, mais je voudrais quand même te demander si tu n'as pas été un peu sévère dans cette critique que tu as écrite ce matin, moi, sévère, dirait Adrien en rêve, on ne l'est jamais assez avec ces jeunes auteurs pédants qui ne savent pas écrire, Adrien demandait aussi à Charles, toi et Frédéric, vous qui communiquiez avec les morts jadis, tu te souviens, Charles, de vos séances de spiritisme en Grèce, peux-tu dire à Suzanne de ne plus me déranger, car vois-tu, Charles, ma femme me dit qu'elle n'a jamais eu assez de temps pour écrire, oui, que c'est bien ma faute si elle a si peu publié, le fantôme de Charles s'enfuyant, comme dans la vie, sur la pointe des pieds, pensait Adrien, il pouvait se rendormir et penser à son réveil qu'il verrait peut-être aujourd'hui, après le tennis, la silhouette de Charly dans sa voiture noire, dont le toit luirait au soleil, ou bien elle baisserait le toit en disant, montez, Adrien, je vais vous ramener chez vous, si vous voulez, nous pouvons faire vos courses ensemble, ou bien si vous préférez, je reviendrai plus tard, Adrien n'était-il pas trop attaché déjà à cette habitude de voir s'arrêter dans l'allée des buissons, des palmiers d'argent, cette voiture noire de Charly, laquelle ne s'arrêtait que pour lui, la jeune femme en casquette le saluant de loin, comme si elle l'eût attendu, rêveur, devant ces propositions à peine formulées, Adrien songeait à ces fragments de poèmes sur un papier défraîchi qu'il trimballait partout avec lui, dans la poche interne de son blazer, ou dans la poche de son pantalon blanc où il fouillait, il aimait être encore capable d'écrire sur l'amour, sa nouveauté, même si elle était artificielle, il le savait, son aspect saugrenu, dans une vie sur le déclin, c'était son défi que Charly ne sût rien de lui, de ses sentiments orgueilleux qui auraient été si facilement froissés, enfin peu à peu ses poèmes franchissaient, pensait-il, le seuil ingrat de sa culpabilité envers Suzanne, lorsqu'il avait tourné le dos à Suzanne et à sa mort, ce choix qu'elle en avait fait et qui l'isolait à jamais d'Adrien, était-ce donc une lâcheté de croire qu'il pourrait vivre sans elle, ce n'était pas lui qui avait été atteint d'une leucémie galopante et qui avait voulu mettre fin à ses jours dans une clinique de Zurich, ce n'était pas lui incarnant la suprême vanité de ne pas vouloir souffrir, se détériorer, non, c'était elle, Suzanne, qui allait mourir dans la joie, disait-elle, pour s'en aller où, ma pauvre Suzanne, pensait Adrien, vers quelque fausse patrie de lumière, oui, elle avait trop lu de ses maîtres spirituels hindous, elle s'était leurrée, trompée à la lecture de mots puérils qui l'avaient convaincue de son appartenance à un autre monde, quand ce monde n'existait pas, comme nous tous, elle tomberait dans un gouffre dont elle ne reviendrait plus, de ce gouffre nul n'était rehaussé, ni réhabilité, elle serait blanchie, innocentée de sa vie comme si elle eût été une feuille de palmier, un caillou qu'un homme pousse du pied, rien, elle ne serait rien, là seraient oubliés, enterrés le beau corps de sa jeunesse, sa chevelure, tout ce qu'Adrien avait désiré avec elle, tant aimé, elle lui avait dit, ne peux-tu pas me réciter l'un de tes poèmes, Adrien, ainsi j'entendrais ta voix pendant que, pendant que, et il avait dit, se raccrochant à son existence, refusant de lui offrir sa participation en cet accord, au point de retirer sa main de la main de Suzanne, n'allait-elle pas vite se refroidir, avant la fin du poème, écoute, ma chérie, avait-il dit, je crois n'en connaître aucun par cœur, et pourtant tu le faisais si souvent autrefois, avait répondu Suzanne, maintenant, non, je ne peux pas, avait dit Adrien, serait-il agacé même en cet instant, comme s'il eût dit, je t'ai accompagnée jusqu'ici, mais maintenant je dois partir, oui, surtout ne pas manquer mon vol, je dois, je dois, ses paroles étaient hésitantes mais peu compatissantes au sort de Suzanne, pensait il, il y avait là ceux qui assistaient à l'acte provocant de Suzanne, ceux qui offriraient le remède mortel, et le contre-remède afin que le remède initiatique de la marche vers l'ailleurs ne soit pas rejeté par l'estomac, tout ce rite était bien ordonné, mais Adrien n'en ferait pas partie, il s'en irait avant, il s'en irait, oui, était-il saturé, dégoûté que de tels procédés aient lieu, il lui semblait entendre dans sa poitrine les derniers battements du cœur de Suzanne, et leur lente progression vers la nuit, l'exécrable nuit de Dieu dont il ne savait rien, alors mets un peu de musique, avait dit Suzanne, quelle musique, avait demandé Adrien toujours irrité, agacé, celle qu'avait jouée Frédéric à son récital, à Los Angeles, il y a de cela des années, je l'ai apportée avec moi, et Adrien dans sa colère avait dit qu'il ne voulait rien entendre, ni de Frédéric ni d'un autre, ce n'était pas le moment d'écouter une musique, peu importe laquelle, au dernier instant, tenant sa femme pour coupable, il lui avait dit, et pour Karin, tu n'as pas pensé que ce serait très dur pour Karin, tout cela, non, avait dit doucement Suzanne, mes filles et moi nous nous comprenons si bien, non, rien ne sera jamais dur entre mes filles et moi, la vérité, mon cher Adrien, c'est que Karin a été la première à avoir cette idée, mais ce sont des filles criminelles, s'était écrié Adrien, vouloir que meure leur mère, non, avait répondu Suzanne, sa femme lumineuse, et toujours aussi têtue, elles ont compris que j'ai droit à ma dignité, et elles l'ont toujours compris, cette décision a été prise avec elles, il y a longtemps, quand j'avais encore tout pouvoir sur ma santé et sur ma vie, nous avons, mes filles et moi, décidé qu'il en serait ainsi, qu'il n'y aurait pas de longue hospitalisation vaine et de torturantes diminutions physiques, que je partirais avant que mon corps ne soit plus intact, au début, Karin et Tania me disaient, mais, maman, nous allons te soigner s'il en est ainsi, et nous prendrons bien soin de toi jusqu'à ce que, jusqu'à ce que, et je pensais, oh, mes pauvres filles, quel embarras je leur cause, ma décision était prise, il n'en serait pas autrement, c'est à ton tour, maintenant, mon cher Adrien, de veiller sur nos enfants, et cette fois encore, à cette heure ultime où Suzanne allait se séparer de lui et absorber la médication mortelle sous assistance, trop assistée par ses neutres bourreaux, Adrien voyait-il là deux infirmières, un médecin, ou rêvait-il d'un tel drame de finalité, même en cet instant, son irritation avait augmenté en une ascension fulgurante, lorsqu'il avait dit à Suzanne, mes enfants, nos enfants sont des adultes, je t'en prie, ne me parle pas d'eux, Suzanne, ma chérie, c'est de toi que je m'inquiète, enfin, es-tu bien sûre que c'est vraiment là ta décision, il est encore temps de dire non, nous pourrions reprendre ensemble le même vol, nous pourrions, il lui avait soudain semblé terrifiant que sa femme fût sur le point de lui dire adieu, de renoncer à lui, à eux, et surtout qu'elle ne l'accable pas avec les enfants, ces adultes, il n'y avait ni enfants ni famille, il n'y avait qu'elle, Suzanne, qu'il avait toujours aimée plus que tout, et même plus que ses propres enfants, car elle était l'amour et le désir, l'enracinement de son existence dans la sienne, elle était ce qu'il ne pouvait perdre, c'est toujours auprès d'elle qu'il avait écrit et travaillé, quand de l'autre côté du paravent chinois Suzanne lisait et écrivait elle aussi, parfois n'étaient-ils pas un seul esprit autant qu'un seul corps, il pouvait s'écrier soudain, dans un élan d'angoisse, Suzanne, tu es là, es-tu bien là, Suzanne, et il entendait son rire, c'était ce rire si clair qui l'apaisait, et même en ces instants où Suzanne tenait à la main le poison mortel, assistée, bien assistée par ses neutres bourreaux, oh, rêvait-il, était il dément, elle ne le consommerait pas encore, elle attendait qu'ils n'aient plus rien à se dire, même en cet instant, Suzanne riait de ce même rire teinté d'ironie, allons, disait-elle tendrement à son mari, sois raisonnable, il faut partir, ce sera bientôt l'heure de ton vol à Zurich, il est peut-être temps que je sois seule, tu embrasseras demain Karin et Tania en leur disant que je suis désormais dans un pays de lumière, tu leur diras que, et Adrien s'écriait, non, non, je ne leur dirai rien, je leur dirai que c'est un scandale, oui, cela, ce que tu fais, sans penser à nous, Suzanne, à l'horreur que nous éprouvons devant de tels gestes, un scandale, oui, et c'est ainsi qu'Adrien avait quitté la chambre de la mort qui serait donnée, rendue, absorbée, consentie, que ce fût illicite ou non, que ce fût le souhait de Suzanne ou non, il se sentait fautif et répudié par l'être qu'il avait tant aimé, d'une main il avait balayé des larmes à ses paupières, tout cela était trop ridicule, Suzanne avait raison, il n'était pas raisonnable, il marcherait droit, commanderait un taxi, sa femme avait été trop longtemps sous l'influence de maîtres spirituels qui l'avaient égarée, comment avait-il pu être aussi inconscient de ces dangers et mauvaises influences dans la vie de Suzanne, mais qui l'attendait à l'aéroport le lendemain, quand il était arrivé harassé, fatigué, son pantalon blanc ayant perdu son pli droit, et les poches de son blazer pleines de ces mouchoirs qui avaient séché ses larmes, oui, c'était elle, Charly, dans sa voiture noire, c'était elle qui avait pensé à venir vers lui, ou bien n'était-ce encore qu'un rêve dément, car nul ne l'attendait, personne, nul ne l'aiderait avec sa valise, c'était comme lorsque Jean-Mathieu rentrait de ses voyages, fourbu, oui, mais Caroline ne tardait pas à venir le chercher, elle portait alors des gants et un chapeau, et lui, Jean-Mathieu, son éternelle écharpe rouge, qui était plus seul qu'Adrien qui, pourtant, sans avoir rêvé, apercevait, en sortant de l'aéroport parfumé d'odeurs de maïs qu'il reconnaissait délicieusement, Charly qui, freinant la voiture noire à quelques pas de lui, lui disait, vous venez, Adrien, cela a été pour vous un voyage si éprouvant, je vous en prie, venez, et ne vous souciez pas de votre valise, je m'en occupe, oui, mais au même instant, surgissant du stationnement de l'aéroport, toujours un peu en retard, s'attroupaient autour de lui ses fils et ses filles, ils étaient échevelés, nerveux, oppressant Adrien de questions, maman, notre chère maman, comment cela s'est-il passé, oh, papa, te voilà veuf, cher papa, nous te ramenons chez toi, quelle épreuve pour toi, pour nous tous, cher papa, et pendant que les enfants d'Adrien semblaient se disputer autour de lui à qui le consolerait le mieux, quand il se sentait inconsolable mais amorphe dans son chagrin, filait plus loin vers la ville la voiture noire de Charly, et s'évanouissait peu à peu son profil sous la casquette, derrière les stores d'une vitre de portière, la vie n'était donc qu'une farce, avait pensé Adrien, et n'eût-il pas vendu son âme au diable pour revoir Charly, comme le personnage de Faust qu'il avait analysé à la loupe dans plusieurs de ses écrits, tout en le condamnant, car c'était un personnage peu moral et bien condamnable, non sans attrait pour un homme comme Adrien, car Faust n'eût pas vendu son âme que pour recouvrer la jeunesse et ses plaisirs, ou tous les plaisirs fussent-ils défendus, mais pour satisfaire aussi son insatiable soif de connaissances intellectuelles, ce qu'Adrien pouvait comprendre, parmi ces connaissances, Faust serait initié aux sciences occultes et apprendrait du diable comment accomplir des miracles, qui n'eût pas été tenté par l'ampleur de ces miracles qui eussent métamorphosé Adrien en un jeune homme à la conquête de tous les plaisirs, surtout celui d'approcher Charly et de savourer avec elle quelques-uns de ses penchants pervers, mais Adrien n'entendait-il pas encore la voix de Caroline lui répéter, attention, mon ami, ne vous souvenez-vous pas combien cette fille m'a ruinée et détruite, puis-je vous faire une confidence, mon ami, un jour, dans ma propre maison, cette fille m'a battue parce que je lui refusais un bijou qui avait appartenu à ma mère, j'ai été tellement battue que j'ai fait une chute, et dans ma chute je me suis blessée au visage et j'ai perdu une dent, pendant plusieurs jours je me suis retenue de sortir tant j'éprouvais de honte et de peine, comment expliquer à mon dentiste ce que je venais de vivre, que j'avais reçu des coups, vous disiez tous que je ne sortais jamais plus, que je ne vous visitais plus, c'est que j'étais humiliée, et dans ma fierté, je n'osais recourir à aucun secours, quand je le sais, vous, Adrien, Suzanne, Charles, Frédéric,

Jean-Mathieu, vous m'auriez vite tous secourue, mais vous connaissez ma fierté, Adrien, je n'osais rien demander, méfiez-vous de cette fille, mon cher Adrien, et Adrien se souvint de ce silence de Caroline enfermée dans sa maison dont Charly possédait seule la clé, Caroline, sociable, mondaine quand il le fallait, toujours au bras de Jean-Mathieu, Caroline, ses gants, ses chapeaux, soudain n'étant plus visible, comme si elle eût été souffrante, et Jean-Mathieu demandant à ses amis, mais qu'arrive-t-il donc à notre amie si chère, je lui ai écrit, et nulle réponse, j'ai téléphoné, laissé un message, rien encore, mais dans ma lettre surtout que j'avais déposée dans sa boîte postale personnelle, j'avais exprimé toute mon inquiétude, mes amis, dites-moi, que se passe-t-il donc, dites-moi, peu de temps après, Jean-Mathieu n'écrivait plus à Caroline, ne téléphonait plus, le drame de Caroline dans son isolement domestique ne semblait plus concerner ses proches, cet enfermement, était-ce ce qu'elle voulait, Caroline dans son vieillissement accéléré soudain, était-elle en otage, et qui était cette jeune femme antillaise que l'on avait aperçue promenant les chiens de Caroline, Jean-Mathieu disait avoir vu aussi tard dans la nuit Caroline promenant seule ses chiens, et tournant plusieurs fois avec eux autour d'un pâté de maisons, comme si elle ne retrouvait plus son chemin, les chiens la tirant vers sa maison fleurie, sous les palmiers, et Caroline répétant d'un ton vague, ah oui, c'est bien là que je réside, oui, c'est bien cette rue, sonnant au portail, Jean-Mathieu avait vu aussi la fugitive silhouette d'une jeune femme prenant brusquement Caroline par la main, venez, venez, vous et vos chiens, n'avez-vous pas peur qu'on vous voie dans cet état, Jean-Mathieu avait-il entendu ces mots qui l'avaient pénétré de douleur, pendant qu'il pensait, ma chère Caroline, vous ai-je donc perdue, et Caroline ne disait-elle pas maintenant à l'oreille d'Adrien qui n'avait aucune envie de l'écouter, je vous répète de vous méfier, cher Adrien, car j'ai eu cette intuition beaucoup plus tard, que si Charly avait été capable de me battre, de voler mes bijoux, mon argent, n'aurait-elle pas été capable aussi de déchirer les lettres de mes amis, d'effacer les messages à mon téléphone, de tout brûler et détruire, pourquoi n'aurait-elle pas été capable de cela aussi, une complète, sauvage destruction de toute ma vie, et Adrien pensait, non, n'exagérons rien, nul ne peut détruire ce qui est à nous sans notre complicité, et il est certain, Caroline, que vous étiez complice, pensez-y un peu, Caroline, n'aviez-vous pas quelque désir inconscient d'être aimée, de revivre votre jeunesse, n'aviez-vous pas vendu votre âme au diable pour un peu d'affection, ce qui vous séduisait en Charly, c'est que sa présence dans votre maison retardait l'heure de votre mort, comme il en serait pour moi, Adrien, n'exagérez-vous pas un peu, Caroline, rien n'a été détruit ni brisé sans votre consentement, mais les mots de Caroline hantaient Adrien, accablants et lourds, ces mots, qu'il devait se méfier de Charly, oui, qu'il était peut-être déjà trop tard. Bryan déambulait le long des rues, sa boîte en carton à la main, il avait noué une ficelle autour de la boîte afin que rien ne soit renversé de ce dîner pour Kim, un filet de sauce au citron sur le poisson frais ne s'était-il pas écoulé sur son poignet quand il s'était excité pendant une halte puis une autre, dans un bar, un café où il avait bavardé avec des amis, mais eux ne l'avaient pas écouté quand pourtant il leur racontait que l'on peut en une journée entrer en enfer et en sortir, il avait prêté sa chambre au frère de Marcus, qui l'avait dépouillé de ses livres, de son mobilier, avait-il dit, des tableaux de sa sœur de New York, le frère de Marcus avait tout pris avec lui dans son camion, entrer en enfer et en sortir le même jour, avait-il dit, se frappant la poitrine il avait ajouté que sans cette Force Supérieure, il n'aurait pu nommer laquelle, sans cette Force qui venait chaque fois le saisir par le cou et le sauver, il ne serait plus sur terre, non, Maria l'avait-elle écouté, non, cognant son verre de rhum Sainte-Croix contre le sien, elle avait dit, toi, Bryan, tu ne t'ennuies pas dans la vie, tu as trop de malheurs pour t'ennuyer, mais c'est vrai, je ne mens pas, avait dit Bryan, ce matin j'ai tout perdu, ma chambre est vide, il ne me reste pas même mon lit, que des clous sur les murs, le frère de Marcus m'a pillé afin de s'acheter sa provision de coke de la semaine, et voilà où j'en suis avec mon seul uniforme de serveur au Café Espagnol sur le dos, heureusement il est propre et encore tout blanc, et mes chaussures aussi, mais sans cette Force Supérieure qui dirige mes pas, je vous assure, mes amis, je ne serais plus ici avec vous, et écoutez la suite, s'était écrié Bryan, en ce même jour, on a coincé le frère de Marcus, et ce soir il va dormir en prison, auprès de son frère, son frère Marcus, accusé des mêmes délits, mais nul ne sait où sont mes possessions, ce n'est pas, croyez-moi, ce que je souhaitais, que le frère de Marcus soit en prison ce soir, non, car je l'aimais bien, je lui prêtais ma chambre parce que je croyais que c'était un bon garçon, mais c'est une drôle de famille, lui, son frère, sa sœur Louisa, une drôle de famille, et ce matin j'ai envoyé des fleurs à ma mère, à La Nouvelle-Orléans, et savez-vous ce qu'elle a fait, elle me les a renvoyées, j'avais écrit, bon anniversaire, maman, de ton fils aimant, Bryan, elle m'a renvoyé les fleurs, je vous assure que l'on peut entrer en enfer et en sortir le même jour, oui, mais il y avait cette Force qui le soulevait toujours, juste à la dernière heure, cette Force innommée, inconnue, et soudain il était de nouveau sur ses pieds et s'en allait vers Kim, Kim qu'il n'oubliait jamais le soir, après sa journée de serveur au Café Espagnol, ou s'il oubliait Kim et le dîner dans la boîte en carton, c'est qu'il y avait trop de détours dans ces rues tentantes à la fin du jour, de partout les copains, les amis vous appelaient, hé, Bryan, où t'en vas-tu comme ça, hé, Bryan, comment vas-tu, mais il avait noué une ficelle autour de la boîte, rien ne s'écoulait plus par les fentes de la boîte, il ne voulait pas non plus que son uniforme soit taché, et marchait plus calmement, regardant la mer en passant devant l'église catholique où s'amassaient des fidèles endimanchés et leurs enfants, encore un deuil ou un mariage de fin d'après-midi, pensait-il, les cloches sonnaient avec une lenteur retenue, voilà, c'est plutôt un deuil, et cette chipie m'a renvoyé mes fleurs, quelle insulte, pensait Bryan, et elle ose prier, et s'agenouiller quand elle le fait, je l'imagine mal à genoux, elle si hautaine, hé, Bryan, viens donc te joindre à nous, criait une voix, et Bryan pensait, il faut vraiment que je leur dise que l'on peut entrer en enfer et en sortir le même jour, le frère de Marcus m'a pillé ce matin, il sera en prison ce soir, pauvre homme, c'est injuste, je ne dors jamais chez moi, je n'avais donc pas besoin de mon lit, ni d'un mobilier, ni d'une bibliothèque, je peux vivre sans tout cela, les tableaux de ma sœur, non, je ne peux vivre sans eux, mais cela ne méritait pas que le frère de Marcus se retrouve en prison dans une cellule puante ce soir, non. Bryan pensait aussi, il gesti-culait tout en marchant, sa mère n'avait-elle pas dit de lui qu'il était une girouette, oui, pensait Bryan, mais avec le ren-voi des fleurs, il y avait une carte sur laquelle sa mère avait écrit, cher fils, souviens-toi qu'Il a dit qu'Il viendrait comme un voleur, es-tu prêt, cher fils, es-tu prêt à voir les chevaux piaffant dans le ciel, es-tu prêt, fils renié, toi qui vis dans la dépravation, Il viendra comme un voleur, murmurait Bryan, on peut entrer en enfer et en sortir le même jour, la preuve en est bien, pensait Bryan, que mon patron m'a sermonné ce matin en disant, si vous n'arrivez pas à l'heure le matin pour le service du petit-déjeuner, je devrai vous chasser comme je l'ai fait pour Vladimir, je ne parle pas de votre tenue vestimentaire qui est toujours impeccable, mais de vos retards, de vos mains tremblantes autour de votre première tasse de café, de votre air un peu éméché, nous ne pouvons tolérer cela dans notre restaurant, pas plus que Vladimir, non, pas plus que Vladimir, ou Pete, ou un autre, mais moi, je lui ai dit, pensait Bryan, oui, je lui ai dit, Vladimir n'est pas honnête comme moi, il a été chassé de trois restaurants, et Pete aussi, pour leur malhonnêteté, tous les deux des immigrés clandestins, ils ont tous les privilèges, ils nous fauchent nos emplois, ce sont des tricheurs, deux brigands, deux pickpockets, pourquoi ne retournent-ils pas dans leurs pays, sans doute parce que ce sont des vauriens, là-bas ou ici, ce sont des vauriens, des escrocs, des filous, ils ont l'assurance médicale et moi pas, ils ont tout, et moi pas, ne soyez pas raciste en plus, lui avait dit le patron, mais c'est bien vrai tout ce que je vous dis, avait dit Bryan d'un ton alarmé, et Bryan observa que la nuit couvrait peu à peu l'eau turquoise, quelle journée il avait vécue, pensait-il en écoutant les cris des mouettes, les poules, les coqs allaient bientôt grimper dans leurs caches, dans les arbres, quand des branches allaient pleuvoir des pétales rouges, il avait eu raison pour Vladimir et Pete, ces voyous, et personne ne l'avait cru, lui qui était honnête, pensait Bryan, un dernier court arrêt pour répondre à l'appel d'un copain et il rejoindrait Kim et Fleur, c'était pendant cet arrêt, cette halte subite dans l'un de ces bars que soudain inspiré il dessinait du doigt sur le marbre du comptoir, sans craie ni stylo ni crayon, mais voyez comme il dessinait bien, disait-il à tous, de grands oiseaux, peu lui importait qu'on se moquât de lui, en l'appelant le fou de la rue Bahama, ou bien était-il la satire d'un fou, lui que l'on croyait intelligent, il dessinait, dessinait ainsi longtemps, tout en contemplant la boîte en carton sur le comptoir, cela ne tarderait pas, pensait-il, et il serait avec Kim, Kim et Fleur, et leurs chiens, cela ne tarderait pas trop quand il aurait aimé dormir, la tête sur ce comptoir de marbre sur lequel il avait tant dessiné et peut-être écrit un chapitre de son roman, car il avait écrit tout en dessinant, et Maria n'avait-elle pas ri plus encore, et les autres aussi, combien ils avaient ri, lorsque Bryan leur avait dit, oui, c'est peut-être bien que Virgile, le frère de Marcus, ait tout fauché dans ma chambre, car j'avais écrit sur tous les murs, et même sur le carrelage de la salle de bain, je voyais des mots qui sursautaient comme des poissons, je les voyais, oui, et peut-être que ces mots, tous ces dessins, tous ces mots, bien qu'invisibles pour vous, mais si visibles pour moi, menaçaient de me dévorer, oui, peut-être était-il temps que je quitte cette chambre, avant qu'il ne reste plus rien de moi, ni peau ni os, non, rien, n'était-il pas temps, mes amis, je vous assure que tout ce que je vous dis est vrai, Virgile, comme Marcus, a été coincé, avec ses drogues, après avoir tout vendu de mes possessions, les policiers l'ont menotté contre le mur, on peut entrer en enfer et ne pas en sortir le même jour, moi, Brillant, je vous dis que tout ce que j'ai vu aujourd'hui est vrai, ah, combien je me sens épuisé, et surtout somnolent, et Bryan, dans la somnolence de son ivresse, se souvint de Kim,

Kim qui l'attendait chaque soir, il vit la boîte en carton sur le comptoir de marbre, il ne faut pas que j'oublie, pensait-il, non, il ne faut pas, Kim, Fleur, mais Fleur n'aimait ni Kim ni Brillant, non, il n'aimait personne, pensait Bryan, à part sa musique dont il était obsédé, il n'aimait personne, Kim, il ne faut pas que j'oublie Kim, pensait Bryan. Et Petites Cendres pensait, pendant cette inhabituelle, bizarre promenade en taxi avec Robbie, mais tout n'était-il pas bizarre depuis qu'il n'était plus enfoui sous ses draps, dans son lit, et pourquoi s'était-il levé, et où étaient Mabel et ses perroquets Merlin et Jerry, oui, pensait Petites Cendres, je ne peux l'oublier, cette scène, cette scène où quelque vilain admirateur passionné de Yinn, sans doute était-ce un toxicomane ayant tout juste reniflé sa dose de cocaïne, il en avait encore les narines pâlies, quand Petites Cendres était toujours dans son état de manque, ce jeune homme se pointant de la rue vers Yinn dont il avait saisi la jambe leste, et puis le pied, pendant que Yinn se détendait avec Jason au Saloon entre deux représentations de la nuit, si détendu était Yinn, l'une de ses jambes émergeant de la robe bleue satinée, qu'il avait à peine remarqué l'incongru admirateur lui enlevant son soulier pour mordre goulûment son pied, Yinn avait demandé avec détachement, mais que se passe-t-il donc, et l'autre reposant le pied de Yinn entre ses mains avait dit, c'est que tu danses si bien, si tu continues de me mordre puis de me lécher les orteils, je ne pourrai pas danser cette nuit, avait dit Yinn, comme s'il était complètement désintéressé de la scène, ou l'était-il, pensait Petites Cendres, ne comprenait-il pas combien les gestes du jeune homme étaient lascifs, ou plus libidineux que lascifs, pensait Petites Cendres, et pourquoi Yinn s'y était-il prêté dans une lasse nonchalance, ou par lassitude, ou ennui, cette lubricité un peu découragée par la fatigue nocturne, était-ce ce que Yinn aimait offrir à de si sordides partenaires, pensait Petites Cendres de nouveau jaloux, féroce de jalousie comme il l'avait été cette nuit-là, quand Robbie était calme près de lui, tout à ses pensées du couronnement du soir dont il évoquait les festivités avec le chauffeur du taxi, sans se soucier de Petites Cendres et de ses cuisants souvenirs, car n'était-il pas vain d'aimer si l'on devait éprouver ces basses afflictions de la jalousie, la jalousie ne tuait-elle pas l'amour, mais avec cette piqûre ou morsure de la jalousie Petites Cendres se sentait pourtant revivre, revivre avec férocité et rage, pensait-il, et revivre, vivre jusqu'au bout, était peut-être ce que Robbie, avec l'innocence de ses jeux, ses rêves de couronnement, ses tentatives pour amener Petites Cendres voir la mer, en respirer l'air et les parfums, et sans doute pour le traîner ainsi jusqu'à son couronnement du soir, parmi les autres filles, sans aucun doute, Yinn, la reine sublime de ces dix dernières années, serait-elle là, oui, c'était ce progressif retour à la vie qu'attendait Robbie de Petites Cendres, qu'il ait plus de courage, car dans la vie on ne fait pas que vivre, on survit, disait Robbie, ce courage altier avait été celui de Fatalité, oui, mais elle a fini bien que courageuse par ne plus être, pensait Petites Cendres, ne plus être du tout, qu'une personne dans un sac en plastique vert, pas plus que cela, bien qu'elle fût si belle sur scène, avec ses longues jambes et son rire narquois, soudain on ne vit rien de tout cela, elle devint une ombre derrière une ampoule électrique, car longtemps on laissa son appartement dans cette lumière, se disant, vous voyez, elle est toujours là, comme si son ombre eût franchi le rayon blanc de l'ampoule, sa crudité dans le noir, c'est toujours ainsi que cela finit, oui, pensait Petites

Cendres, même pour ces prolongés des Jardins des Acacias, dans leurs appartements fraîchement peints, inconscientes victimes de la discrimination, car les voilà tous rassemblés sous une même bannière, même pour eux qui n'osent plus sortir le soir, ne marchent plus dans leurs jardins le jour, car ne cèdent-ils pas peu à peu à la désintégration de leurs maux du haut de leurs balcons où les berce le vent de la mer, ne sont-ils pas déjà dans les limbes, leur chair est moite, leurs yeux ne voient plus, sortiraient-ils en ville qu'il leur faudrait s'appuyer sur leurs cannes, jeunes gens décharnés, ne vous montrez surtout pas, aigres silhouettes, non, je ne veux pas me joindre à vous, pensait Petites Cendres, non, je ne veux pas, et prenant la main de Robbie, une main surchargée de bagues, Petites Cendres, plus rassuré, dit à Robbie, ainsi donc tu m'amènes boire un cocktail près de la mer, comme au temps de Fatalité quand tu la sortais le soir, et souvent le jour aussi, ainsi donc, tu es un frère, un frère et un complice, oui, un frère, dit Robbie, un peu distrait, surtout un frère, dit Robbie. Martha était la conservatrice de ce musée qu'était la chambre de Fleur, pensait Fleur, dans cette chambre, le temps était immobile, avec la housse sur le piano de Fleur, les coupures de journaux, des articles et photographies de Fleur enfant, toujours fixés sur le mur, il y avait aussi une affiche où l'on voyait, jouant ensemble de leurs instruments, le piano, le violon, Clara et Garçon Fleur, pendant un concert improvisé dans un camp musical européen, sur cette affiche s'interrompait la vie de Fleur, pensait-il, au-delà de ces deux visages unis par une même passion pour la musique, il n'y avait plus rien, qu'une existence terne et malheureuse pour Fleur, et la sordidité des rues dont on ne pouvait plus se purifier, le jeune garçon jouant pieds nus à son piano, dans sa veste à franges qu'avait brodée sa mère, ses cheveux plats descendant jusqu'à la taille qu'elle avait tant de fois peignés qu'ils en étaient tout luisants, comment ce garçon s'attaquant à la difficulté d'une sonate n'avait-il pas prévu son avenir, par quelle imprudence avait-il dispersé ses dons, pensait Fleur, il était là sur ces photographies si indolent et joyeux comme s'il était un pinson, une tourterelle ou ce rossignol de la nuit dont il pouvait imiter le chant, en posant ses doigts sur le clavier, lui qui avait été si imaginatif, comment pouvait-il être aujourd'hui si morne, bien qu'il eût toujours cette minime flamme qui ne fût pas encore éteinte, mais serait-il demain à son piano que sa mère dirait, cela sonne faux, c'est que tu ne t'exerces plus, que tu ne travailles plus comme autrefois, ta vie est désormais celle d'un mendiant, qu'ai-je fait pour avoir un fils comme toi, qu'ai-je fait, il verrait ces rides à son front, n'était-ce pas à cause de lui, ces rides, ce visage aux plis d'amertume, d'abord je vais te donner un bain, dirait-elle, bondissante autour de lui, patiente, charitable, car elle aimait ce Fleur dégoûtant, disait-elle, seule sa mère pouvait l'aimer ainsi, car les mères comprennent tout, ou se doivent de tout comprendre de leurs enfants, sinon ce ne sont pas des mères, ajoutait-elle, mère et fils humiliés, pensait Fleur, et il pensait à ces sosies de lui-même qu'il rencontrait parfois lors de leurs prestations musicales, jouant dans les tavernes, les bars, la nuit, lorsqu'il marchait vers sa niche sur la plage, son chien Damien le précédant avec son impressionnante stature, il était alors lassé de tout, n'eût été Damien, eût-il été encore là à parcourir la ville poussiéreuse, car n'en avait-il pas assez de la faim, de toutes ces saletés, comme disait sa mère, et il voyait soudain ce sosie ou peut-être ce musicien des terrasses qu'il eût pu devenir, c'était un homme encore jeune au visage potelé jouant de sa guitare électrique, ses pieds nus piétinant les fils autour de lui, sur un plancher de bois brun, on lui demandait une chanson, et il chantait, il portait comme Garçon Fleur enfant une veste à franges, il avait les cheveux longs et plats, sous un disgracieux chapeau, et que chantait-il, la triste chanson d'un ami assassiné par un gang satanique, assassiné dans le désert, pauvre chevalier, cet ami qu'avaient trahi les marchands de cocaïne, d'héroïne, ou cet ami n'avait-il pu les payer à temps, pauvre chevalier, mon ami, chantait le sosie de Fleur, et on l'applaudissait, car sa sincérité était émouvante, Fleur eût-il été cet homme qu'il eût chanté sa nostalgie de Clara, mais ce n'était pas là ce qu'il avait à faire, Fleur était un musicien de concert, il avait refusé que sa mère fasse de lui un musicien clown, un bouffon de cirque, la pitrerie de Garçon Fleur n'avait que trop duré, le clownesque enfant prodige lâché à un public vorace n'était plus, et c'est ce meurtre que continuait de perpétrer Fleur tous les jours, quand il mendiait dans la rue, jouant si bien encore de sa flûte traversière qu'il s'élevait seul, pensait-il, au-dessus de sa misérable condition, c'était ce meurtre de Garçon Fleur qui le consumait, dont le tourmentait tant le spectre ou le fantôme, c'était ce meurtre, oui, qui consumait Fleur jour et nuit. Chaque écrivain interprétait Faust à sa manière, pensait Adrien dans le parc des buissons argentés, où il se prélassait après le tennis, il n'était plus très jeune pour ces exercices vigoureux, pensait-il, perdre une partie ou non importait peu désormais, mais la santé était l'exercice, son exigence sur les muscles, Adrien était un homme sain, comme il l'avait toujours été, pourquoi ces maux de tête, ces insomnies depuis que Suzanne n'était plus près de lui, la nuit dernière ne lui avait-elle pas été plus clémente, il avait mieux dormi et vu en rêve Suzanne, qui en robe blanche estivale lui disait, bonjour, merveilleux ami de toute une vie, ne sens-tu pas venir vers toi des jours meilleurs, et perplexe, Adrien avait demandé à Suzanne si elle ne se moquait pas un peu de lui, tu es sûre, demandait-il, que j'ai été l'ami de toute une vie, que j'ai été, que je suis encore ton ami, il me semble sentir chez toi une rancune, oui, et Suzanne riait de son rire clair en étreignant son mari, ils étaient ensemble, s'étreignant dans ce même parc aux palmiers argentés, lesquels s'ouvraient en été tels des parasols, ils allaient s'asseoir sur ce banc de pierre où Adrien s'asseyait avant de rentrer chez lui, après le tennis, soudain ils se parlaient, touchaient leurs mains, je te répète, disait Suzanne, que tu as été l'ami de toute une vie, puisque nous étions amants toi et moi depuis tant d'années, ne te souviens-tu pas de notre première rencontre à vingt ans, nous allions être publiés ensemble chez le même éditeur, tu aurais tous les succès, tous les prix, et je serais si fière de toi, non, non, disait Adrien, je ne me souviens pas, je ne me souviens de rien, à vingt ans j'étais un jeune homme odieux, je ne te méritais pas, je n'étais que vanité, et quoi de plus insupportable qu'un écrivain vaniteux, téméraire dans sa vanité, c'est ce que je hais chez tant de jeunes auteurs, leur vanité, voilà pourquoi tu as tant persécuté ce jeune Augustino, mais non, mais non, disait Adrien, on ne peut vraiment dire d'Augustino qu'il soit vaniteux, bien que ce garçon m'indispose beaucoup, le rêve tournerait-il mal avec Suzanne accusant encore son mari des pires négligences et défauts, non, le rêve cette nuit-là n'était pas terni par les reproches de Suzanne à Adrien, tendrement elle levait les yeux vers son mari, Suzanne ne semblait-elle pas lui pardonner toutes ses bêtises, elle lui demandait à la fin comment allait son travail sur le Faust de Marlowe, et où il en était, tu as été l'homme de ma vie, terminait-elle avant de partir, partir où, demandait-il, il eût voulu retenir la robe blanche estivale entre ses doigts, caresser de ses doigts celle qui était en dessous toujours aussi vive et rieuse, mais elle n'était plus là, non, elle n'était plus là. Bryan allait d'un pas sautillant vers Kim, tenant la boîte en carton par sa ficelle, sa démarche était un peu penchée comme s'il chancelait parmi les coqs de la rue qui, eux, tardaient encore à voleter vers les bougainvilliers, quelques poussins d'un jour et leurs mères s'énervaient avec les coqs quand klaxonnaient les voitures, que de bruits, pensait Bryan, allez donc tous dormir, mes anges, vite dans vos arbres, coqs triomphants, et avec l'insultant renvoi des fleurs, qu'avait écrit la mère de Bryan sur la carte, es-tu prêt, fils renié, quand ne chanteront plus les coqs ni à l'aube ni le soir, es-tu prêt à voir la lune tel un cercle noir dans le ciel, quand soudain cette coupe de ténèbres se remplira de sang, es-tu prêt, mon fils, à voir tomber les étoiles du ciel sur la terre, es-tu prêt, Bryan, pourquoi le cœur de Brillant l'élançait-il de cette Peur que lui transmettait cette femme, même lorsqu'elle était loin de lui, trop de ces boissons au rhum avec Lucia, l'aimante femme, il délirait sans doute comme lui eût dit Kim, sa mère l'avait infecté, avec son hérédité, de ses religieuses divagations, et chacun de ses mots résonnait en lui, avec les ouragans, elle lui avait inculqué la Peur, oui, cette chose qui battait dans sa poitrine, mais une Force viendrait et sauverait Brillant, lui dirait, Brillant, regarde devant toi, c'est lumineux là-bas, où là-bas, demanderais-je avec ce grattement de l'aile de la Peur en moi, ce ne serait que la voix de Lucia peut-être le ramenant à la raison, au calme, la main de Lucia se posant sur ses joues, ou

celle de Kim, elles le sauveraient de ses soudains déraille-
ments, mais il se pouvait bien que de terrifiantes prédictions
soient écrites dans le ciel et que Bryan n'en soit pas épargné,
ne voyait-il pas partout des choses écrites, des messages, partout, oui, même sur le carrelage de la salle de bain et sur le
marbre du comptoir, au bar, était-ce l'écriture de la Peur ou
de la vie, ou de quelque dessein qu'il ne pouvait comprendre,
auquel il ne pouvait accéder, partout était aussi Victor, le fils
de Nanny, donc son frère noir, car c'est Nanny plus que sa
mère qui avait élevé Bryan, c'est sur les genoux de Nanny
qu'il avait appris ses premières prières, la voix jazzée de
Nanny montait en lui, partout s'étendaient les malsaines
eaux qui gonflaient la salopette de Victor se noyant, se
noyant, quand tous les autres, les Blancs, savaient nager, ou
partaient en canot, la voix de Nanny appelait Victor, pendant
le déluge, c'était au son de ses prières, des supplications de
Nanny qu'on avait vu disparaître la salopette de Victor gon-
flée d'eau, et Victor en dessous qui ne frémissait plus, les bras
ballants autour de lui, et Brillant pensait que Victor lui avait
donné la Peur aussi, que c'en était trop de toutes ces calami-
tés, et Adrien se disait, mais pourquoi ai-je été aussi indifférent au départ de Jean-Mathieu vers son dernier été vénitien,
il m'écrivait tous les jours de sa pension et je lui répondais à
peine, il est vrai que je travaillais beaucoup à mon essai, je
travaille toujours beaucoup et toujours on me dérange, mais
Jean-Mathieu, ce vénérable ami, comment ai-je pu l'oublier,
je me souviens de sa lettre destinée à Caroline mais qui ne fut
jamais reçue, Caroline, manipulée et prisonnière, non, ne lut
jamais cette lettre de Jean-Mathieu, manipulée et prisonnière
de Charly, disait-on, mais peut-être une calomnie, une mal-
veillance, comment croire à tout ce que l'on dit, les êtres les

plus séduisants vous poussent à l'envie, à la méchanceté à leur égard, qui n'est pas envieux de la jeunesse, j'irai aujourd'hui, avait écrit Jean-Mathieu de son écriture calligraphiée, au palais des Doges où je reverrai les œuvres de Véronèse, hier, sur le troisième pont sur le canal, j'ai pensé à ces œuvres de Titien que je reverrai aussi, quel bonheur, mon bien cher Adrien, il ne manque près de moi que Caroline, pouvez-vous m'écrire si elle va bien, pouvez-vous, mon cher Adrien, sans Caroline, j'oublie mon écharpe et j'ai pris froid en cet été humide, cet épris des arts et de ses promenades à Venise oubliait toujours tout, pensait Adrien, et il faut bien l'avouer, sans doute contemplait-il ses Véronèse et ses Titien en ne se préoccupant que d'elle, Caroline, jamais ils n'avaient été séparés pendant leurs voyages, et plus mon vieil ami se préoccupait de Caroline, plus s'oppressait son cœur, plus il étouffait, il en était sans doute ainsi pendant que je ne répondais pas à ses lettres dans mon indifférence glacée, car j'écrivais, avec l'espoir d'achever mon essai avant la fin de l'été, je suis agnostique, vous le savez, mon cher Adrien, mais pour nous, agnostiques, l'art n'est-il pas la suprême consolation, même à cette ultime lettre qui ressemblait à un appel au secours, Adrien n'avait pas pris le temps de répondre, bien que cela lui parût étrange que, dans cette lettre, Jean-Mathieu eût évoqué un tableau qu'il avait vu avec Caroline au musée du Louvre, c'était le *Christ à la colonne* d'Antonello de Messine, mais ce tableau n'avait-il pas répugné à Caroline, Jean-Mathieu ne sachant pourquoi, était-ce la nudité du visage, son aspect fruste, dans les contorsions de la douleur, Jean-Mathieu n'avait pu s'expliquer cette répulsion immédiate de Caroline pour la chrétienté, ne s'étaient-ils pas disputés dans ce musée ce jour-là, ce qui désolait encore le pacifique Jean-

Mathieu qui aurait aimé que Caroline comprenne que l'art n'avait d'appartenance qu'à l'âme profane universelle, que l'art était le chœur de toutes les voix, de tous les essors vers la beauté, la profondeur absolue et sans divisions, Jean-Mathieu dans son lit que trempait l'humidité, transi, tout frissonnant de fièvre sous son écharpe, mourait en esthète dans sa pension vénitienne, esthétisant encore, comme il l'avait toujours fait, ses Véronèse et ses Titien levant les voiles avec lui comme s'il était le jeune mousse sur son bateau, à Halifax, là où il avait appris son métier à quinze ans, maître de la mer, des océans sur ce voilier s'emplissant de brumes, dans une humble pension italienne, quand moi, Adrien, je n'avais répondu à aucune de ses lettres, pas plus que Caroline, prisonnière et manipulée, disait-on, dans sa propre maison, n'avait répondu à sa lettre, elle ne l'avait même jamais reçue, disait-elle, égarant ses chiens dans les rues quand on lui permettait de sortir tard le soir, afin que personne ne la voie, la vie est ainsi faite, pensait Adrien, que nous consacrons toujours trop peu de temps à nos amis, si j'avais su, ah, si j'avais su, pour Jean-Mathieu, Caroline, et ma chère Suzanne, si j'avais su, ne me serais-je pas conduit autrement, et sur son banc de pierre Adrien regardait les palmiers argentés, tels des parasols au-dessus de sa tête, il allait sortir de la poche interne de son blazer un carnet, un crayon, car ne fallait-il pas inscrire que les larges feuilles palmées de ces arbres, en se répandant autour de lui, dans la chaleur, surtout quand il venait s'asseoir ici en été, pendant leur généreuse expansion tropicale, que ces feuilles étaient tels de longs couteaux ou de longues lames, mais non, c'était un leurre, rien d'agressant dans cette nature, à part les vents orageux qui ébranlaient jusqu'aux pilotis de sa maison, à quoi pensait-il pour les comparer à des couteaux ou à des lames, c'est que sa femme lui manquait trop, qu'il ne savait plus comment écrire, ni réfléchir avant d'écrire, ce n'est pas ainsi, avec ces agressives pulsions dans les images, les métaphores, qu'il fallait écrire, penser, c'est que la voiture noire de Charly, dont le toit luisait au soleil couchant, apparaissait dans l'allée, oui, c'était qu'il se mettait à rêver déraisonnablement que cela était vrai, qu'elle était là derrière les stores de la portière, qu'elle était là comme un mal pur, un puissant tonique de venin dont il avait besoin de s'abreuver. Daniel entendait la lancinante voix de Laure réclamant son droit de fumer, de fumer partout, même dans un aéroport, combien d'heures encore à attendre le départ des vols, que se passait-il donc, serait-ce une alerte à la bombe, n'y avait-il pas une dissimulation de la vérité, une conspiration contre tous ces passagers en attente dans des salles où de multiples écrans de télévision n'exhibaient pour eux que des événements sportifs, comme si le monde n'était que cela au dehors, on ne leur disait rien, aucun vol n'avait été annoncé depuis ce matin, qu'en pensait Daniel, il n'y avait là aucune normalité, non, et vous verrez, Daniel, ils en viendront avec leurs lois à nous interdire de fumer dans nos appartements, et même dans nos voitures, ce n'est que le début de leur intolérance, de leur rejet de tous les fumeurs, qu'en pensez-vous, Daniel, et Daniel s'étant assoupi sur une inconfortable chaise regardait le pluvier, sa danse sur le sable blanc de la plage, le ciel rosissait au-dessus des vagues, bientôt la fin du jour, pensait-il, il est vrai que de tels retards sont singuliers, mais un voyageur en prend l'habitude et ne prévoit plus quand il part ou quand il arrive, il flotte entre deux destinations compromises, il lit, écrit, téléphone à ses enfants de son cellulaire, l'aérogare est son bureau, on le sait, il sera en retard, il se pourrait même qu'il n'en vienne jamais à partir, de l'autre côté d'une baie vitrée, il voit une mer transparente sous un ciel rose, et en fermant un peu les yeux, le temps d'un assoupissement, et que voyait aussi Daniel, son petit-fils se baignant dans cette mer, c'était bien lui que tenait par la main Samuel et à qui son père disait, va, va te baigner, ébloui, Rudolph courait dans cette mer calme, transparente, n'allait-il pas trop loin quand Samuel relâchait la petite main trop volontaire et capricieuse, reviens près de moi, criait Samuel, Rudie, reviens, la mer étale s'agitait soudain, mugissaient les vagues, où était Rudie, quand son père continuait de crier son nom, Rudie, Rudie, la mer, l'océan changeait brusquement de couleur, comme si les eaux étaient alourdies d'une substance âcre, noire et grise, et Daniel vit Rudolph, parmi les pélicans bruns, les tortues et les divers poissons des côtes de la Louisiane, se débattant comme eux dans les vagues, respirant à peine sous une nappe d'huile, n'en était-il pas totalement revêtu comme d'un drap adhérant à sa peau, il était là, respirant à peine, criant, papa, papa, parmi eux, sous une nappe d'huile, Rudolph comme eux tous, respirant à peine, se débattant vers le rivage, mais y avait-il encore un rivage, où était donc le corps de Rudolph, sous cette nappe d'huile, était-il encore vivant, le serait-il, seul brillait son œil cerné tout autour d'une couche brunâtre, tel l'œil du pélican, de la tortue, comme si cet œil enfantin ou animal eût été là pour nous juger, nous juger tous, et la voix, cette voix lancinante de Laure, pour ses cigarettes, cette voix avait réveillé Daniel, qui, toujours hanté par son rêve, avait eu la certitude de voir son petit-fils dans ce catastrophique enlisement, car ce n'était que trop réel, pensait-il, oui, ce n'était que trop réel, ce que l'on imaginait de plus atroce ne devenait-il pas notre réalité, n'en étions-nous pas les premiers responsables et coupables, vous vous êtes assoupi, dit Laure, je savais que vous ne m'entendiez plus, il faut que je nettoie Rudolph, que nous soyons tous là pour les nettoyer, jusqu'à ce que nous retrouvions l'éclat de leur peau, la brillance de leur regard sous les gluantes larmes de l'huile noire, que je les nettoie, oui, Rudolph, les pélicans bruns, les tortues naissantes et leurs mères, qu'ils soient tous lavés et nettoyés, mais respireront-ils encore, malgré tant de soins, respireront-ils, la marquante chorégraphie de Samuel, laquelle aurait sa première à l'automne à New York, avait sans doute imprégné l'esprit de Daniel, s'isolant de Laure, il en avait vu quelques extraits de répétition à son ordinateur, c'était cela, oui, comme Augustino dans ses écrits, Samuel, dans ses chorégraphies symbolistes mais trop inspirées d'un implacable Réel, Samuel, bien que son père l'admirât, était un bouleversement, un dérangement, oui, c'était cela, pensait Daniel, ses fils le troublaient, en le confrontant sans cesse avec leurs idées, leur rébellion, leurs manifestations et témoignages, comme s'ils disaient d'un même accord, toi aussi, papa, tu dois être de notre mutation, révolution, oui, ou ne plus être, pourquoi toutes tes hésitations, tes réticences, hein, pourquoi, qu'as-tu tant à préserver, et Daniel ne savait quoi répondre, sinon qu'il avait encore Mai, l'innocence de Mai, celle de Rudolph qu'il lui fallait ménager, ou cette ingénuité en lui-même, quelque inexplicable candeur, peut-être, sans doute était-il un peu retardé, attardé, leur dirait-il, cette candeur étant pour eux une lacune, ou il ne dirait rien, les écoutant en silence, et ce silence ne serait-il pas pour Augustino, Samuel, un signe de victoire? Chaque écrivain a interprété Faust à sa façon, le turbulent jeune Marlowe, qui allait vivre si peu de temps, vit sans doute dans le diable l'invitant au festin de l'immortalité des sens, pensait Adrien, sa propre mort à vaincre, à détourner par le plaisir, et comme il était très rebelle, il lutta ardemment pour la justice, dénonçant le pouvoir des rois, la corruption de l'argent, le diable pour Marlowe était parmi nous, parmi nos rois et nos gouvernants nous menant à notre ruine, le surnaturel et les cruautés du Moyen Âge n'étant pas loin, il allait peindre son Faust de ces saisissantes couleurs, le sang coulant à flots sur des corps crucifiés ou pendus, pour le jeune Marlowe excessif, Faust serait abîmé, châtié sans rémission pour son désir de puissance, plus que déchu il serait damné, quel écartèlement tout cela, bien des hommes se conduisent mal avec les femmes, ces pauvres Marguerite qu'ils abandonnent avec un enfant, et ne sont ni déchus ni punis, bien des hommes pervertissent l'innocence, pensait Adrien, et continuent leur chemin, le diable de Goethe, de Marlowe, n'est-il pas en nous, ce Méphistophélès rêvant de surgir dans toute son animalité, peu lui importe soudain, à cet homme, d'être réduit à cette part de lui-même, et ainsi rêvait Adrien sur son banc de pierre sous l'arcade des palmiers argentés, s'il eût été ce personnage de Faust dont la morale deviendrait si douteuse, sous la baguette de Méphistophélès, il eût demandé une heure de paix à sa conscience afin de dormir une nuit entière, dormir seul et sans Suzanne, car du nirvana où elle semblait errer Suzanne était encore trop proche de lui, c'est ce qu'il eût demandé au diable, une nuit de paix sans conflits ni présence charmeuse, une nuit qui n'eût pas aiguisé ses sens vers cette Suzanne d'autrefois, où il n'eût plus à entendre son rire, non, n'eût-il pas ajouté à son marchandage avec le malin une heure, fût-elle très brève, auprès de Charly dans sa voiture, dans l'étincellement de son regard menteur, lorsqu'elle tournerait vers lui son profil sous la casquette, étincellement sombre de ces yeux fourbes, il le savait, il ne demandait qu'à contempler, pas plus, comme si Charly eût été une statue, et il oublierait Suzanne, mais ne fallait-il pas déjà inscrire ces quelques notes sur Marlowe, ne serait-ce que pour répondre à la métaphysique question de Suzanne, et cet essai sur Marlowe, mon cher Adrien, comment cela se passe-t-il, comme s'il n'eût été qu'un intellect, un esprit à la recherche des phrases, des mots, ou la mécanique de cet esprit, une fastidieuse machine à penser, quand son cerveau soudain lui semblait si creux, oui, une nuit sans insomnie eût-il demandée au diable, ou avec quelques voluptueuses images, il commençait à être tard, ses dictionnaires l'attendaient à sa table solitaire, comme chaque soir, il nagerait longuement dans sa piscine, que le diable marchande ou pas, pensait Adrien, je suis bien content de vivre, Adrien téléphonerait au vieil Isaac encore dans ses tours dans l'Île qui n'appartient à personne, afin de lui dire, parler au doyen Isaac qui conservait sa juvénile allure dans son short beige, le vieil architecte élaborant encore de nouveaux plans de maisons, toujours en hauteur, afin de se rapprocher de l'océan, pendant que chantaient autour de lui ses milliers d'oiseaux comme s'il eût été à la reconstruction du paradis, et ne l'était-il pas, pensait Adrien, parler à Isaac, c'était s'environner un peu de cette vigueur d'un homme qui, pour l'instant, ne semblait pas mortel, et quoi de plus réconfortant, pensait Adrien, quand on a le cœur qui se trouble pour si peu, Charly ou le diable. Était-ce parce qu'il était fébrile, excité, en marchant, Bryan imaginait toutes les femmes, tous les hommes qui marchaient avec lui dans la rue, avec ce pas de course qui était un peu le sien, vers quoi couraient-ils tous, et cette fébrilité s'intensifiant, ces hommes, ces femmes, en courant ne se déshabillaient-ils pas de leur chair pour n'être plus qu'une meute de squelettes, ils couraient tous épuisés, se dénudant de leur chair comme d'un lépreux manteau, vers l'illusoire repas collectif que l'on promettait de leur offrir, la maison, le logement qu'ils avaient perdu, peu auraient droit à ce repas, à ce mensonger foyer, peu d'entre eux, voilà pourquoi ils couraient de plus en plus vite, leurs os se frottant, hommes, femmes et enfants, ils couraient tous, mais c'était la chaleur, le soleil, pensait Bryan, qui l'affolait ainsi, car il marchait trop vite, s'épuisant, sa boîte en carton à la main, sa mère avait falsifié les messages du ciel, elle falsifiait tout, c'était par cruauté qu'elle avait renvoyé les fleurs de l'anniversaire à son fils, quand elle se percevait telle une femme charitable, pourquoi n'avait-elle pas eu pitié de ce fils qui lui aussi était dans la meute, la meute des coureurs vers le repas collectif du vendredi, l'abri pour la nuit du samedi, ne risquait-il pas encore de ne plus avoir d'emploi, avec ces vilains Pete et Vladimir qui prendraient sa place au Café Espagnol, non, il ne les laisserait pas faire, Bryan, oui, était comme eux tous dans la meute, Fleur ou Kim vers l'illusoire repas, offrande le vendredi des marchands de la rue aux dépossédés, jeunes gens dépossédés, ils l'étaient tous, courant, courant, pendant que fondaient leurs corps, qu'ils ne se reconnaissaient plus les uns les autres, et ce qu'avait écrit Augustino était peut-être véridique, pensait Daniel, on ne punissait plus les vieillards criminels, ils pouvaient attendre leur procès, officiers ayant commis leurs millions de crimes, des vidéos leur présentant des champs d'ossements et de crânes, ceux de leurs victimes, au Cambodge, on pouvait bien les accuser de génocide, ces officiers à la direction des Khmers rouges, ils ne seraient jamais condamnés pour leurs crimes contre l'humanité, car la vieillesse était leur clémence, l'un avait été le ministre des Affaires sociales, un autre, un député idéaliste de son régime de terreur, passaient sous leurs yeux les ossements de leurs millions de morts, dans un continuel déroulement de vidéos, au tribunal, ils répliquaient à cette montagne d'os dans les champs par un sourire sardonique et sot, il y avait parmi eux une femme dont les yeux étaient baissés sous ses lunettes, car il ne fallait rien voir, surtout ne rien voir, mais, avait écrit Augustino, nul d'entre eux ne serait puni, inventant le prétexte de la fragilité de leur âge, aveugles devant leurs propres massacres, ils ne ressentiraient aucune honte, ils n'auraient sur leurs visages éteints que ces plis sardoniques de l'infinie cruauté qui ne se livre pas, se durcit au contraire avec le temps, se pétrifie dans la sottise, l'idiotie, celle de leur sénilité, et peu à peu on les oublierait, oui, on les oublierait, nous vivions en ce temps où les auteurs des pires crimes seraient acquittés, avait écrit Augustino dans son livre, *Lettre à des jeunes gens sans avenir*, et Daniel pensait, non, on ne peut nier que cela soit vrai, mais pourquoi Augustino revient-il sans cesse vers le passé, il a grandi dans la gaieté, pourquoi cet enfant doit-il tant se révolter contre le privilège qui l'a vu naître, était-ce seulement compréhensible, pensait Daniel, et il en était ainsi pour tant d'esprits anarchistes, touchés par la révélation que le monde est tout autre que ce que l'on peut en percevoir, bien qu'il fût irascible et compliqué, Augustino était peut-être parmi ces novateurs contraignant notre bien-être, oui, il en était peut-être ainsi de son fils, pensait Daniel. Et s'agrippant de ses pattes à l'épaule de Mabel, sur sa bicyclette, Jerry, le blanc duveteux perroquet de Mabel, jacassait et demandait où ils allaient ainsi, répétant, on y va, mama, on y va, avec Merlin, oui, on va au cimetière des animaux où je vais enterrer ton frère sous les roses, disait Mabel qui pleurait, pendant que Jerry bécotait sa joue, il avançait vers le visage de Mabel sa tête duveteuse et de coups mordeurs bécotait les tempes de Mabel sous les cheveux épais, mama, mama, répétait Jerry, on y va, oui, on y va, j'ai pu extirper la balle du Tireur, j'ai pu de mes doigts, oui, une balle minuscule qui logeait dans son aile, que j'ai extirpée de son poitrail orange, je l'aurai un jour, ce Tireur, et l'amènerai devant le shérif, je te promets, Jerry, que je l'attraperai un jour, maintenant ton frère repose sous mon châle dans le panier de la bicyclette, lui, le plus beau des oiseaux du Brésil, ils l'ont estropié, ton frère, si câlin, moi câlin, disait Jerry, Merlin dans le panier, sous mes roses rouges, dans le panier, répondait Mabel pour qui la route semblait longue dans la circulation, elle pédalait avec lenteur, accablement, et Jerry dit, plus vite, mama, plus vite, mama, mais Mabel se sentait lourde et triste, sous trop de vêtements, qui l'aurait vue passer ainsi aurait pu penser qu'elle n'était qu'une pauvre femme noire, c'est que c'était un bien mauvais jour, pensait-elle, mais ce serait faux de penser ainsi, car Mabel était propriétaire d'une maison et avait ses pensionnaires, craignant qu'on envoie Petites Cendres ailleurs afin qu'il puisse guérir, quand Mabel aurait bien aimé le garder près d'elle maintenant qu'elle n'avait plus Merlin, le plus splendide des oiseaux du Brésil, sa merveille, et si Petites Cendres doit partir aussi, la maison sera bien vide, c'était la maison de ma grand-mère, de ma mère des Bahamas, et tous les pensionnaires ne sont pas aimables comme Petites Cendres, bien qu'il soit si paresseux que c'en est un péché, un vice, son bienfaiteur me paie bien, on y va, mama, demandait

Jerry, sur l'épaule de Mabel, on y va, mama, mais j'ai pu vendre ce soir toutes mes boissons au gingembre, un artiste, un peintre me les a achetées, c'est que cette maison est toujours hypothéquée, et plusieurs de mes pensionnaires se piquent, ce qui est mal, et n'ont jamais le paiement exigé pour leurs chambres, je leur dis, si c'est pour vous piquer, allez ailleurs, mais ils me reviennent, j'ai des pensionnaires convenables aussi, moi, Mabel, j'ai encore la maison de mes ancêtres, mais à quoi bon si Petites Cendres doit aller ailleurs, son bienfaiteur, qui ne veut pas que je divulgue son nom, me dit qu'aux Jardins des Acacias il y a toute une équipe médicale qui sera toujours là pour lui, mais je le connais comme s'il était mon fils, il n'a besoin que d'amour, Petites Cendres, oui, je le connais bien, pensait Mabel, et Bryan, sautillant et ivre, se souvint de la psychologue Lena, encore étudiante qui, avec son armée de volontaires, avait ouvert le Centre du Phare pour les enfants sans abri, les arcs-en-ciel et les autres comme Fleur et Kim, bien que ce ne fussent plus des enfants, elle les appelait les Enfants sans abri, car du Mexique au Pérou, partout où elle allait, la psychologue Lena, l'étudiante exaltée, recueillait ces enfants pour ses Centres du Phare, aucun Enfant sans abri, c'était sa cause avec ses volontaires étudiants eux aussi, mais Fleur et Kim étaient trop adultes à dix-huit ans pour ces maisons du phare de la psychologue Lena, vous trouverez dans nos refuges de l'eau chaude, des brosses à dents, et même un accès Internet si vous désirez communiquer avec vos parents, et Kim et Fleur avaient dit qu'ils n'avaient pas de parents, qu'ils pouvaient déjà dormir sur le bateau du Vieux Marin édenté, le Marin ayant déjà sur son bateau des orphelins tatoués qui l'aidaient à la pêche, des adolescents reconnus pour leur violence que Kim et Fleur n'aimaient pas fréquenter, mais qu'amadouait le Vieux Marin de sa bonté, il disait, il vaut mieux qu'ils soient avec moi à pêcher qu'en prison, aucun radar ne vous guidant, avait expliqué la psychologue Lena, nos refuges seront vos phares, nous vous aiderons à retourner dans vos familles, à poursuivre vos études et à trouver un travail, nous n'allons pas vous sermonner, non, notre but est que vous cessiez de vivre dans la rue, ceux qui ont moins de dix-huit ans ne peuvent vivre dans des dortoirs avec des adultes, ils n'ont pas droit, non plus, à une identité légale et aux coupons pour la nourriture, aussi, nous avons un Centre du Phare d'urgence, n'aimeriez-vous pas aller au collège et être un jour ingénieur, biologiste, n'aimeriez-vous pas vous adapter, car dans la rue, vous êtes en danger, chers amis, dirait la psychologue, pensez à ces squatteurs qui, cet hiver à La Nouvelle-Orléans, ont brûlé vif dans une maison désaffectée où ils squattaient, huit jeunes gens voyageant par bandes, tels des loups affamés, rôdant, rôdant, puis tentant de se réchauffer dans la maison abandonnée par une nuit frigide, ils brûlent tous, Lena sau-verait-elle ses sans-abri, ses squatteurs, ce que nous voulons, oui, c'est aucun Enfant sans abri, et eux l'écoutaient sans la comprendre, Kim et Fleur, Jérôme l'Africain, ils ne seraient demain ni ingénieurs, ni comptables, ni rien, ils continue-raient leurs malpropres habitudes, se brossant les dents dans la rue, ou sur la plage, parmi leurs chiens, d'autres seraient coiffés de leurs rats ou souris apprivoisés, auraient à leur cou leur serpent ou leur iguane, aucun Enfant sans abri, conti-nuait de dire l'étudiante Lena, c'est tout ce que nous voulons, comme si elle parlait de petits animaux abandonnés par une nuit froide par leurs maîtres, de ces animaux il y en avait plus encore, une multitude, la jeune fille charitable ne pouvait les envelopper tous dans sa grande mansuétude, ce n'était qu'une étudiante, et Bryan aurait bien aimé lui offrir un verre, mais Lena ne buvait pas, que de l'eau, disait-elle, et le peu qu'elle possédait dans ses bagages, c'était pour ses sans-abri, disait-elle, le phare, c'est toi, disait Bryan en riant, il était toutefois vexé qu'elle refuse sa compagnie, ne serait-ce que pour un verre au Café Espagnol, mais se souvenir de Lena l'étudiante lui faisait du bien, car il y avait peut-être, en ce monde, des phares dans la nuit, bien qu'on ne les vît pas toujours, et où était Lena, maintenant, dans quelle ville, ruelle, maison de tôle, où était Lena, bien qu'on ne les vît pas, il y avait peut-être des phares quelque part dans la nuit, pensait Bryan, où était Lena, au Mexique, au Pérou, poursuivant sa quête, aucun Enfant sans abri, Lena croulait sous son sac à dos, dans les sales sentiers des bidonvilles, partout elle montait sa tente, quand couraient les enfants dans les égouts, mais c'était un phare, pensait Bryan, un phare, Lena, et Bryan se souvenait aussi des soirs de fête, tant de soirs de fête, de célébrations sur les plages, quand il était le serveur de ces hôtes fêtards, il allumait les torches de bambou dans un halo de fumée qui faisait pétiller ses yeux, pendant ces cérémonies du soir, mariages ou fêtes, s'étendait autour de lui la blancheur des tentes levées, des nappes sur les tables dressées, avec les chandelles, les bougies, et soudain c'était l'heure du repas colossal, titanesque, deux serveurs en habit blanc apparaissaient avec un porcelet sur un plateau d'argent, Bryan se tournant à peine vers la pauvre bête qu'on avait tuée le matin, un porcelet entier avec ses yeux crevés, n'osant pas penser, cette bête sera découpée pour être mangée par tous ces gens dont le ventre est déjà plein, assouvi, n'osant pas penser ce qu'il pensait, se tournant à peine comme si l'on transportait sur une civière un petit blessé, à la peau rosie par la cuisson, et qu'il n'eût pas voulu le voir, ou se trompait-il, était-ce chez sa mère, la mairesse, que l'on faisait ces morbides festins, et eux, Victor et Nanny, mangeaient les restes à un autre étage, et l'écartant, les serveurs, étaient-ce Vladimir et Pete, dans leurs habits blancs, mais qui ressemblaient à des fossoyeurs, oui, tels Vladimir et Pete, l'écartant au passage, disaient, laisse-nous passer, qu'y a-t-il, retourne à tes parasols, bouffon des plages, tu ne vois pas que tu as l'air ridicule dans ton short, tes chaussettes blanches, la mer était là, encore bleue, lumineuse, les torches de bambou fumaient dans l'air doux, des hommes, des femmes riaient, chantaient, Bryan se souvenait de ces soirs de fête, tant de célébrations, sur les plages, quand viendrait la nuit, Bryan ne sachant pas où il dormirait ce soir, demain, dans la voiture de son patron peut-être, car dans sa chambre il y avait encore trop de spectres du déluge, et à mesure que l'on gravissait les marches, les noyés vous suivaient, ils étaient toujours là, et l'on se moquerait de lui en disant, voici le jeune fou de la rue Bahama qui rentre chez lui en titubant, on dit qu'il a été interné, sa mère, ayant pitié de lui, l'a envoyé ici, nous prendrons ta place, disaient les fossoyeurs Vladimir et Pete, oui, nous le ferons. De la voiture du taxi où il voyait la mer, entendait les piaillements des oiseaux sur la plage, Petites Cendres pensait au médecin Dieudonné qui reviendrait bientôt de son bénévolat en Haïti, combien il serait délabré, fatigué, lui qui ne dormait jamais plus que quelques heures par nuit, même, parfois, passait trois nuits sans dormir, s'effondrant à bout de forces dans son fauteuil à la clinique, ou à l'hôpital, venez le jeudi, disait-il à ses patients, je n'exige pas un sou de mes patients ce jour-là, c'était jeudi, le jour de Petites Cendres, directeur de deux hôpitaux et hospices, Dieudonné serait bientôt honoré par la ville, Eureka la directrice du Chœur Ancestral lui remettrait de ses mains aux longs ongles rouges la plaque d'honneur, il lui faudrait se vêtir d'un smoking noir, quand avait-il le temps de voir sa femme et ses enfants, pensait Petites Cendres, quand Dieudonné consacrait le jeudi à ses patients dissolus et ruinés et recevait en consultation, le dimanche, et pourtant on le voyait reconduire ses filles à l'école le matin, et tout en pensant à ce saint homme qui, comme le disait la révérende Ézéchielle, n'avait écouté que la parole de Dieu en aimant les pauvres, Petites Cendres était assailli d'images et de rêves moins bénins, il lui semblait sentir de nouveau les doigts de Yinn jouant dans ses cheveux, combien ils sont bouclés, frisés, disait Yinn pendant ces heures de vertige au Saloon Porte du Baiser, j'adore tes cheveux, mais tu aurais besoin de démêlures, de peignures, pourquoi ne viens-tu pas me voir dans mon atelier, Petites Cendres, je te ferai un brushing, ou bien les préfères-tu torsadés, ces doigts de Yinn sur le crâne de Petites Cendres étaient si vigoureusement insidieux que Petites Cendres ne pouvait que frémir pendant qu'ils descendaient vers sa nuque, et l'agitaient pêle-mêle, aussi, ces souvenirs de Yinn déshabillant ses garçons, ses hommes, n'avait-il pas toujours quelque chose à mesurer, à palper, à toucher, ses épingles entre les lèvres, comme l'aurait fait sa mère, ce déshabillage étant propice à son métier, il l'exerçait partout, même pendant le temps de ses alanguissements au bar, tirant vers lui un garçon, un homme, il le déshabillait dans le seul but de le taquiner, en disant, c'est donc ton sexe que tu protèges ainsi de tes mains, oh, tu te glorifies pour bien peu, voilà une feinte pudeur qui dans la vie ne te servira à rien, allons, rhabille-toi, ce sera facile, tu ne portes pas même un caleçon, mais ce qui pouvait confondre ceux qu'il déshabillait ainsi dans une fantaisiste sensualité, c'est qu'il pouvait être en sandales et dans sa sobre tenue de garçon ou dans ses robes du soir échancrées, sur ses talons aiguilles, tout aussi surprenant et saisissant dans cette prompte aptitude à s'emparer des corps comme si à chacun, même aux corps les moins beaux, il insufflait avec les rires de sa voix mâle une sorte d'acceptation de soi, de tendre indulgence envers soi-même, du moins n'était-ce pas ainsi que Petites Cendres interprétait ces désinvoltures de Yinn qui l'auraient précipité dans ses bras, quand ces bras ne s'ouvriraient que pour Jason et, qui sait, pour le capitaine Thomas, peut-être, bien que Petites Cendres préférât ne pas trop pénétrer ce mystère, Yinn et mon Capitaine, amour ou échange de cocaïne pour un baiser, ou une simple promenade en mer, dans le voilier de mon Capitaine, qui au crépuscule plongerait vers les épaisseurs de diamant de ses fonds de mer, tout à son extase dans ses habits de caoutchouc, s'évanouissant dans les profondeurs de l'océan comme s'il eût été une sirène, pas ce jeune homme musclé qui plaisait tant à Yinn. Et serait-ce Dieudonné, cet anonyme bienfaiteur de Petites Cendres, serait-ce lui le censeur de ses addictions, sexe, crack ou cocaïne, Petites Cendres n'était-il pas privé de ce qui était hier son ravissement, sa félicité taboue, était-ce Dieudonné, ce bienfaiteur, ou un autre qui avait décidé pour lui qu'il était avilissant de se prostituer pour vivre, ou à peine exister, dans de dégradantes prouesses du corps, qui veillait ainsi sur Petites Cendres au point de le rendre aussi apathique, prostré, qui était cet entremetteur céleste ou spirituel, un être dénaturé sans doute qui lui enlevait son gagne-pain, la prostitution qui était aussi sa fierté professionnelle, qui en avait ainsi décidé pour lui, pensait Petites Cendres, la main de Robbie, laquelle était si lourde de bagues, encore dans la sienne, pendant que roulait vers la mer le taxi, mais ce qui est ennuyeux avec le vieil Isaac, pensait Adrien, sur son banc de pierre, c'est qu'il exige toujours de moi que je signe ses pétitions, hier c'était ma signature pour la préservation de la panthère floridienne et ses petits, dans son île primitive, et que me demandera-t-il demain, ne pourrait-il pas penser à autre chose, les femmes, bien sûr, il n'y pense plus, lorsqu'il daigne venir en ville, c'est pour déjeuner avec les plus riches, encore ses pétitions à signer, et pour vite se retirer dans ses terres où il élabore ses nouveaux plans de tours, l'Île qui n'appartient à personne, lorsque je ne serai plus là, dit-il, sera mon héritage à des jeunes gens scientifiques qui viendront ici pour leurs recherches sur la faune, et pourquoi pas à de vieux écrivains comme moi, avait pensé Adrien, une si vaste solitude n'est-elle pas inspirante pour un poète qui se retrouve soudain sans sa femme, et presque sans amis, mais cette pensée d'une solitude atrophiée en plein désert, même dans l'Île du vieil Isaac, avec toutes ses espèces d'herbes, d'arbres et d'oiseaux, et parmi ces oiseaux, les plus rares, tels les colibris bleu et vert, un tel isolement sidérait Adrien, il faut quand même que j'aie le courage de visiter Isaac, pour une journée, pensait-il, je ne dois pas agir comme avec Jean-Mathieu ou Caroline, non, il faut apprendre de ses erreurs, car soudain on se retrouve seul et aucun d'entre eux n'est plus près de vous, car la vie est bien volatile, pensait Adrien, et que faisait soudain Robbie, bifurquez par la rue principale, disait-il au chauffeur du taxi, que l'on voie les filles prêtes pour mon couronnement de ce soir, la voiture s'arrêterait-elle devant le Saloon Porte du Baiser, pensait Petites Cendres en se blottissant contre la banquette arrière de la voiture, ne crains rien, dit Robbie, personne ne peut nous voir à travers les vitres teintées des portières, regarde Geisha, Cœur Triomphant et Santa Fe qui sont déjà dans la rue à se balader dans leurs costumes voyants, les costumes de Yinn pour la fête, que de fleurs électrisantes imprimées sur leurs robes, que de pétales que semble éclairer une lumière au néon, sous le tissu des robes, chacune est la fleur d'un jardinier prévoyant, s'écriait joyeusement Robbie, ce sera une réussite éblouissante ce soir, tu verras, Petites Cendres, quand, affolé, Petites Cendres pensait, je ne dois pas revoir ce monde de la nuit, Geisha, Cœur Triomphant, Santa Fe, Cheng, le second Prince d'Asie, sous sa robe aux fleurs écarlates, n'eût-on pas dit Yinn à peine sorti de l'adolescence, Cheng, qu'on appelait jadis le Suivant et que les mains de Yinn, magistrales et douces, avaient modelé, formé, pour ces festins des sens de la nuit, ou toute autre cérémonie qui serait pure tel ce couronnement de Robbie, sur une scène improvisée dans la rue, près de la mer, fête de la ville à laquelle même les petits enfants seraient conviés avec leurs mères, mais ce royaume de la nuit, non, Petites Cendres ne devait plus le revoir, non, pensait-il, et Rafael Sánchez déposait son installation près de Kim, une chaise pliante, une table pour son jeu de tarots, le déploiement de ses bijoux et colliers, il était lui-même vêtu comme une œuvre d'art bigarrée, pensait Kim, le Mexicain était un bel homme, une figure christique au milieu d'eux tous, il avait son studio, son loft, il ne dormait pas dans la rue ni sur les plages, les décorations artistiques dont il était revêtu, comme sa tunique qu'il avait lui-même cousue de fils dorés, faisaient de lui un homme imposant, pensait Kim, était-il près de Kim qu'elle éprouvait quelque rehaussement d'estime autour d'elle et de Fleur, Rafael avait ses clients pour le tarot, la vente de ses bijoux, Rafael était un devin, la Lune, la Mort, disait-il de sa voix chantante, ses mains majestueuses sur les cartes de tarot, la Lune, la Mort, le Chariot, et par dérision Fleur disait à Kim, le Mexicain te dira tout sur ton avenir, ne veux-tu pas tout savoir, Kim, ces moqueries de Fleur blessaient Kim, tu sais bien que nous n'en avons pas, nous, d'avenir, disait Fleur amèrement, tu sais bien que le Mexicain se leurre et leurre tous ceux qui l'écoutent avec ses affables prophéties et pré-dictions, Fleur en parlant ainsi à Kim se reprochait de parler à Kim comme sa mère lui parlait à lui, on eût dit qu'il ne pouvait faire autrement que de l'imiter, Kim était si jeune, même gâtée de l'intérieur, pensait Fleur, qu'il eût fallu un avenir pour elle, ou un bref avenir, bien que tout fût si mal entamé, gâté, oui, pourri de l'intérieur comme pour lui-même, Fleur, il était étonnant que dans sa pensée Kim fût toujours associée à l'immensité de son échec et de sa tristesse, l'échec de Fleur, lequel n'appartenait pourtant qu'à lui, pour-quoi était-il si injuste, le malheur de Kim était plus grand que le sien, Fleur n'était pas le fils de parents junkies, Fleur, bien que ce fût toujours dans la contradiction, avait été aimé, choyé par ses parents, ses grands-parents, il avait étudié la musique, ou bien était-il jaloux que le Mexicain, cet intrus, fût soudain avec eux, sur cette zone du trottoir, et installé si près de Kim qu'il semblait pouvoir approcher d'elle son visage, l'intensité de son regard vert hypnotisant, je vois dans les cartes, disait l'ensorceleur Rafael à Kim qui l'écoutait avec ingénuité, c'était là le défaut de sa jeunesse, pensait Fleur, Kim était encore ingénue, candide avec les hommes, et qu'eût-elle fait sans la vigilance même impatiente de Fleur, qu'eût-elle fait, oui, pensait-il, je vois un bateau que menace une tornade, disait Rafael, et deux jeunes gens qui, oh, c'est affreux, n'allez pas sur ce bateau, toi et Fleur, non, n'allez pas sur ce bateau, car je vois un héron blanc se poser sur des eaux noires dans la nuit, si blanc contre le fond noir de l'orageuse nuit, disait Rafael à Kim, il était maintenant en état de transe, et parlant plus bas, presque dans un murmure, Kim demandait au devin Rafael, et Fleur, que vois-tu dans les cartes pour Fleur, oui, que vois-tu, ce bateau, ce que je vois dans la nuit, oh, j'en frissonne d'effroi, poursuivait Rafael, que Dieu m'entende ou les dieux qui gouvernent les océans et les mers, non, cela je ne peux le voir, qui sont ces jeunes gens qui, et se souvenant que Kim était près de lui, en attente d'une réponse concernant Fleur, Kim, ingénuc, candide, Rafael dit promptement, oh, je ne suis pas inquiet pour Fleur, non, pas inquiet du tout, et fermant les yeux sur sa vision, Rafael dit, loin, il ira très loin, va parcourir le monde, qu'a-t-il écrit, composé qui sera reconnu, j'entends une symphonie aux sons démesurés, une grande chose hybride qui fait beaucoup de bruit, très bruyante, oui, j'entends, mais dans la nuit noire viendra se poser sur les vagues le héron blanc, quand se renversera le bateau sous les vents, je vois des monstres, je vois, je vois, non, n'allez pas sur ce bateau, toi et Fleur, répétait Rafael, ainsi il va partir, ainsi nous ne serons plus ensemble dans la rue, lui et moi, avec nos chiens Damien et Max, ainsi il pense à partir, murmurait Kim, ainsi il pense à me quitter, ce bateau est maudit, répétait Rafael, non, n'y allez pas demain, ni ce soir, toi et Fleur, n'y allez pas, il pense à partir, à me quitter, pensait Kim, c'est bien ce que je craignais le plus, il s'en ira, je le sais, pensait Kim, se retenant de pleurer. Le passé étant une page de manuscrit mal écrite et que l'on ne peut plus corriger, interdit de songer aux corrections, pensait Adrien, c'est irrévocable, pourquoi y revenons-nous sans cesse, et ne serait-ce pas revenir vers le passé que de rendre visite au vieil Isaac dans l'Île qui n'appartient à personne, dans le grand catamaran, ce bateau à deux coques, une voile, Adrien ne les reverrait-il pas tous autour de lui, Suzanne, Caroline, Mélanie, Daniel et leurs enfants, comme en ce jour d'un temps splendide où les cendres de Jean-Mathieu avaient été semées dans l'océan, ce jour dont Adrien niait le souvenir, si nombreux étaient-ils ainsi réunis, tous ensemble, dans le grand catamaran qu'Isaac avait loué pour eux tous, les attendant avec sa voiturette à chevaux dans son île paradisiaque, peut-être, mais à l'abandon, oh, ce serait le passé, un incorrigible passé, un tableau ample mais imparfait de l'existence d'Adrien qui irait en s'effritant, pensait-il, n'entendrait-il pas Caroline se plaindre que le vent soufflât dans sa coiffure sous son chapeau de toile, car elle avait vu son coiffeur le matin, étant encore coquette en ces jours-là, mais débutait pourtant pour Caroline la première défaillance de la mémoire, ou quelque oubli calculé adoucissant son chagrin, n'avait-elle pas ignoré ou feint de n'en rien savoir de Jean-Mathieu, il va bientôt rentrer de son séjour en Italie, avait-elle dit à tous, oh, ce vent nous énerve, avait-elle ajouté, dans une absence oublieuse, c'était le commencement, oui, des oublis, des effacements de la mémoire, pensait Adrien, et si Adrien eût aimé renoncer à ce souvenir, le nier, c'est qu'il l'avait aperçue ce jour-là, oui, Charly conduisant Caroline dans sa voiture jusqu'au quai, lui disant, je viendrai vous chercher ce soir, Adrien avait perçu aussi le sourire de docilité de Caroline à Charly, merci, mon enfant, lui avait-elle dit, soumise à ce destin désastreux qui lui arrachait Jean-Mathieu, tout en lui offrant, à elle, soudain sans défense, un être aussi pernicieux que Charly, que ferais-je sans elle, avait dit Caroline, quand sa vraie pensée se dirigeait vers Jean-Mathieu comme si elle eût dit, que deviendrais-je sans Jean-Mathieu, mon amant, mon compagnon, mon ami, ou bien avait-elle déjà tout oublié, pensait Adrien, pendant que filait le long de la mer la voiture noire de Charly, sous un soleil éclatant, c'est cette voiture que longtemps Adrien avait suivie du regard, bien qu'il fût déjà assis près de Suzanne dans le grand catamaran et que le vent l'énervât lui aussi, qu'en sera-t-il de ce vent lorsqu'ils seront tous en pleine mer, puisqu'on arriverait au port de l'Île qui n'appartient à personne que dans trois heures, il eût aimé nier ce souvenir si palpitant de la main de Suzanne se posant sur la sienne, pourquoi tant de pessimisme, avait-elle dit, mon cher Adrien, pourquoi, à cause de Jean-Mathieu, avait répondu brusquement Adrien, il n'avait qu'à ne pas agir ainsi avec nous, s'il avait porté son écharpe, il n'en serait pas ainsi, c'est sa distraction qui nous a menés ici, pourquoi ne s'est-il pas mieux habillé pour sortir puisqu'il savait que ce serait humide le soir, c'est toujours humide et frais le soir à Venise, à quoi pensait-il, et Caroline avait soulevé ses lunettes noires en demandant, que se passe-t-il donc, Jean-Mathieu n'est pas parmi nous, pourquoi n'est-il pas parmi nous, les planches du bateau vont-elles tenir tout le voyage, avait dit Adrien toujours aussi bouder, auprès de Suzanne, bien qu'elle eût tendrement pris sa main, ne sommes-nous pas trop nombreux pour ce vieux bateau, et puis ce sera pénible là-bas, c'est si peu confortable, ne fallait-il pas nier aussi, pensait Adrien, le souvenir de cet homme maussade, grognon même, assis près de la plus douce des femmes, car Suzanne était là, près de lui, et il n'avait pas su la chérir, tout occupé à ses grognements et à sa mélancolie tant il lui semblait que ce jour était funèbre, peu lui importait qu'une femme passionnée fût assise près de lui, la sienne, Suzanne, et qu'elle fût séduisante et séductrice, on eût dit qu'il ne la voyait pas, qu'eût-il donné aujourd'hui pour sentir la chaleur de cette main dans la sienne, qu'eût-il donné, oui, pensait Adrien, sur son banc de pierre, non, il était vain de revoir le passé, cette source de tant de peines et désolations, regrets et remords, une page mal écrite, et que même avec toute son adresse, sa dextérité, une page qu'il ne pourrait plus corriger, lui, le traducteur, le grammairien, c'était une affreuse sensation de se sentir aussi impuissant, pensait Adrien, et pourtant ne devait-il pas admettre que ce passé, ce passé avec Suzanne, Jean-Mathieu, Charles et Frédéric, était sa plus chère possession, son trésor en lequel il puisait encore beaucoup de joie, et quelle bénédiction que ses amis, tous ses amis, écrivains, poètes, musiciens, ne se fussent jamais éloignés de lui, même si son caractère, lorsqu'il y réfléchissait bien, était susceptible, offensif bien souvent, et avouons-le, pensait-il, surtout déplaisant, à bien y penser sa vie jusqu'ici avait été un miracle. Robbie voyait l'air contrarié de Petites Cendres, il observait aussi la pâleur un peu verte de Petites Cendres, sous la couleur sombre de sa peau, pourquoi t'enfoncer dans ton siège, dit Robbie, tu sais bien que nul ne peut te voir, et Geisha, Cœur Triomphant, Santa Fe, Cheng ne sont-ils pas tes amis, ils seront tous avec nous ce soir, et Yinn aussi, Yinn, dans une robe blanche, en mon honneur, disait Robbie, comme s'il eût voulu secouer Petites Cendres de sa torpeur, de son effarement, qu'est-ce que tout cela signifie, on ne peut plus s'amuser maintenant, on ne peut plus rire et chanter, et pendant qu'il parlait ainsi à Petites Cendres, Robbie se revoyait avec

Fatalité sur la motocyclette parcourir la Californie, le Mexique, il posait ses mains sur les cuisses de Fatalité, dans son jeans ou son pantalon de cuir moulant, ils s'évadaient tous les deux sur les routes, s'évadaient si loin, ils étaient fous, ils riaient, les cheveux au vent, et soudain Robbie levait les bras vers le ciel bleu en criant, hourra, hourra, il ne savait pourquoi il criait ainsi, les mains, les bras levés, ces voyages à moto ne seraient-ils pas les derniers avec Fatalité, dans son pantalon de cuir, ou son jeans moulant, déjà les cuisses de Fatalité étaient si minces, et lorsque Robbie entourait son torse de ses bras, la nuit, sur les routes, n'éprouvait-il pas en touchant ce torse la crainte de son amaigrissement, était-ce parce que tout allait s'effondrer en si peu de temps, Fatalité et son corps, que, voulant rattraper quelque bonheur inespéré, Robbie levait soudain les bras, les mains vers le ciel en criant, hourra, hourra, ne fallait-il pas prouver au ciel et à la terre entière combien ils étaient vivants et inattaquables, oui, inattaquables, pensait Robbie, les doigts de Robbie frôlaient sur la peau de Fatalité le *piercing* au sein gauche, qui a dit qu'on ne peut plus rire et chanter, disait l'insolente Fatalité au volant de la moto, sur la route venteuse, qui a dit cela, hein, Robbie, c'était à cet instant de bonheur déraisonnable que soudain Robbie levait les bras, les mains vers le ciel en criant, car ils étaient libres, ils étaient libres, et Robbie disait à Fatalité, plus vite, plus vite, pendant qu'aucun policier ne nous voit, ils voudront me bloquer le passage, à l'entrée du Collège de la Trinité, ils vont me bousculer dans leur autobus scolaire où il est écrit sur la vitre arrière, ON NE VEUT PAS DE GARÇONS EFFÉMINÉS, ICI, on ne veut pas de toi, Mick, car ce sont des élèves, des étudiants vulgaires et grossiers, partout sur la vitre arrière de l'autobus scolaire leurs graffitis sont là pour insulter, réduire, mais peu m'importe leur violence verbale, homophobe, je ne serai ni discriminé ni harcelé, pensait Mick, je suis le fils d'une romancière de notoriété, d'un père historien, je ne suis pas comme eux, mais le fils du Prince, oui, de lui seul, peut-être, pensait Mick qui marchait en dansant, dans son pantalon de cuir noir, ses scintillantes chaussures noires, ayant enfilé des gants blancs perlés, ou son frère, le frère du Prince, les plus beaux looks, la danse la plus sexy, pas efféminé, non, je n'ai que les plus beaux looks, champion de yoga si je voulais, mais ils ne me laissent plus entrer dans leur classe, jaloux de moi, oui, ils le sont tous à cause de mes parents qui se distinguent par leur savoir, sans qu'ils soient de bons parents, pour Tammy et moi, et les autres, les grands, mes parents ne sont pas comme leurs parents à eux, ces grossiers, vulgaires étudiants, ils ont l'esprit ouvert, la pensée libérale, nos parents, à Tammy et moi, sans être de bons parents, car ils auraient préféré vivre en célibataires instruits, sans nous tous, les enfants, quelle malchance car nous voici, Tammy et moi, ils ne savent plus quoi faire de nous, les derniers, pas efféminé comme ils le disent, mais les plus beaux looks, ne ressemblant qu'à moi, Mick, et pas à eux, qui est-il, sera-t-il bisexuel, transsexuel, hé, Mick, qui es-tu donc, me demandent mes parents, tu peux nous le dire, nous comprendrons, du moins tu n'es pas comme ta sœur qui se laisse mourir de faim dans sa chambre comme à l'hôpital où il faut la nourrir de force avec un tube, du moins tu n'es pas comme elle, c'est si méprisable, cela nous dégoûte, ta mère et moi, un jour, ces grossiers étudiants, élèves du Collège de la Trinité, ils m'ont frappé à la tête à la descente de l'autobus scolaire, qui es-tu, Mick, dis-nous qui tu es et nous ne te frapperons plus, dis-nous, Mick, j'ai pu les rejeter par terre, la blessure à la tête n'était pas très grave, d'un premier coup, d'un deuxième coup, je peux les rejeter à terre, car ils sont lourds et je ne le suis pas, vous croyez m'intimider, les gars, mais vous ne m'aurez pas, non, pas moi, si je ne peux monter dans l'autobus scolaire comme tout le monde, je marcherai jusqu'au Collège en dansant, comme cela me plaît, mais ils ne m'auront pas, je peux marcher pendant des heures au soleil, vous ne m'aurez pas avec vos menaces d'exclusion, aucune réciprocité à votre hostilité, non, car j'ai appris du Prince, dans sa musique, que sa musique était à moi, et la terre aussi, la terre est à moi, Mick, non, tu ne peux sortir ainsi, me disait Tammy ce matin, c'est un jour d'examens, tu ne peux sortir ainsi, un peu de rouge à lèvres, une ombre de mascara sur les cils, le chapeau noir rabattu sur le front, la danse la plus osée, les looks les plus sexy, dis-nous, Mick, qui tu es, et nous ne te frapperons plus à la tête à la sortie de l'autobus scolaire, dis-nous, Mick, que nous puissions rire un peu, gay, transsexuel, veux-tu que nous te déshabillions, veux-tu que, ainsi on finira par savoir qui tu es, sous tes coûteux vêtements, ta lingerie féminine sans doute, on finira par savoir qui tu es, Mick, on ne veut pas de toi ici, ni dans l'autobus scolaire ni dans nos salles de cours, nulle part on ne veut de toi, Mick, c'est ce qu'ils ne cessent de me dire, ces odieux individus, ces bas collégiens, et les plus jeunes aussi, les écoliers qui ont toujours des pierres aux poings, né à l'ère de l'intimidation et de l'assassinat contre soi-même, il faut savoir se défendre, ai-je dit ce matin à Tammy, quand on est un jeune mâle vigoureux, je les aurai tous à la fin avec mon judo, mon karaté, eux s'éloignaient de moi dans les corridors du Collège de la Trinité, et même elles, la psychologue, l'infirmière des écoles privées, même elles, je ne mettrai pas fin à ma vie en me jetant du haut d'un pont, moi, comme l'a fait un jeune musicien prometteur, dénoncé par des étudiants criminels, ceux en qui il voyait ses amis, ses camarades, que de tromperies, de trahisons, dans les couloirs des collèges, des universités, que de sournoises propagandes contre nous, mais je n'en serai, moi, Mick, ni la victime, ni le martyr, ai-je dit à ma sœur ce matin, et elle me regardait partir, toute craintive, en disant, Mick, ne peux-tu pas attendre la nuit pour sortir ainsi dans tes vêtements excentriques, pourquoi la nuit, lui ai-je dit, pourquoi la nuit, c'est au grand jour que je veux vivre et chanter, c'est au grand jour, dans l'ensoleillement et non la pénombre, que je serai modèle dans un magazine, et Mick pensait à celui qui était son Prince, son frère de Neverland, dans cette contrée à l'abandon aujourd'hui flânaient des enfants esseulés parmi les éléphants et les lions, les enfants du Prince banni de son paradis, quand donc reviendra papa, demandaient-ils, quand donc, quand d'autres faisaient la révolution, ces enfants rêvaient encore parmi leurs magnifiques animaux, et c'est ce que le Prince, avant son départ, avait accompli de sa ferme de Neverland, de son ranch, pensait Mick, que cette terre soit la terre de tous, des éléphants, des tigres et des singes, et l'on entendait sa musique comme lorsqu'il avait joué dans une salle de concert vide, que la terre soit à vous tous, enfants de ce monde, que la terre soit à vous tous, avait-il chanté, bien que nul ce jour-là ne fût présent pour l'entendre, vous n'êtes plus seuls, avait chanté le Prince pour Mick, *You Are Not Alone,* mais seul il avait chanté devant la salle vide dans la lumière rouge des projecteurs, et se souvenant de cette musique, Mick pensait qu'il n'avait plus rien à craindre, non, rien, si on lui interdisait de monter dans l'autobus scolaire, il marcherait, marcherait longtemps au soleil, invincible, pensait Mick, invincible, et toujours en attente de son vol dans une salle de l'aérogare, Daniel voyait une enfant de onze ans endormie contre son sac de voyage, elle avait allongé ses jambes sur les genoux de son père, c'étaient de longues jambes costaudes piquées de morsures de moustiques, le siège où elle s'était endormie étant inconfortable, le père arrangeait autour de sa tête le sac de voyage comme si c'était un oreiller, ces soins autour de la tête de sa fille, cette grâce du père, dans son affectueuse protection de l'enfant, à moitié couchée sur un banc, les jambes dépliées sur les genoux de son père, celui-ci ayant de monocordes conversations à son cellulaire mais n'oubliant jamais la dormeuse près de lui, toute cette scène touchait Daniel par sa simplicité, n'avait-il pas vécu lui-même de tels instants quand il voyageait avec Mai encore petite, les piqûres de moustiques sur les jambes de la fillette ne lui étaient-elles pas familières, et cette attitude dolente de l'enfant endormie, comme si elle était dans son lit et rêvant, l'enfant relevait les jambes, se mouvait, et d'un geste distrait le père rabattait la robe rouge de sa fille qui soudain lui semblait une si grande enfant, soucieux de sa décence, il rabattait vers les genoux la courte robe, passait dans les cheveux de l'endormie une main caressante, et à son cou redressait la croix d'or, c'était une madone dont la couleur de la peau était d'un brun mat, observait Daniel, une madone enfant aux jambes allongées sur les genoux de son père, aux lèvres déjà sensuelles, dans le sommeil, c'était le tableau d'une jeune existence bientôt en plein épanouissement, et reposaient sur cette vie tant d'espoirs pour le père comme lorsque Daniel pensait à Mai, bien que Mai eût déjà, avec quelques années de plus, un visage et des lèvres sensuels, qu'elle fût cet épanouissement d'une chair qui s'éveillait à elle-même et ne dormait plus, mais ce temps d'une telle confiance entre le père et la fille, le temps des piqûres de moustiques sur les jambes, le temps des siestes l'après-midi dans un hamac était bien passé, pensait Daniel, le printemps, l'été de la vitalité de nos enfants, qui est en même temps la nôtre, étaient d'éphémères saisons, et soudain c'était la révolte, la désobéissance ou quelque fantasque comportement auquel ne pouvait s'attendre un père encore ému par le charme d'une enfance subitement défunte, comme si ceux qui l'avaient vécue n'en avaient aucun souvenir, ou qu'il valait mieux l'oublier, quand pourtant leurs parents les avaient comblés de tous les dons, ne leur ayant jamais rien refusé, quelle singulière coupure et comment s'en remettre, pensait Daniel en regardant la fillette endormie, comment croire que cette grande enfant sage briserait demain le cœur de son père, ou celui de sa mère, briserait le sien aussi, son cœur, dans le battement d'aventures insensées, puisqu'il ne pouvait en être autrement, aucun destin n'étant fait pour plaire à un autre, dans son unicité, et voici que passait la silhouette d'Augustino, si loin, en Inde, un jour il était près de vous, le lendemain il n'y était plus, il aurait pu écrire ses livres dans sa chambre comme le faisait son père, être plus domestiqué, domesticable auprès d'une femme, de ses enfants, ce n'est pas ainsi qu'il voyait la vie de l'écrivain, non, disait-il à Daniel, il lui fallait les orphelinats de Calcutta ou vivre parmi les enfants des faubourgs qui dormaient dans la rue, il lui fallait comprendre pourquoi le Gange était le fleuve le plus vénéré de l'Inde, il lui fallait s'engager partout où il allait, mais comment être dans cet engagement de l'action tout en étant aussi déraciné, pensait Daniel, était-ce conciliable, il était du côté de la misère et des enfants des castes, pendant qu'écrivait confortablement, chez lui, son père, ou s'il n'était pas à son bureau, écrivain écologiste, il acceptait encore quelques conférences universitaires, ce qui lui donnait l'illusion de n'être plus sédentaire, mais ancré dans une mission ultime, aussi humaine que nomade, il n'en était pas ainsi d'Augustino qui se rendait partout utile, bien que ce ne fût pas sans renfrognements, il ordonnait à son frère Vincent qui étudiait la médecine l'envoi de paquets de biscuits de toute urgence, il lui fallait cent paquets de ces biscuits si riches en protéines, tant de vitamines, de minéraux, et pourquoi Vincent ne viendrait-il pas se joindre à lui afin de sauver des vies, étudier, n'était-ce pas une perte de temps, ce qui troublait Vincent qui ne pouvait quitter ses études, je t'envoie les rations dont tu as besoin pour ton orphelinat, écrivait Vincent à Augustino, mais comme tu le sais, je dois étudier, travailler plus que les autres, étant souvent retardé par mes crises d'asthme, bien qu'elles soient moins fréquentes qu'autrefois, je ne peux partir librement comme tu le fais, et à ces mots timides de Vincent, Augustino répondait, renfrogné, tu vas devenir comme tant d'hommes dans ta profession d'une coriace insensibilité aux vraies douleurs, mais celui qui manifestait tant d'insensibilité envers son frère, n'était-ce pas Augustino, pensait Daniel, et n'était-ce pas Augustino qui, bien qu'écrivain engagé et travailleur dans les sphères les plus abominables du monde, n'était-ce pas lui, si bienfaisant pour ceux qu'il ne connaissait pas, qui était en même temps pour sa famille la plus proche aussi insupportable, pensait Daniel, et lorsque Lou quittait la maison de sa mère à six heures, c'était, le vendredi, pour aller dîner avec son père à l'extérieur, Ari disait que c'était la récompense de la semaine, mais comme Lou dînait si souvent à l'extérieur avec Ingrid, qui avait aussi peu de temps pour les repas du soir, ce n'était plus une récompense, mais un devoir, pensait Lou, ses parents oubliaient toujours que le vendredi, elle passait la nuit chez Rosie, ce qui était la récompense de Lou qui ne verrait ni l'un ni l'autre de ses parents pendant toute une soirée, toute une nuit, car Lou pensait qu'il fallait fuir ses parents harceleurs, bien sûr, Ingrid, Ari aimaient Lou, mais depuis longtemps, ne s'aimant plus entre eux, Lou préférait les fuir, et les fuyait-elle pour aller dormir chez Rosie, dans cette maison où elle se réveillait le matin dans les cris des bébés, car Rosie avait beaucoup de frères et sœurs, s'évadait-elle d'eux pendant quelques heures que, soudain, ou Ari ou Ingrid lui manquait cruellement, c'est que Lou n'était pas encore très mûre, disait sa mère, bien qu'elle eût un air de précoce maturité et ressemblât de plus en plus à Ingrid, comme moi tu seras grande, plantureuse, oh, tu seras plus belle que ta maman, ce qui est certain, disait Ingrid, vaquant à toutes ses diverses occupations à la fois, mère, commissaire des écoles catholiques, agente immobilière, mais, maman, la plus belle, c'est toi, répondait Lou, bien qu'elle fût peu flatteuse pour ses parents, il lui arrivait d'être un peu gentille avec sa mère, car Ingrid était une femme comme Lou, et les femmes étaient plus fragiles que les hommes, pensait Lou, quant à papa, Ari, ce n'était pas un plaisir de dîner avec lui à l'extérieur car il défendait à Lou de manger des frites, soupe et salade, c'était tout, et si ennuyeux, soudain il sortait de son cartable à dessins le bulletin scolaire de Lou, et que disait-il ponctuellement, avant le dessert auquel ce jour-là Lou n'aurait pas droit, car Ari avait jugé du poids de Lou, tu es trop ronde, disait-il, c'est ainsi quand tu es avec ta mère, elle te laisse dévorer n'importe quoi à toute heure du jour, et ce n'est pas ainsi que je t'élève, moi, tu entends, Lou, et ce bulletin ne brillant pas par son excellence, Ari disait d'un ton autoritaire, c'est bien, mais tu peux faire mieux, n'est-ce pas, si tu es dans la classe des surdouées, et je paie pour cela, tu dois faire mieux que cela, oui, je suis déçu, disait-il, appuyant son regard sur Lou qui jouait avec son pain, sur les mains hâlées de Lou, les chaînettes en forme de cœur à ses poignets, ce regard d'Ari harcelant sa fille, pensait Lou, remontant jusqu'à la cravate de Jules que Lou avait mollement nouée à son cou au-dessus de son t-shirt, c'était sa nouvelle mode, pensait Ari avec irritation, porter les cravates de son frère qui était presque un adulte, et comment Ingrid avait-elle pu tolérer cette coiffure à la garçonne de Lou, qu'était-ce que cette créature d'aspect bohémien que marquait l'influence d'Ingrid, il faut que tu sois comme tu étais avant, plus féminine, disait Ari à sa fille, tu étais plus jolie quand tu ne portais pas la cravate de ton frère, bien qu'à ton âge il soit normal de tout essayer sur le plan vestimentaire, allait-il lui offrir un peu plus de liberté, au compte-gouttes, pensait Lou, quand allait-il se taire avec ses anciens principes, bon, revenons à ton bulletin, d'habitude, en mathématiques, en dessin tu es toujours la plus forte, que se passe-t-il, je t'ai déjà dit de ne pas découper ton pain de cette façon, et regarde-moi quand je te parle, Lou, il est temps que tu n'agisses plus comme une enfant mal élevée par sa mère, mais maman m'élève très bien, reprenait Lou, elle me permet maintenant de ne plus l'accompagner à la messe, elle dit que je ne dois pas me lever si tôt, il ne manquerait plus que cela, grognait Ari, que tu assistes à la messe avec ta mère, il ne faut appartenir à aucune religion, que tu n'aies pas la tête encombrée de toutes ces sottises, disait Ari, mais toi, tu es bouddhiste, disait Lou sans lever les yeux vers son père, toi, tu fais bien tout ce que tu veux, pourquoi pas maman, ce n'est pas sa faute si elle est catholique, c'est à cause de sa mère et de sa grand-mère, c'est dans la famille, disait Lou, raisonneuse, revenons à ton bulletin, disait Ari, vraiment tu pourrais faire beaucoup mieux, tu es dans la meilleure école de la ville, et dans une classe supérieure, et qu'est-ce que cette histoire, tu dors maintenant chez Rosie le vendredi soir, oui, disait Lou, papa, il faut que je parte, que tu me déposes chez Rosie dans ta voiture, il le faut, papa, mais d'habitude, c'est avec moi que tu passais le soir, la nuit du vendredi, dans ma maison, avec tes livres et tes vidéos, je ne t'ai pas vue de la semaine, Lou, la supplie-rait-il quand elle ne pensait qu'à partir, surtout qu'elle serait privée de dessert, trop ronde, sa fille, avait-il énoncé, il était pompeux, épuisant, elle qui l'avait tant aimé quand sa maî-tresse Noémie le retenait encore si souvent à New York, non, elle ne l'aimait plus, et ses cheveux blancs ondulant sur sa nuque, pourquoi n'était-il plus aussi beau et jeune, bien qu'il ne fût pas sans charme viril, mais cette parole sèche, autori-taire, lorsqu'il parlait à Lou, et surtout quel conformisme chez lui, non, il n'était plus le même, s'il avait d'autres maî-tresses, elle n'en savait rien, il ne lui en parlait plus, quel men-teur, pensait Lou, non, il ne disait plus la vérité, ni à Lou, ni à Ingrid, à personne, quel dissimulateur, pourtant Lou savait combien son père aimait les femmes, ne souriait-il pas à la serveuse, à toutes, toujours ce sourire de conquérant, quand il ne faisait que tourmenter, harceler Lou, leur histoire d'amour qui avait été longue et pleine d'événements était finie, pensait Lou, parce qu'il vieillissait, sans doute, oui, mais il était si alerte, venait de bâtir un nouvel atelier, et son bateau, qu'il naviguait bien, mais quand partiraient-ils pour Panama comme il l'avait promis, sans doute avait-il oublié cette promesse à Lou, Marie-Louise, disait-il soudain, ce bulletin me déplaît beaucoup, il faut faire mieux la prochaine fois, tu me le promets, n'est-ce pas? Lou ne répondrait pas surtout, il ne fallait pas le rassurer, pensait Lou, son père ressentirait l'approche de l'orage qu'était l'humeur de Lou, une atmosphère coléreuse allait bientôt sourdre, se répandre partout, il dirait, oui, quand tu es ainsi, aussi désagréable, Lou, je ne te reconnais pas, c'est comme si j'étais avec ta mère, les yeux baissés sur ses mains hâlées, les morceaux de pain entre ses doigts, Lou sentait que se lèveraient bientôt entre le père et la fille ces frontières de brouillard qui les sépareraient, Ari s'efforçait de désarmer Lou en lui demandant soudain, mais que se passe-t-il donc dans cette petite tête tumultueuse, hein, dis-moi, Lou, ne suis-je pas ton ami, je vois, je dois conclure que si tu as apporté ton gros sac à dos, oui, c'est pour aller dormir chez Rosie, comme si les parents de Rosie n'avaient pas déjà assez d'enfants, Ari imaginant le désordre de ce sac car, pour Lou, l'ordre consistait à empiler les objets les uns sur les autres, c'est ainsi que le seuil de sa chambre demeurait impénétrable, un tel fouillis, pensait Ari, tu ne peux voir ce qu'il y a dans ce sac, semblait dire Lou bien qu'elle ne dît rien, qu'elle fût toujours retranchée derrière le brouillard de son humeur désastreuse, pensait Ari, tu veux que nous allions à l'exposition de plusieurs galeries de peinture, demain, tout était donc programmé, décrété, pensait Lou, peut-être allait-il l'attendrir, dans son rôle d'éducateur créatif, en lui parlant de ses derniers dessins, car certains jours Lou voulait devenir designer, son père lui ayant révélé à l'ordinateur l'œuvre du talentueux Alexander McQueen,

Lou dessinait des modèles vêtus de robes vertes avec des bouquets d'herbes volantes au sommet de leurs têtes, c'est assez bien mais un peu cavalier, disait Ari, et surtout tous ces bouquets sur la tête de tes modèles, c'est peu pratique, il faut être plus attentif aux détails comme l'était le grand designer, pour lui si adroit il s'agissait de véritables constructions, d'œuvres d'art s'élevant vers le ciel, d'œuvres mobiles, oui, disait Ari, mais en se penchant sur les dessins de Lou, plus imaginatifs que les siens, Lou étant toujours fascinée par les serpents, elle en couronnait les têtes de ses modèles, grappes de raisins, roses ou serpents noueux dans les cheveux, Lou ne s'imposait aucune limite, contrairement à son père, dans ses tableaux et sculptures, et n'était-ce pas cette extravagance illimitée mais précise, dans le choix de l'image, du symbole, de la novation, qui dépassait Ari, ah, cette génération n'était pas la sienne, où allaient-ils tous, accaparant des lois de l'art pour mieux les détruire, tu as une imagination très fantaisiste, disait enfin Ari à Lou, soudain elle le gratifiait du regard coupant de ses yeux bleus, les frontières de brouillard n'allaient-elles pas se dissoudre, se disperser au loin, je te déposerai chez Rosie avant huit heures, disait-il d'une voix moins intransigeante soudain, mais songe, ma chérie, que je ne t'ai pas vue depuis une semaine, que cela a été très long pour moi, dommage, oui, que tu sois toujours si peu aimable quand tu as passé la semaine avec maman, dommage, oui, ces paroles, il ne les prononcerait pas, se disant qu'il valait mieux ne pas les prononcer, ce serait pour une autre fois, oui, pensait Ari, à n'en pas douter, Lou était la fille d'Ingrid plus qu'elle n'était la sienne, mais peut-être ne serait-ce que passager, peut-être, oui. Mais comme nous, nos enfants n'étaient-ils pas guidés par les motifs secrets, pensait Daniel, une peine, une affliction ne pouvait-elle pas les transformer à jamais, ainsi Augustino ne parlait jamais de sa grand-mère, pas plus que Mélanie n'évoquait le souvenir de sa mère, c'étaient là les motifs secrets du durcissement d'Augustino comme de la tristesse de Mélanie qui s'éveillait souvent la nuit en pleurant aux côtés de Daniel, feignant de dormir, Daniel ne posait aucune question, laissait couler ces pleurs inaltérables, cela durerait ainsi pendant plusieurs mois, quand Daniel éprouverait la certitude qu'on ne peut consoler les autres, ou comment le faire sans impudeur, de la plaine mouvementée du rêve où l'on entrevoyait ses morts, ceux-ci rajeunis par quelque effet surnaturel venaient nous surprendre comme s'ils disaient, puis-je revenir, est-ce bien ici ma maison, pourquoi ne m'accueillez vous pas, peut-être voyaient-ils la porte close de la chambre, du pavillon où ils avaient vécu, se demandant pourquoi on avait fermé si vite toutes ces pièces de la maison où ils déambulaient encore, à notre recherche, notre refus de la mort était tel qu'on ne voulait même pas en concevoir la régularité dans nos vies, bien que nous soyons pris, comme l'était Mélanie au milieu de la nuit, de crises lancinantes, d'accès foudroyants de peine, en était-il ainsi pour Augustino, qu'il fût en visite brève chez ses parents ou à l'écriture d'un livre en Inde, ou dormant dans la rue avec ses enfants des faubourgs, à Calcutta, n'était-il pas le seul à connaître le drame qu'il vivait, se souvenant de tout ce bonheur qu'il avait perdu avec le départ de l'être adoré, soudain il n'était plus un homme, mais l'enfant apparaissant le matin dans la chambre de sa grand-mère, ses perruches sur l'épaule, lui apportant son petit-déjeuner quand elle ne se sentait pas bien, ou celui plus petit qu'elle berçait dans la balançoire de la véranda, en lui parlant des arbres, des plantes du Texas, tu te souviendras plus tard, disait-elle, du nom de chaque plante, de chaque arbre, n'est-ce pas, quelques-uns de ces arbres ont été abattus par la tempête, cet hiver, dans notre jardin, toujours c'est une perte incalculable quand un arbre meurt, et Augustino écoutait la voix de sa grand-mère dans le roucoulement de ses perruches, c'était une autre vie, un autre temps, on lui avait tout arraché, confisqué, même au loin, ne le savait-il pas, comme pour sa mère, le mal serait toujours aussi lancinant, obsédant, et son âme toujours aussi révoltée, c'étaient là, peut-être, pensait Daniel, les motifs secrets du durcissement d'Augustino qui était devenu un homme, un écrivain dont les mots étaient porteurs de fiel, de colère, et Robbie revoyait Yinn, dans le salon d'habillage du Cabaret, que découvrait-il avec stupéfaction, c'était il y a quelques jours, pensait Robbie, l'horrible découverte de la condition d'Herman, une seconde fleur noire s'était mise à éclore sur la jambe droite d'Herman, Herman jetait sur une chaise, d'un geste qui semblait soudain désespéré, la robe verte vaporeuse que Yinn avait pourvue de son inspiration orientale, la perruque orange, les bracelets et les colliers des représentations de la nuit, je suis las ce soir, disait Herman à Yinn, quand je pense que Marcus est en prison à cause de moi, son frère, ses amis ne pensent qu'à se venger, ma période de rémission achève, je ne m'en sortirai pas, disait froidement Herman, il faut vouloir en sortir, disait Yinn, il faut le vouloir, mais Yinn ne savait-il pas combien ses efforts de consolation, ses conseils, étaient vains, la fleur noire était soudain disproportionnée sur la jambe d'Herman, incrustée dans la chair atteinte, et ce ton furieux mais désespéré, oui, d'Herman disant à Yinn, aucune opération cette fois, que la nature œuvre seule vers son but de pourriture, aucun fauteuil roulant, comme l'a fait Fatalité, il faut savoir mourir debout, n'est-ce pas, Yinn, et cette fois, Marcus ne sera pas là pour me procurer, de son infirmerie, un peu de morphine, peu à peu aucun d'entre vous ne me reconnaîtra plus dans ce nouveau monstre déformé par le cancer, peu à peu, disait Herman à Yinn qui n'osait pas regarder son ami, il faut vouloir, vouloir vivre, disait Yinn, j'aurai quelques mois de grâce, disait Herman, oui, quelques mois pendant que me pousseront partout des bosses, des excroissances et quoi encore, ce qui ne m'empêchera pas de travailler, non, disait Herman à Yinn, il me faut du hasch dès ce soir, quand on est givré, on ne sent plus rien, qui a dit qu'il fallait décéder en pleine conscience, dis-moi, Yinn, ne peux-tu pas me trouver un peu de hasch, ton ami, le capitaine Thomas, n'en possède-t-il pas sur son bateau, je t'amène boire un verre avant la fin de la nuit, avait dit Yinn en saisissant Herman par l'épaule, assez de ce hasch, tu n'en as que trop pris, assez de te givrer, Herman, tu en as déjà trop absorbé de ces drogues de toutes sortes, crack, ecstasy, hasch, assez, nous reverrons demain ton chirurgien, car tu dois vouloir vivre, Herman, répétait Yinn, et pourquoi, demandait Herman, pourquoi, nul d'entre vous ne me dira quoi faire, pas même toi, Yinn, et lui, Yinn, qui allait encore perdre un ami, un de plus, avait dit à Robbie, pourquoi en est-il ainsi, pourquoi, bouleversé par tant d'injustices, il regardait Herman, ne pouvait que se répéter, oh, pourquoi, pourquoi, est-ce parce que, contrairement aux autres, nous vivons librement et sans honte, parce que nous sommes simplement vivants et sensuels, pourquoi cette injustice doit-elle frapper des artistes aussi indispensables à la société à laquelle ils veulent s'adapter, ou le désir d'adaptation est-il trop grand, que se passe-t-il donc, disait

225

Yinn à Robbie, il était soudain humble et déconcerté, mais la nécessité de sauver Herman l'emportait soudain, sois dans mon atelier à huit heures, dès demain matin, disait Yinn à Robbie, nous l'amènerons de force à l'hôpital, oui, n'oublie pas d'être chez moi à huit heures, Robbie, à deux nous y arriverons bien, et qu'il le veuille ou non, Herman va reprendre ses traitements, qu'il le veuille ou non, oui. Nora demandait à Christiensen, encore et encore elle demandait, vraiment, chéri, il te plaît, ce tableau, non seulement il me plaît, confirmait-il, mais je l'aime beaucoup, mais bien que la réponse de son mari fût si positive, encourageante, Nora y croyait à peine, parmi tous les autoportraits que tu as peints, celui-ci me semble le plus transcendant, disait Christiensen d'une voix dubitative, car ce mot *transcendant* conviendrait-il à Nora, ce tableau possède des qualités sublimes, ajoutait-il, mais le blanc des yeux n'est-il pas trop clair, demandait Nora qui pensait aussi à son dîner qui n'était pas prêt, ne recevaient-ils pas toujours des amis à dîner à la veille d'un départ de Christiensen, cette fois tout ne serait-il pas différent, pensait Nora, car à la fin de la mission de Christiensen, Nora rejoindrait son mari en Afrique, ce serait, cette rencontre, le renouvellement de leurs noces, depuis tant d'années, ils seraient enfin seuls, l'un avec l'autre, sans leurs enfants, nous irons dans le pays où je suis née, pensait Nora, ce sera l'anniversaire de notre mariage, oh, il y a mon plat qui brûle, s'écriait Nora, et ton chiot Tangie qui est toujours dans mes jambes quand je suis dans la cuisine, peux-tu le prendre avec toi, cette habitude de Christiensen de toujours ramener à la maison des bêtes perdues, quand il passait si peu de temps avec Nora, que cela ennuyait Nora, il a faim, je m'oc-cupe de lui, disait Christiensen, s'apprêtant à nourrir le chiot dans le jardin, mais Tangie sautait déjà dans les bras de son maître, léchait la figure de Christiensen de ses baisers, mon trésor, disait Christiensen, je suis content, tu as bon appétit, mon courageux petit Tangie qui a été battu, abandonné, battu, il n'en sera pas ainsi avec nous, tu seras trop aimé, oui, et qui prendra soin de lui quand tu seras parti, disait Nora de la cuisine, moi, encore moi, Nora semblait moqueuse, se disant que son mari ne l'écoutait pas, car il devait quérir les coupes et la bouteille de champagne, des soirées de départ, comme si ces veilles de séparation étaient des fêtes, pensait-elle, mais qui sait, ces veilles étaient peut-être pour lui des réjouissances, là-bas, si loin de sa famille, il accomplissait son destin, il avait des hommes, des femmes sous ses ordres, ses missions comme économiste étaient avant tout humani-taires, pensait Nora, mais quelle étrange soirée, pourquoi éprouvait-elle de si curieuses sensations de peur, de peur ou de vide, c'était le temps chaud, peut-être, ou parce qu'elle avait si peu dormi, fait de ces effrayants cauchemars, com-ment retracer ce cauchemar, une chute dans le néant, elle tombait de ces hauteurs inconnues, tombait, tombait, et entendait une voix qui disait, voici la fin de Nora, femme de Christiensen, voici qu'elle vient de sombrer dans le néant, puis elle se réveillait en sueur, se calmant en se disant que ce n'était qu'un rêve, elle eût aimé confier sa terreur à Christien-sen, mais depuis quelque temps, comme il travaillait tard le soir, il préférait dormir seul dans la chambre vide de Greta, parfois elle accourait se blottir contre lui à travers ses jour-naux internationaux du jour, les nombreux livres qu'il lisait la nuit, lorsqu'il tardait à s'endormir, il caressait distraite-ment la tête de Nora en disant, dors maintenant, dors, ma chérie, continuant jusqu'à l'aube ses lectures, je m'inquiète que nous ne devenions qu'un vieux couple, pensait Nora qui s'agitait, il ne cesse de lire quand j'ai toutes ces peurs, bon, il est presque l'heure de se lever, je me sentirai mieux en allant nager dans la piscine, je me sentirai mieux, oui, et il est vrai qu'en nageant elle se sentait mieux, pourtant, lorsque, dans ses rêves les plus hantés, elle faisait de ces chutes, n'était-ce pas du haut du ciel vers l'océan, comme si elle était relâchée d'un parachute, vers l'eau ou l'océan, ou le néant, tout était ici si semblable, et ces mots qu'elle entendait derrière elle, Nora n'est plus, Nora, femme de Christiensen, Nora, alors n'était-ce pas comme lorsque son père, le chirurgien dans la brousse africaine, lui disait, Nora, ton esprit est trop rêveur, trop peu concentré, tu ne pourras jamais devenir le médecin dont j'aurais besoin à mes côtés, plus tard, non, jamais, trop rêveur, l'esprit de Nora, et fait pour la chute dans le néant, le refus de son père la blessant encore, tu n'as aucune rigueur, Nora, tes pensées s'effritent et ne se concentrent pas, et cet état d'effritement, ne le transportait-elle pas dans ses tableaux, aujourd'hui, toutefois, Christiensen lui avait parlé de la transcendance de son autoportrait, mais c'était un homme généreux, fallait-il le croire, Nora entendait le tinte-ment des coupes de champagne que son mari posait sur la table du jardin, ce sera un délicieux dîner, dit-elle, mais sobre, très sobre, une salade chinoise, une dorade citronnée, et des sorbets comme tu les aimes, Christiensen, elle entendait aussi son propre bavardage excessif, nerveux, tendu par l'in-quiétude du départ de son mari, dès l'aube, le lendemain, c'était toujours ainsi lorsqu'il partait, elle était confuse, par-lait trop, ne savait plus soudain vers qui se réfugier, et le chiot Tangie qui la suivait partout, qu'elle repoussait vers Chris-tiensen, en Afrique on ne pouvait se permettre d'avoir des bêtes apprivoisées, les hyènes les attaquaient la nuit, défonçaient les moustiquaires où mon frère dormait avec son singe apprivoisé, oui, on ne pouvait se permettre, là-bas, mais tu n'es plus en Afrique, disait Christiensen, comme s'il eût répondu à la voix de Nora de très loin, comme si déjà il n'eût plus été avec elle, mais dans cet élan de joie de voir bientôt ses amis autour de lui, peintres, écrivains, il aimait tant les revoir entre deux départs, oui, on dirait une fête, des réjouissances quand il s'en va, pensait Nora, un peu amère, il semble aimer ses amis plus que moi, il irradie toujours auprès d'eux, quand avec moi je le sens mélancolique, c'est qu'il est aussi préoccupé par son travail, toujours il a cette préoccupation, nuit et jour, que les pauvres deviennent plus pauvres encore, mais cette fois, oui, dans une semaine à peine, nous nous retrouverons dans la ville où je suis née, nous nous retrouverons seuls, pensait Nora, l'air était parfumé, oui, ce serait une charmante soirée avec les amis, n'était-il pas temps d'oublier les mauvais rêves de la nuit, pensait Nora, quel apaisement que Christiensen ait dit du tableau, c'est une œuvre transcendante, aux qualités sublimes, même si elle, Nora, doutait que ce soit vrai, son mari l'aimant trop, aimant tant lui faire plaisir, même si elle doutait que ce soit vrai, car il y avait trop de clarté autour du blanc des yeux, dans l'autoportrait, ou était-ce le regard qui était si saisissant, elle verrait à ces détails, demain, oui, demain, elle y verrait, mais lui, Christiensen, ne serait plus là, près d'elle, elle le quitterait à l'aéroport, il ne serait plus là, non. Souvent, lorsqu'il ne pouvait monter dans l'autobus scolaire, quand on lui barrait le passage, ces vulgaires élèves, toujours à le bousculer, Mick revoyait cette photo du Prince s'illuminant devant lui, à l'horizon, il entendait la voix chanteuse lui dire, courage, courage, Mick, ils ne t'auront pas, Mick, moi aussi j'ai été persécuté, quand j'étais innocent, Mick, mais c'est parce que tu es innocent que tu es persécuté, c'était pendant un spectacle, on aurait dit un spectacle d'adieu tant il était dramatique, au Super Bowl à Pasadena, en Californie, le Prince ouvrait les bras vers le ciel, dans des vêtements de soie blanche fleurie, un maillot blanc sous une chemise blanche, un pantalon noir, Mick apprendrait à se vêtir de cette légèreté céleste, la main gauche du Prince était recouverte à demi d'un bandage, et ses doigts étaient rouges des brûlures subies, me voici sans défense, semblait dire cette image du Prince, mais écoutez ma voix, car je chante l'espoir de vivre pour de futures générations qui vont bientôt m'entendre jusqu'en Chine, partout, et toi aussi, Mick, tu m'entendras, cette image du Prince aux bras largement ouverts, dont le visage demeurait aussi avidement sensuel qu'hermétique, avec la bouche frémissante, les yeux fermés, était pour Mick une image de rédemption dans le bonheur, le Prince pionnier, crucifié sur un écran en feu, déplaçait les frontières du monde, de la liberté, et devant cette image illuminatrice, clouée à l'horizon, Mick ne craignait plus ceux qui le bousculaient, le malmenaient, d'autant plus qu'il saurait bientôt tous les vaincre, les supplanter par sa souplesse et ses connaissances nouvelles, avec le karaté, le judo, même si on l'attachait à une clôture, il saurait comment se défaire de ces nœuds de la perversité, de l'ignominie des autres, oui, cela, il l'avait appris, savait comment se déprendre, mais jamais il n'oublierait que sa vie était tributaire de la vie mutilée, sacrifiée des autres adolescents, en moins de vingt jours, pensait Mick, cette année-là, quatre collégiens, jeunes étudiants, s'étaient suicidés, éliminés dans cette guérilla taboue de l'intimidation dans les écoles, les collèges, les universités, c'était la guérilla des temps nouveaux, des temps anarchiques de la cruauté permise par les professeurs, les instituteurs, quelques secondes de manipulation avec Facebook, l'écran d'une vidéo ou d'un téléphone cellulaire et l'on détruirait la réputation de Tyler, le violoniste prometteur, ou celle de William, d'Asher ou de Seth, William se pendrait dans la grange familiale, Tyler se jetterait du haut d'un pont, Asher, qui n'avait que treize ans, se tirerait une balle dans la tête avec la carabine de son grand-père, Seth, le lecteur passionné de la Bible, allait se pendre et ne mourir qu'au bout d'une semaine, sous le regard impuissant de sa mère, et eux, professeurs, instituteurs, tuteurs, avaient été silencieux, comment n'avaient-ils pu sauver aucun d'entre eux, pensait Mick, qui marchait au soleil, les plus beaux looks, les gestes les plus osés, la vie de Mick serait toujours tributaire de ces vies interrompues à leur aube, et s'il fallait marcher ainsi longtemps au soleil, c'est qu'il lui était interdit par ces brutes de monter dans l'autobus scolaire, n'était-il pas écrit sur la vitre arrière du bus, ON NE VEUT PAS DE TOI ICI, marcher dans la canicule ne faisait pas peur à Mick qui s'hydratait souvent à sa bouteille d'eau, ralentissait son pas quand il le fallait, comme si sa démarche était la valse du Prince, car il entendait toujours sa musique, cette musique qui répétait à l'oreille de Mick, *No, you are not alone,* non, jamais tu n'es seul, non, Mick entendait aussi cette mélodie qu'avait jouée Tyler le musicien prometteur sur son violon, dans la ronde de ces visages d'une si pure innocence, les visages de Tyler, William, Asher, treize ans, et Seth, ce dernier n'était-il pas le plus tendre malgré l'offense reçue, l'insulte, tant ce n'était encore qu'un visage enfantin, cette mélodie avait précédé de quelques instants le premier baiser de Tyler sur les lèvres d'un garçon, précédé la trahison d'un camarade, et la précipitation vers le pont d'où Tyler allait sauter dans le vide, livrant à tous ce message, au revoir, je vais vers le pont d'où je vais me jeter, au revoir, désolé qu'il en soit ainsi, oui, désolé, pensait Mick, de devoir mourir, quelle ironie, pour un baiser, un premier, sur les lèvres d'un garçon, quelle déchirante mélodie on pouvait entendre du violon de Tyler, en cette fin de journée où il serait trahi, où se commettrait pour Tyler le musicien l'assassinat contre soi-même, à quoi bon ensuite ces vigiles dans les églises, les temples, à quoi bon pleurer, étudiants dans les bras les uns des autres, un vent de tempête soufflerait sur les chandelles, dans les temples, les églises, un hurlement de rage se ferait entendre sous le pont où Tyler avait péri, pensait Mick, qui marchait plus vite vers le Collège de la Trinité, les gestes les plus osés, les plus beaux looks, non, cette tragédie ne serait pas la sienne, et Paul le trompettiste demandait en passant à Fleur et à Kim, puis-je me joindre à vous pour une improvi-sation, quelques minutes seulement, j'ai une bande de musi-ciens qui m'attend plus loin, ce soir, ou bien préfères-tu, Fleur, Mozart, Vivaldi, à ma façon, toujours, partout, répon-dait Fleur, agacé, on entend cette musique vulgarisée, sans respect pour leurs illustres auteurs, partout, oui, dans les annonces publicitaires télévisées, dans les salles de cinéma, dans les allées des magasins, c'est une honte, disait Fleur à Paul qui ne pensait qu'à jouer de sa trompette, à se fondre dans la musique de Fleur, comme pour lui redonner le sou-rire, tu es sinistre sous ce capuchon, disait Paul à Fleur, comme moi, c'est dans un véritable orchestre que tu dois jouer, pas dans la rue, la composition de ta symphonie n'est-elle pas prête enfin pour le *Concours,* il faut te secouer, mon ami, Fleur allait prendre ombrage de plus en plus, pensait Kim, de ce que Paul était un authentique musicien doué, n'illustrait-il pas doublement son échec, pourquoi ne te joins-tu pas à notre groupe, dit Paul, jazz ou musique pop, nous sommes sérieux, Fleur qui avait longuement joué de sa flûte traversière semblait retenir son souffle, ses lèvres rouges, ardentes, luisaient sous le capuchon, pensait Kim, la musique, c'est pour que nous partagions une même joie, disait Paul, n'est-ce pas, Kim, n'ai-je pas raison Kim, Kim ne répondant à Paul le trompettiste que par une triste moue, Paul continua d'un ton enjoué son éloge du Nouvel Âge d'Or, de la musique qui serait bientôt jouée partout, finies les salles de concert où l'on s'ennuie, les orchestres se rassemblent dehors, partout dans les lieux publics, les parcs, sous les voûtes des édifices new-yorkais, ou les espaces encore préservés des grandes villes, que ce ne soit plus que pour les riches des salles de concert aseptisées, non, disait Paul, pour tous, et soudain nos orchestres symphoniques revivront, oui, nos musiciens ne seront plus en grève, disait Paul, il émanait de lui, pensait Kim, une sorte de satisfaction de soi lumineuse, comme le Mexicain Rafael et ses tarots, Paul était un enjôleur, un joyeux ensorceleur, il avait une maison, une maîtresse noire musicienne, de beaux enfants qu'il traînait partout avec lui, la musique, c'est épique et luxuriant, disait Paul, qui s'en allait, sa trompette sous le bras, en sifflotant, vers ses musiciens, ses amis, cet air triomphant de Paul, son aisance à être un musicien et un homme avait assombri Fleur, pensait Kim, Fleur qui semblait retenir son souffle, sa flûte traversière à la main. Demain, écrivait Daniel à sa fille de cette salle d'une aérogare qui peu à peu s'était transformée en son bureau, demain, écrivait-il à son ordinateur, de la

233

table d'un bar où l'observait Laure avec aigreur, car depuis près de six heures, pensait-elle, elle n'avait pas eu droit à une seule cigarette, en respirer l'arôme l'aurait réconfortée, mais l'interdiction était formelle, elle n'avait eu droit à rien, ni cigarette ni arôme, et pendant que Daniel semblait prendre tant de plaisir à écrire, Laure, elle, ne se sentait-elle pas diminuée, car sans ses cigarettes, elle n'existait plus, pensait-elle, c'était aussi une question esthétique, elle était plus aimable lorsqu'elle fumait, séduisait davantage les hommes autour d'un bar, avait la sensation d'exister vraiment, les vols n'étant toujours pas annoncés, quand sortiraient-ils enfin de cet aéroport, quand donc, pensait Laure, demain, écrivait Daniel, je serai dans le pays de James Joyce, en relisant le texte de ma conférence, ma chérie, il me semble que je devrais tout corriger depuis le début, le pays de l'écrivain étant celui de sa réinvention poétique, tout n'est-il pas perçu de l'intérieur, même l'audace linguistique, le langage écouté des autres et repris comme un poème ou un chant, l'écrivain s'identifiait aux souffrances de son peuple, mais en même temps aux souffrances de tous, voilà surtout ce que je veux exprimer dans cette conférence, écrivait Daniel à Mai, celui dont l'œuvre fut jugée subversive par les critiques était un homme droit, consciencieux, mais qu'était-ce soudain, le texte de la conférence se brouillait dans l'esprit de Daniel, cette suite de mots trop sonores, dignes de la plume critique d'Adrien, lui déplaisait, ma chère Mai, reprenait Daniel, je constate que tu m'as écrit plusieurs fois et que je n'ai répondu à aucune de tes questions, interrogations, depuis quelques jours, tu as choisi la section Art et photographie pour tes études, me dis-tu, et ton projet, ainsi que celui de tes amies africaines, est de produire un documentaire sur l'esclavagisme, devant ce mot si terrible, tu me demandes, pourquoi, papa, pourquoi tout un système social érigé sur l'humiliation, la servitude d'un peuple, sur le trafic des esclaves, tu me demandes pourquoi, pourquoi, quand, dans certains pays, cela existe encore à notre époque, de même que l'esclavage des enfants, l'esclavage sexuel, ce mot terrible, je ne peux l'effacer de notre histoire ni de l'histoire du monde, ainsi, nous qui nous croyons si affranchis, nous de la race des maîtres, le serons-nous jamais quand l'irréparable a été commis, aurons-nous jamais une condition libre, nous qui avons capturé jadis tant de femmes, d'hommes et d'enfants afin de les asservir, dans les pires traitements, tu me demandes pourquoi et je ne peux rien dire, ni te répondre efficacement, voilà pourquoi je n'ai pu t'écrire, Mai, depuis quelques jours, ce sont des sujets que j'ai souvent abordés dans mes livres, surtout le racisme contemporain toujours vivace, mais avec toi, on dirait que j'en suis incapable, serait-ce que je veuille t'éviter ce poids, le poids du souvenir des maîtres coupables, d'un bout à l'autre de la terre, ils l'ont été, condamnant ceux qu'ils jugeaient leurs inférieurs à la sujétion, à l'anéantissement, tu m'envoies des photographies anciennes, lesquelles appuieront votre documentaire, la marche sous un soleil cuisant d'une centaine d'esclaves, sous les balles de coton qu'ils portent sur leurs têtes, femmes, hommes et enfants, des champs de coton de la Caroline du Sud, tu le sais, je regarde ces photographies et je tremble de dégoût, et la photographie aussi de cet esclave né au Congo, un vieil homme brisé, rompu par le travail des plantations de coton, ma chère Mai, j'aimerais bien que tu n'aies pas à savoir tout cela, nous voici, toi et moi, avec ta maman, liés infailliblement par une même conscience, bien qu'on ne sache si cela peut servir, soudain se taisaient avec les mots de Mai ses questions, en une zone si perturbatrice pour Daniel, ses questions, ses interrogations, car Mai, laissant là un courriel inachevé, était rappelée par sa vie d'étudiante, ses cours, ses sorties avec ses amis, toute une vie sociale qui n'était que la sienne, grâce à laquelle, espérait Daniel, Mai oublierait Manuel et son père, et cet univers obscur qu'ils représentaient tous les deux pour le père de Mai, un univers souterrain punissable par la loi où sans doute, bien que Daniel n'eût aucune réelle certitude, Mai avait fait ses premières expériences avec la drogue, et qui sait, sans doute, ses premières expériences émotives, sexuelles avec Manuel, ou le père de Manuel, c'était un univers si immoral que Daniel préférait ne pas trop s'en approcher, c'était là la lâcheté de bien des pères, pensait Daniel, de s'aveugler ainsi de silence, de retrait, devant la conduite de leurs enfants, lorsque celle-ci leur semblait inexplicablement dangereuse, d'une amoralité pernicieuse, mais c'était quand même un acte de lâcheté, cette volonté d'oubli que nos enfants aussi pouvaient connaître l'enfer, comme nous l'avions connu nous-mêmes, en des temps antérieurs, comme si cet oubli, cet effacement gommait d'un seul coup l'erreur de nos expériences passées, comme si nous nous rachetions par l'ignorance, l'irresponsabilité de ces actes mêmes, et tenant toujours sa boîte en carton entre ses doigts, le dîner pour Kim, ce soir, sur la plage, quand déclinait la lumière peu à peu sur l'océan, et qu'une brise automnale encore torride soulevait ses cheveux, Brillant allait de son pas dansant vers Kim et Fleur, dommage, pensait-il, pour Lucia, son aimante vieille Lucia, que ses sœurs soient là à oppresser ses jours, qu'elles la menacent de tout perdre, sa maison, ses animaux, son jardin d'orangers et de citronniers, elles parleraient au juge, disaient-elles,

Lucia n'était-elle pas toujours dans un état d'ébriété, quant à sa mémoire, c'était un désastre, Lucia ne se souvenait que du passé, dans le présent elle oubliait tout, même de nourrir ses bêtes, dommage, quand Brillant avait dit à Lucia, rien ne vous arrivera car je serai toujours près de vous, Lucia, non, rien ne vous arrivera, mais si mes sœurs parlent au juge, je serai dépossédée, disait Lucia, on m'enlèvera tout, et je serai dans une institution, tu peux imaginer cela, mon cher Brillant, moi, dans une institution pour vieillards ou cinglés ou non, non, rien de tout cela n'arrivera, disait Brillant en embrassant Lucia sur les joues, non, pas en ma présence, jamais, je serai votre vigilant protecteur, disait Brillant à Lucia, un filet de sauce s'écoulait de la boîte sur le short de Brillant, dommage, mon short neuf, pensait Brillant, je dois le nettoyer avant demain, être impeccable pour le service du petit-déjeuner sinon le patron me remplacera par Pete ou Vladimir, ces clandestins malhonnêtes, ces tricheurs, Brillant voyait au loin les paquebots s'illuminer peu à peu telles les fenêtres d'un hôtel, la nuit, car ces paquebots n'étaient-ils pas des hôtels flottants avec tous leurs passagers déjà prêts pour le départ du lendemain, si loin, ils s'en allaient tous, vers les Bermudes, ou de lointaines distances inconnues, des signaux verts s'allumaient autour des barques, sur l'eau, dans une heure ce serait la nuit, dommage que Brillant se sente déjà ivre, c'était d'avoir longuement écouté Lucia, et Maria, tout en écrivant, dessinant dans l'air enfumé, bien que sans crayon ni stylo, écrire sur ce tableau de l'air, quand rien ne resterait, pas même une brève idée, savoir, pensait Brillant, que telle était la vie, tout s'en allait ainsi, dans un air enfumé, un musicien solitaire ressortait sa guitare de son étui, il respirait comme s'il appréhendait un orage dans ce soir très

237

calme, Brillant le salua en passant, un peu de vent, c'est tout, dit le musicien, dans un carré de verdure que froissaient une poule endormie et ses petits sous ses ailes élargies, un vagabond, ouvrant un sac en caoutchouc, offrait comme si c'était un rituel des miettes de pain à la poule, et ses poussins vinrent aussitôt vers lui, en caquetant, Brillant salua le vagabond d'un signe approbateur, observant que dans ce sac il y avait aussi un tapis de paille, un tapis de plage, lequel semblait la seule possession de l'homme, sans doute, comme Fleur et Kim, dormait-il sur ce tapis le jour comme la nuit, en quelque lieu où il se réfugiait sans être vu, l'homme qui était revêche répondit au salut de Brillant en grognant, eux et moi, c'est une même famille, il semblait méfiant tout en répandant les miettes de pain sur la poule et ses petits, oui, la même famille, répéta-t-il, sans doute celui-ci était-il plus soûl que Brillant, sans doute, oui, pensait Brillant, bien qu'il souhaitât ne jamais ressembler au vagabond plus tard, Brillant étant si soigneux de sa personne, il n'aurait jamais, pensait-il, cette apparence négligée, souillée, non, et puis Misha, il verrait bientôt Misha, non, Brillant ne quitterait plus son chien lorsque Misha serait guéri de ses traumatismes, ce serait bientôt, disait le vétérinaire si patient avec Misha, alors, aux côtés de Misha, peut-être Brillant, s'enfermant avec lui dans sa chambre, bien que ce fût une chambre si dénudée depuis le vol du frère de Marcus, des murs blancs, et une table, ce malin Virgile ayant tout saisi pour ses drogues, oui, alors dans cette solitude disciplinée auprès de Misha, Brillant écrirait sans fin son livre, oui, il ne fallait surtout pas oublier demain d'acheter du papier, un stylo, quant à l'ordinateur que lui proposait sa sœur peintre, dont elle voulait lui faire cadeau, oh non, il ne pouvait en être question, pensait-il, quel danger qu'il soit pillé, imité, son inspiration n'était-elle pas aussi ténue que l'air, il ne faudrait pas oublier le papier, oui, demain, afin que l'acte d'écrire soit consommé, disait Lucia, devienne vrai, réel, lui avait dit Lucia à travers quelques baisers, et en relisant son poème, donner ou recevoir, recevoir ou donner, l'un n'était-il pas l'autre, pensait Adrien, assis sur son banc de pierre, sous les palmiers d'argent, quand sur le court de tennis quelques joueurs s'attardaient encore sur la pelouse verdoyante qu'éclairaient les lumières du soir, Adrien se souvint qu'en ce temps-là, quand Charly était encore le chauffeur de Caroline et partageait les lectures de Caroline, sans doute était-ce pendant que Charly languissait près de la piscine, dans le désordre de ses crèmes solaires, les journaux, les magazines littéraires que lisait Caroline avec assiduité, posés là, au bord de la piscine, et que parcourait Charly dans sa langueur, sous le soleil de midi, en ce temps-là, oui, pendant qu'Adrien posait pour Caroline, pour sa collection de portraits d'écrivains, Caroline lui disant d'un ton professionnel, surtout ne bougez pas, Adrien, n'avait-il pas entendu Charly lui dire d'une voix séductrice dans sa paresse, vous savez, Adrien, j'aime beaucoup ce poème, *Donner ou recevoir,* que vient de me faire lire Caroline, mais c'est étrange, pourquoi cet homme, dans votre poème, donne-t-il des graines de tournesol à des corbeaux affamés sur un champ de neige, pourquoi cet homme espère-t-il, par ce don aux corbeaux, un printemps, un été de plus, en échange, pourquoi donc, avait demandé Charly, c'est que ces poèmes ont été écrits dans le froid, pendant que je visitais mes enfants dans leurs régions neigeuses, dans les montagnes où ils font du ski en hiver, avait répondu Adrien, voyez-vous, Charly, c'est une métaphore, une métaphore, avait répété évasivement Charly, on peut offrir du pain ou des graines de tournesol aux oiseaux qui ont faim en hiver, sur un champ de neige, en espérant quelque faveur du ciel en retour, en espérant quelque acquisition ou l'acquisition d'un printemps, d'un été de plus, vous ne pouvez comprendre, ma chère Charly, vous êtes trop jeune, alors ce sont les poèmes d'un adulte vieillissant, avait dit Charly avec impudence, et Adrien avait ri, quand Caroline ne cessait de lui dire de ne plus bouger ainsi, elle raterait tout, Adrien ayant un profil photogénique, Caroline tenait à en exprimer l'aspect volontaire, décidé, voilà qui était bien, avait pensé Adrien, Caroline honore mon profil d'écrivain, quand cette petite Charly se penche sur mon poème sans trop en saisir le sens, peu importe, tout cela est bien charmant, mais soudain en relisant ce poème, longtemps après cette scène de pose chez Caroline, Adrien pensait qu'il avait acquis ce cadeau d'un printemps, d'un été de plus, qu'ayant bientôt l'âge du vieil Isaac il lui faudrait une entière moisson de graines de tournesol pour ses corbeaux, et ne serait-ce pas indécent de demander en échange un, deux, trois printemps de plus, même si, comme il l'avait écrit dans ce poème ancien, il n'était pas déraisonnable de recevoir après une offrande en apparence gratuite, le désir de recevoir n'était-il pas ce qu'il y avait de plus légitime, et cette fois, qu'eût-il demandé de plus, que Suzanne lui revînt aussi intacte qu'autrefois, que Charly vînt poser sa tête sur ses genoux, qu'elle fût mensongèrement caressante avec Adrien comme elle l'avait été avec Caroline tout en l'entraînant vers l'abîme, mais ici, Adrien étant averti, il n'y aurait pas d'abîme, puis soudain Adrien pensa que même s'il vivait dans un pays tropical, quelle chaude brise l'enveloppait, bien qu'il gardât son blazer, n'enlevât pas son canotier blanc, quand brûlaient ses tempes, son front, désormais tous ses poèmes, tirés de la poche interne de son blazer, chaque jour, chaque soir, après le tennis, à l'heure d'un solennel silence autour de lui, à part le chant des oiseaux, l'écho des coqs se répondant l'un à l'autre, oui, tous ses poèmes seraient des poèmes écrits dans le froid, le froid intérieur de sa désolation d'avoir perdu Suzanne, il y a quelques mois, le froid de sa jeunesse trépassée, avec elle, le froid de la nuit, il ne pourrait confier ses pensées sur sa propre futile mortalité à Isaac qui ne croyait pas en la mort, de ses hauteurs où l'océan venait vers lui nuit et jour, dans un mouvement éternel, et si le vieil Isaac descendait de ses sommets, c'était pour dorloter ses panthères, ses renards, ses cerfs, les dernières parcelles d'un terrestre paradis dont il retarderait la fin, ou bien était-ce cela vivre toujours sans discontinuité, dans la féerique méditation que la beauté fût indestructible? Les plus beaux looks, les gestes les plus osés, pensait Mick, zigzaguant le long des rues, au soleil, mais si le mal, de nos jours, était prolifique, pourquoi le bien ne le serait-il pas aussi, pensait Mick, il devait bien exister, dans le Collège de la Trinité, parmi les classes, dans quelque building, les salles de lecture de la bibliothèque, peut-être, un ou deux individus avec qui Mick pourrait former une alliance, ce serait l'Alliance, le Pacte du refus de toute discrimination, Mick et ses amis lèveraient sur les toits des écoles, des collèges de la ville, leur bannière, un drapeau or, bleu et mauve ou bien un drapeau blanc comme pour inviter le territoire ennemi à la paix, ah, pourquoi Mick n'avait-il pas eu cette idée avant aujourd'hui, il lui fallait trouver maintenant cette fille ou ce garçon pour conclure le Pacte, l'Alliance contre tous les crimes de la haine, tous, pas plus que Mick pour l'originalité de ses vêtements, sa démarche un peu particulière, on ne pourrait interdire l'autobus scolaire à un Hispanique ou à une fille à la peau très sombre, on ne pourrait plus juger, méconnaître, châtier pour des raisons raciales, et si Mick formait une alliance avec cet ami, l'alliance peu à peu allait croître et s'accroître en un groupe, un groupe solidaire, mais où était cet ami, fille ou garçon, où étaient-ils tous qui viendraient se joindre à Mick, à sa bannière, à son drapeau, sur les toits des écoles, du Collège de la Trinité, jusqu'à présent le toit du Collège n'avait-il pas été pour Mick qu'un lieu de persécution, gravissait-il les marches de l'escalier de secours vers le toit, car du toit, au troisième étage, il n'y avait qu'un vide bleu, en dessous, si l'on devait y tomber, le vide de l'azur et des rues tachetées de la pluie écarlate des fleurs du jasmin s'effeuillant partout, sur les trottoirs et dans les arbres, c'était un vide bleu qui ferait fuir Mick chaque fois, et même ses ennemis derrière lui auraient peur, en le battant, de faire une chute, d'un geste gracieux appris au karaté, Mick renverserait sur le toit de ciment, l'un après l'autre, ses adversaires, les mêmes qui le bousculaient devant l'autobus scolaire, toujours les mêmes, oui, ils rebrousseraient chemin vers les étages des classes de biologie, de chimie, un peu plus et Mick les aurait précipités en bas, dans le vide bleu, de ce geste tranquille et gracieux appris au karaté, et Mick n'aurait plus entendu parler d'eux, de leur haine, de leurs gros visages contre le sien pendant les combats, sur le toit, non, mais cela aurait été un crime, et Mick voulait faire la paix avec l'ennemi, et d'abord former une Alliance, il s'agissait maintenant de trouver l'ami ou l'amie qui le suivrait, Mick était sûr qu'ils étaient là quelque part, peut-être avaient-ils trop peur pour dire à Mick, nous aussi on nous persécute, mais nous sommes avec toi, pour ton Alliance, ton Pacte contre la haine, nous allons lever la bannière avec toi sur le toit, et quand auraient cessé les persécutions sur le toit, quand ils auraient tous fui vers les étages des classes de biologie et de chimie, alors quand tout serait paisible enfin, Mick danserait seul devant le vide bleu, car de si haut on voyait aussi la mer de chaque côté, tous les océans, on les voyait clairement, pensait Mick, et sous la clarté du firmament, Mick danserait seul, imitant le pas lunaire du Prince, dans ses souliers noirs vernis, ce pas, cette danse empruntée au pas des astronautes bondissant dans l'apesanteur sur le sol spongieux de la Lune, décollant de leur navire spatial, ils avaient inventé ce pas magnétique qui deviendrait celui du Prince, car il était lui aussi un cosmonaute, un spationaute, se mouvant hors de l'atmosphère terrestre, et Mick danserait ainsi seul long-temps sur le toit, se disant que, de si haut, on ne pouvait plus l'atteindre, qu'il était ailleurs, quand il entendait encore les voix des élèves, en bas, se chamaillant et se battant, mais il y avait bien, oui, parmi eux tous, une fille ou un garçon qui ferait le pacte contre la haine, avec lui, il y avait bien quelqu'un qui serait là, à l'attendre, même si c'était dans la peur, il trouverait cette fille ou ce garçon, et la résiliente chaîne contre la haine serait fondée, pensait Mick, qui mur-murait pour lui-même, les gestes les plus osés, les plus beaux looks, oh, ils verront ce qu'ils verront, oui. Il est certain qu'il ne pouvait en être autrement, pour Augustino, pensait Daniel, que son fils révolté irait de déception en déception, c'était là un autre courriel que Daniel avait oublié de lire, tant l'ombre intruse de Laure l'embarrassait, n'était-elle pas tou-jours autour de lui, se plaignant de ne pouvoir fumer, dans cette aérogare, elle écrirait à la compagnie aérienne, disait-elle, on la dédommagerait, et qui sait, il fallait voir en elle aussi une victime de notre temps, quelqu'un qui se sentait lésé de ses droits fondamentaux, pensait Daniel, ses yeux se fixant sur l'écran de l'ordinateur d'où surgissaient les mots d'Augustino, Augustino déçu, toujours déçu, hier, par les nappes de mazout sur nos fleuves et océans, l'écume noire sur les têtes des pélicans, des tortues de mer, refaisant pour son père le récit de tant de saccages par l'homme, et déçu aujourd'hui, quand il était en Inde, par les immondices s'accumulant sur les fleuves sacrés, car il n'y avait plus de fleuve sacré, de ville sacrée, l'ère industrielle polluait tout, piétinait le sacré, écrivait-il à son père qui, cette fois, épousait sa pensée déçue, ainsi, pendant cet instant, se ressemblaient-ils tous les deux, le père et le fils, pensait Daniel, de l'Himalaya jusqu'aux plaines, l'eau était rare et salie de détritus, de nobles femmes en saris rouges marchaient trois, quatre heures chaque jour vers ces villages aux sources et aux rivières taries, le Gange fleuve sacré était le fleuve des toxicités, non, il n'y avait plus de fleuve sacré appelé le Gange, ou de ville sacrée appelée Varanasi, ceux qui se baignaient dans ces eaux se contaminaient eux-mêmes, écrivait Augustino à son père, et Daniel écrivait vite à Augustino, tu sais, je viens de lire dans une revue scientifique que ces rivières, ces fleuves peuvent encore être sauvés, et je crois qu'ils le seront, ce sauvetage massif est en cours, tu ne me dis pas, cher Augustino, si tu as pu finir ton livre, dans les conditions qui sont les tiennes, jouis-tu au moins d'un peu de confort, sache préserver ta santé, cher Augustino, la pensée de Daniel divaguait ailleurs, vers sa conférence et l'Irlande qu'il verrait demain, James Joyce et ce prodige quand même de pouvoir écrire, ou ce miracle, pouvait-on décrire ce que cela signifiait dans un monde où on lisait peu de cette vraie littérature, où lire était un automatisme de facilité parmi tant de marchandises électroniques aussi éducatives que distrayantes, où tous nos joujoux tactiles nous poussaient peu à la réflexion, nous poussaient à une mobilité ahurie qui nous étourdissait doucement dans notre confort, nous isolant de plus en plus les uns des autres, comme Daniel en avait l'exemple ici dans cet aéroport, chacun si absorbé par ces jeux, finirait-il par oublier le passage du temps, bientôt ils seraient tous dans cette enclave depuis six heures, attendant que le prochain vol soit annoncé, n'était-ce pas dans tout son confort une sorte d'enfer que de se retrouver ensemble si peu conscients, on pourrait bombarder cet aéroport qu'ils ne sentiraient rien, pensait Daniel, tant l'électronique créait autour d'eux une couche thermale isolante, autour de leurs oreilles qui n'entendaient plus, sous les écouteurs, comme autour de leurs yeux captifs de l'image qu'ils voyaient, dans un déroulement successif, c'était là une idée que Daniel développait dans son livre *Les Étranges Années,* pensait-il, se reprochant de ne pas avoir écrit depuis plusieurs mois, comment avait-il pu être aussi négligent, sa pensée dérivait aussi vers Olivier et Tchouan, Olivier qui n'écrivait plus, pas même ses articles que Daniel jugeait indispensables, Daniel avait écrit plusieurs fois à Olivier combien la vitalité accusatrice des articles d'Olivier lui manquait, nous avons besoin d'entendre votre voix, Olivier, avait écrit Daniel au journaliste qu'il admirait, mon mari est gravement dépressif, avait écrit Tchouan à Daniel, Jermaine et moi sommes beaucoup à ses côtés en espérant que cela ne sera qu'une phase pour notre cher Olivier, oui, qu'une phase, l'envahissement de la douleur psychique a atteint son corps, c'est à peine si Olivier peut marcher, écrivait Tchouan, nous ne savons plus quoi penser, mon fils et moi, nous avons consulté plusieurs médecins, vous qui connaissez mon mari affectueux, il nous dit, vous m'aimez, vous continuez de m'aimer, je vous en remercie, c'est déjà beaucoup pour un homme affaibli comme je le suis, ce que l'on ne sait pas, c'est que la dépression mène à la mort, mais je ne veux pas mourir, non, ni me détruire, comme l'ont fait plusieurs écrivains parmi mes amis, toutefois hier je me permettais de les condamner pour leurs actions suicidaires, aujourd'hui je n'oserais pas, je n'oserais plus, disait Olivier à Tchouan, et ces paroles ne sont-elles pas inquiétantes, écrivait Tchouan à Daniel, mon cher Daniel, venez, je vous en prie, malgré tant de tristesse dans nos vies, venez nous rendre visite comme autrefois, ce sera pour notre famille une joie de vous voir, Daniel écrivait à Tchouan, pourquoi notre cher Olivier éprouve-t-il cette sorte d'insatisfaction chronique, lui dont les générations nouvelles admirent le courage politique et social, toujours cet homme s'est battu, lui qui fut l'un des premiers sénateurs noirs à être élu dans son pays, mais peut-être a-t-il trop combattu, pensait Daniel, lutté contre des forces malfaisantes, hostiles, des forces impavides, quand autrefois, jeune manifestant dans les rues, on lançait contre lui et les siens des chiens enragés, quand le frappaient de leurs bâtons les policiers, en un temps où cela était encore accepté et même permis, Olivier était à l'origine de l'évolution du monde, à cause de lui les lois avaient changé, le cours de l'histoire s'était modifié, pourquoi, oui, cette lassitude du vieux combattant, quand la lutte malgré tout ne faisait que commencer, pensait Daniel qui revoyait Tchouan danser toute la nuit lors de cette nuit de l'anniversaire de Mère, oui, je danserai toute la nuit, avait décidé Tchouan, pendant cette nuit de fête, c'était dans la maison, les jardins de Tchouan, tout ce paysage oriental, léger, qu'elle avait su créer autour d'elle, une luxuriance sans poids, avait dit Mère à Tchouan, que l'on est bien dans ce dépouillement aéré, même en ce temps-là, Olivier demeurait seul dans un cottage près de la mer, communiquant avec sa femme, son fils, par téléphone, reclus, abîmé dans de négatives réflexions, il l'était déjà, pensait Daniel, le métier de Tchouan l'envoyant souvent à Paris, à Milan, à Hong Kong, ils se téléphonaient encore plusieurs fois par jour, Jermaine était là, venant de la Californie pour être près de son père, quel amour les unissait tous, quelle fidèle affection, et soudain ce voile obscurcissant l'esprit d'Olivier, la misère à nu d'une âme soudain sans ressources ni élan, bien que cela fît tant de peine à Tchouan, à son fils, ils danseraient toute la nuit, en cette nuit d'anniversaire de Mère, ils avaient, la mère et le fils, un même sourire, les mêmes paupières bridées, quand à cette époque Jermaine avait teint ses cheveux en blond, et qu'avait dit Tchouan, cette nuit je ferai ce que je ne fais jamais, je vais partager un peu d'ecstasy avec mon fils, vous savez que je lui défends bien d'en consommer, mais nos enfants soudain ne sont plus nos enfants, ce sont de grands jeunes gens qui ne vivent que selon le plaisir de leur liberté, ne devrions-nous pas être un peu comme eux, moins rigides, plus relaxés, oui, ne devrions-nous pas, Daniel, aujourd'hui, aurait aimé poursuivre cette conversation avec Tchouan, il avait tant à dire à cette femme raffinée qui avait beaucoup aimé Mère et Mélanie, dont elle avait été longtemps l'amie avant qu'elle ne quittât plus son mari, n'osât plus inviter chez elle ceux qu'elle aimait, car n'y avait-il pas trop de tension interne soudain, elle qui aimait tellement rire et danser, n'était-ce pas injuste qu'elle eût à assumer un désespoir qui lui était étranger, pensait Daniel, et pendant cette promenade en taxi avec Robbie, Petites Cendres avait aperçu Herman qui déambulait avec les autres filles dans la rue, avant le spectacle de huit heures, ce n'était plus Herman victorieux sur son tricycle qui franchissait en hurlant cette victoire les rangs des motards, sous une cape de dentelle, non, ce n'était plus, et que se passait-il donc, Petites Cendres voulait-il même le savoir, serait-ce le retour de la fleur gangrenée sur sa jambe, alors pourquoi ne pas consentir à l'ablation de la jambe si Herman souhaitait vivre, il aurait une jambe artificielle mais sous ses robes nul ne le saurait, il lui fallait lutter davantage, Robbie craignait qu'Herman fût trop enfoncé dans son habitude de l'héroïne maintenant, tout cela dans le but de ne pas souffrir, ou toute autre médication apaisante que lui avait fournie Marcus jadis, délit qui avait coûté à Marcus la prison, oui, qu'il fût trop givré pour lutter désormais, et c'est cet Herman défait, telle une marionnette dont les fils sont cassés entre les mains du marionnettiste, que Petites Cendres avait vu dans la procession du soir, quelques heures avant le couronnement de Robbie, sur une estrade, près de la mer, Petites Cendres doutait même qu'Herman fût là à se promener avec les autres, ne se reposait-il pas contre le mur du bar, une main appuyée sur la canne qui équilibrait sa démarche, ou le tenait encore debout, cette canne qu'il camouflait sous les plis d'une robe verte vaporeuse, seul le visage d'Herman se tenait haut et orgueilleux sous la perruque orange, dans les lueurs du jour finissant, cette procession des filles étant festive, jouissive, ce soir-là Herman tenait beaucoup à y participer, même s'il était très las, comme il l'avait avoué à Yinn, las, très las, avait-il dit, Herman avait longtemps contemplé Cheng,

Cobra, Santa Fe, Geisha, Cœur Triomphant et celui que Cœur Triomphant, depuis qu'il avait embrassé son visage, sous sa casquette, appelait son bel amour, et qui portait le nom de Je Sais Tout, toutes ces filles aux étonnants atours, superbes, sur leurs talons aiguilles, Herman les dévorait de son regard nostalgique, car on pouvait être nostalgique de ce qui était déjà perdu, et c'était un regard si lamentable que Petites Cendres en eût pleuré, mais Petites Cendres pensait qu'Herman était plus courageux, valeureux qu'il ne l'était lui-même, on le voyait tous les soirs, toutes les nuits encore, disait Robbie, aux représentations du Cabaret, à la fin de la nuit lorsqu'il n'y avait personne, dans la pâleur de l'aube, Yinn redescendait Herman dans ses bras, dans l'escalier du Cabaret, avec précaution, il déposait Herman sur le sofa rouge, mon ami, disait-il, qu'as-tu encore pris, tu te dopes, c'est mal, je t'en prie, réveille-toi, et sous ses longs cils brillaient soudain les yeux d'Herman, ses yeux verts, gourmands encore des félicités de la vie, disait Robbie, ne crains rien, frère, disait Herman à Yinn, je ne faisais que sommeiller un peu, frère, ne crains rien, j'ai moins mal maintenant, oui, comme je me sens bien, si Yinn avait été sincère, à cet instant, s'il avait éprouvé moins de pitié pour son ami, il aurait dit avec fureur ce qu'il ressentait vraiment, que pendant des années Herman avait agi avec imprudence, sans respect pour lui-même et sa santé, allant se faire rôtir sur les plages dès son réveil à midi, sachant depuis des années déjà que l'empreinte cancérogène avait fait sa marque sur sa peau qu'Herman qualifiait de peau trop blanche, il faut que je brunisse, répétait Herman sans se soucier du mal qui le rongeait déjà, un homme blanc, ce n'est pas esthétique, vanité que tout cela, lui aurait dit Yinn, regarde où tu en es maintenant, toi et tes plages à midi sous un soleil enflammé et dur, la mère d'Herman apparaissait dans cette pâleur du jour au Saloon, c'était une jeune femme aux cheveux roux d'une extraordinaire vaillance comme l'était son fils, j'ai loué une chambre avec véranda, tout près de cette rue, disait-elle à Yinn, ainsi Herman pourra dormir quelques heures et n'aura pas à marcher longtemps pour la représentation de demain, Yinn écoutait cette mère que la douleur ne tarderait pas à écraser de son poids, et soudain il s'emparait des mains de cette femme qu'il couvrait de baisers, cela nous arrache le cœur, disait-il dans un murmure, oui, cela nous arrache le cœur, ou bien s'il n'osait pas prononcer ces paroles, la mère d'Herman pouvait les lire dans les yeux effarés de Yinn, depuis quelque temps au Saloon, disait Yinn, humblement, nous ne sommes pas épargnés, non, nous ne le sommes pas, et n'est-ce pas incompréhensible qu'il en soit ainsi, oui, n'est-ce pas incompréhensible, et soudain il n'y avait plus entre eux, Yinn et la vaillante mère du garçon aux cheveux roux frisés qui dormait sur le sofa, que ces longs moments de silence qui les liaient l'un à l'autre dans une même désolante complicité. Je sais, j'ai peut-être eu tort de les accueillir et d'en faire mes deux apprentis, pensait le Vieux Marin à la passerelle de son bateau d'où il guettait l'arrivée du héron gris, mais c'était étrange, le Vieux Marin ne l'avait pas encore vu aujourd'hui, c'est que ce héron n'aimait pas les vents du nord, pensait-il, ou bien les deux apprentis Yvan et Lukas l'avaient effrayé et il n'osait plus voler près du bateau, même en sachant que c'étaient des braconniers de homards, des squatteurs dans les résidences que désertaient ceux qui craignaient qu'on les évacue sur les routes pendant un ouragan, des voleurs, oui, des criminels, mais comme ils étaient jeunes, ne fallait-il pas qu'un homme d'expérience comme l'était le Vieux Marin leur donne une chance, oui, une toute petite chance, puisque tous leur refusaient leur toit, en sachant tout cela, ce n'était pas qu'il soit débonnaire, en sachant tout cela, car il fallait que chacun ait sa chance, le Vieux Marin les avait accueillis comme pêcheurs sur son bateau, et même ces règlements de la pêche, en automne, Yvan et Lukas, ces garçons tatoués des pieds à la tête, n'avaient pas su y obéir, il craignait maintenant que le lieutenant de la surveillance en mer, ou bien un officier en service, ramène les deux garnements en prison, d'où peut-être, pensait le Vieux Marin, ils n'auraient pas dû sortir, non, le vieux marin Eddy se trompait sans doute, il avait bien fait de les accueillir puisqu'ils n'avaient nulle part où aller, ce qui n'était pas, non, trop bon signe quand personne ne voulait de vous, mais pourquoi le Vieux Marin cédait-il à ces pensées mesquines, quand demain viendrait Kim pour le nettoyage du bateau, Kim et Fleur, mais Fleur n'était pas le garçon qu'il fallait à Kim, non, il ne faisait rien de ses dix doigts, à part de la musique, et ce n'était pas assez pour une femme comme Kim, bien qu'elle ne fût pas encore une femme, mais quelle erreur de fréquenter un tel garçon et qui, en plus, vivait dans la rue, ce n'était, ce Fleur, qu'un indigent sous son capuchon, dans son manteau qu'il ne lavait jamais, toujours pieds nus, la bicyclette attendait Kim, toute repeinte en jaune, d'un jaune qui rutilait au soleil, le Vieux Marin l'avait repeinte ce matin, et maintenant la peinture était sèche, et Eddy imaginait la surprise que ce serait pour Kim, demain, de voir cette bicyclette toute retapée, quelle liberté pour Kim lorsqu'elle pourrait faire courir son chien, le tenant par son épaisse corde, de son siège, sur la bicyclette, déjà les insidieux Yvan et Lukas avaient posé quelques questions, pour qui cette bicyclette, le vieux père, pour qui, ne veux-tu pas qu'on la vende pour toi, comme nous allons justement en ville pour acheter des bières, on pourrait la vendre, c'est illégal de braconner le crabe et le homard et de les vendre plus cher sur le marché, si le lieutenant savait, vous seriez punis, c'est illégal, disait le Vieux Marin, et la bicyclette de Kim n'est pas à vendre, alors, demandaient-ils, les tatoués, qu'y a-t-il donc dans ton vieux coffre de marin, j'ai caché la clé, disait le Vieux Marin, vous qui voulez toujours trop savoir, vous ne saurez rien, assez de vos questions, c'est l'heure pour vous d'aller acheter les bières, et Eddy pensait, dans mon coffre de marin, il y a les photos de ma femme, de mes enfants, pas d'autres trésors, je suis parti depuis si longtemps que sans doute aucun d'entre eux ne se souvient de moi, mais je conserve les photos et quelques billets de banque pour plus tard, rien, aucun trésor pour ces curieux malfaisants, Yvan et Lukas, et que font-ils avec les homards qu'ils laissent souffrir dans les casiers, bon, quand ils me rapporteront quelques bières, plus qu'une douzaine pour nous tous, je serai bien content et ne demanderai rien de plus, pensait le Vieux Marin, et n'était-ce pas une bizarrerie, pensait Kim, eux qui avaient éprouvé des serrements de faim à l'estomac toute la journée, voici qu'ils n'avaient plus faim pendant que l'exubérant Brillant, toujours aussi expansif et bavard, préparait leur dîner sur le gril de la plage, venez autour de la table de bois, disait Brillant, près du gril fumant, que faites-vous toujours assis sur vos tapis de paille avec vos chiens, allez, il y en aura assez pour tout le monde, et même pour Damien et Max, allez, mes toutous, venez, je reviens de chez ma brave Lucia nourrir ses chiens et, vous voyez, j'ai toujours des sacs de biscuits pour chiens et chats, et eux me suivent même dans la rue, un jour j'offrirai mon logement qui ne sert à personne à Lucia afin qu'elle soit protégée de ses sœurs sadiques, ah, nous sommes jeunes, nous ne savons rien de la cruauté qui est réservée aux plus vieux que nous, j'ai aussi du champagne, pas de la meilleure qualité, Brillant regardait ses amis qui lui semblaient hagards, ce fut une journée sale et pénible, dit Kim, oui, mais c'est le soir et bientôt la nuit, une nuit de pleine lune, dit Brillant, et maintenant votre repas est prêt, je n'ai pas oublié le citron ni la sauce, non, je n'ai rien oublié, disait Bryan, dommage que j'aie taché mon short, mais je le laverai cette nuit, il faut être impeccable pour le patron, sinon ces clandestins Pete et Vladimir, sinon je me retrouverai sans emploi comme tant d'autres, mais qu'y a-t-il, vous n'avez pas faim, rien, dit Kim, ce n'était que la fatigue d'avoir joué toute la journée de sa flûte traversière quand personne ne l'écoutait, ce n'était que la fatigue de Fleur, dit Kim, jouez, jouez, ainsi dans l'insensibilité générale, quand personne ne l'écoutait, Kim ne dit pas qu'elle avait ses règles et que ces jours-là étaient toujours, pour elle, sales et pénibles, il est vrai qu'elle éprouvait soudain une grande fatigue, il y avait dans l'air qui se rafraîchissait une odeur de poisson cuit, je n'ai pas non plus oublié les herbes, disait Brillant, semant ses herbes sur le gril, et quelques morceaux de beurre, maintenant, peut-être le sang avait-il commencé à couler sur son string, pensait Kim, mais les douches de la plage étaient encore ouvertes, les policiers du haut de leurs splendides chevaux ne rôdaient pas encore, et qui pouvait les voir sous les gigantesques pins australiens de la plage, et lorsqu'ils furent assemblés autour de la table, leurs chiens en dessous contre leurs jambes, Kim pensa qu'ils étaient une famille, même si Brillant vagabonderait encore pendant la nuit, à sa guise, comme il le faisait si souvent, quant à Fleur, elle ne savait où il irait dormir seul, dans sa niche de carton avec Damien, telle était leur existence, elle aurait dû se dire que c'était bien, car dès demain, samedi, Fleur irait avec Kim sur le bateau du Vieux Marin pour le nettoyage de la cale, demain le Vieux Marin leur ferait cadeau de sa bicyclette, ainsi ils pourraient circuler partout, même si personne n'aimait voir les sans-abri à bicyclette, n'étaient-ils pas trop reconnaissables, comme Jérôme l'Africain, avec tout son fourbi, les signaux verts et rouges s'allumaient sur les bateaux, ils étaient libres et ensemble, pensait Kim, peu de gens sur cette terre étaient libres et ensemble sous des pins australiens, écoutant comme sans les entendre les vagues de l'océan, même si eux n'avaient pas de cabane pour dormir, ils avaient les plages, l'océan, tout ce qui était si beau et harmonieux quand il n'y avait pas d'orages torrentiels, pensait Kim, dans l'air aussi, on entendait une musique encore proche, peut-être était-ce l'orchestre de Paul le trompettiste, peut-être était-ce lui que l'on entendait, sa joie étant si communicative, pourquoi Kim n'avait-elle pas suivi le musicien, auprès de lui elle aurait pu rire, quand auprès de Fleur elle ne faisait que pleurer, elle ne comprenait pas pourquoi il en était ainsi, sans doute que c'était son destin d'être avec Fleur, même si Fleur feignait de repousser Kim de sa zone de trottoir, disant que c'était sa zone et pas la sienne, il fallait se rattacher à Fleur, à sa zone, autrement on pourchasserait Kim, elle serait violée par les autres itinérants, les connaissant tous, elle s'en méfiait, le trafic des narcotiques les égarait, ils ne savaient plus ce qu'ils faisaient, et toujours cette même histoire, ce sont les femmes qui en étaient les victimes, jeunes et moins jeunes, et même les décrépites dans leurs maillots de bain crasseux, ces femmes qui n'avaient plus de dents ni de cheveux, de misérables sorcières, eux étant une famille évitaient ces dangers, ils étaient encore propres, désirables, pensait Kim, le Vieux Marin disait de Kim qu'elle était une belle fille, qui sait, c'était peut-être vrai, alors si elle était désirable, pourquoi cette froideur de Fleur, oui, pourquoi, pensait Kim, toutes ces pensées, c'était à cause des règles, pensait Kim, autrement elle aurait mangé avec appétit tant elle avait eu faim tout le jour, et Brillant répétait à Kim que c'était délicieux, et qu'il fallait manger, le serrement, ce n'était pas à l'estomac, comme ce matin, non, c'était une sensation inexplicable, oui, une violente émotion, ce serrement, quand elle pensait à leur avenir, mais c'était aussi une chose inexplicable, à quoi bon vouloir l'expliquer ou à Fleur ou à Brillant, Fleur avait rabaissé son capuchon et Kim voyait maintenant son visage qui la fuyait, ou peut-être qu'il ne la fuyait pas, c'était cette sensation dérangeante, mais soudain ils s'étaient tous mis à manger avec voracité, il le fallait, c'était comme malgré eux, et Brillant souriait de toutes ses dents en disant, n'ai-je pas raison que c'est délicieux, et qu'en pensent nos amis chiens sous la table, ils en redemandent, vous voyez, et je n'ai plus que mes biscuits pour Lucia, peu importe, j'en achèterai d'autres demain, c'était la bonne humeur de Brillant qui soudain les emportait, les poussait à rire pour rien, malgré les sensations de malaise persistant pour Kim, c'était, pensait Kim, qu'ils étaient vivants, et ensemble, et une famille, oui, pensait Kim, il fallait remercier le ciel que les policiers sur leurs splendides chevaux ne les aient pas encore vus, oui, qu'ils ne soient pas là, à rôder tout près, à l'exception d'eux trois et de leurs chiens Max et Damien, il n'y avait personne sur cette plage ce soir, nous avons la terre à nous trois, disait Brillant, et ce qu'il disait était vrai, pensait Kim, la terre harmonieuse et belle, seulement pour eux trois et leurs chiens. Quand ils arriveront avec leur cargaison de cannettes de bière, je les sermonnerai, pensait Eddy, je leur dirai, ah, si j'avais su que vous étiez des braconniers, si j'avais su, il y a bien longtemps que je vous aurais dénoncés au lieutenant qui surveille les braconniers de son hélicoptère, il y a bien longtemps, oui, jusqu'à la baie Saint-Louis, en parcourant les mers, les océans, qu'ai-je toujours rencontré, des pirates, des braconniers de homards, et tous ceux-là qui ne laissent pas vivre, respirer et voler au-dessus des eaux le poisson volant, quand bientôt il n'y en aura plus aucun, avec la course des voiliers et des skieurs aquatiques, non, on ne les verra plus, ni eux, ni mes dauphins, ni mes tortues de mer que je vois chaque jour de mon poste de navigateur, les océans, les mers ne seront plus que des stockages de débris, seront pris dans les filets parmi les poissons rejetés, enfilés dans les mailles, les drogues échangées par les capitaines marchandeurs, au moment d'une poursuite, ils auront relâché seringues et aiguilles par centaines dans les eaux cristallines du golfe, et des chaussures, des tongs, on en verra partout sur nos rives, avec ces fragments de rafiots des Cubains, on ne se demandera plus où sont les hommes, les femmes, qui étaient sur ces rafiots, où sont-ils, d'autres, les rafiots des Haïtiens, on ne se posera pas même cette question, car le fleuve de la mort les aura transportés loin de nous, avec les baleines flottantes, sans vie, les chaussures, et les tongs désormais, c'est tout ce que je verrai de mon poste de navigateur, mais on dirait qu'ils sont là, on dirait qu'ils sont de retour, les garçons tatoués, je les entends, oui, est-ce bien eux qui discutent en bas dans la cabine, je vais bien les sermonner, en disant, si j'avais su, je ne veux pas de braconniers sur mon bateau, d'abord boire une bière en paix, sans même leur parler, demain il y aura Kim et Fleur, la bicyclette jaune rutilante au soleil, demain il y aura, il y aura, qui sait, la visite inattendue du héron gris, il a sans doute décidé de ne plus venir à la même heure, sentant ces présences ici autour de moi d'Yvan et de Lukas, n'étant plus aussi sûr de lui pour les visites ou bien n'aimant pas les vents du nord, le grand oiseau est un cadeau du ciel, un envoyé des nuages, un archange des eaux, mais je sais qu'il viendra, pensait le vieux marin Eddy, je sais qu'il viendra, et Kim pensait à Rafael, pourquoi était-il si agité avec ses prédictions au tarot, pourquoi, et n'avait-il pas révélé que Fleur partirait, aurait beaucoup de succès avec sa musique, loin, très loin de Kim et de la rue, il retournerait dans ces grandes villes d'Europe où il avait eu tant de succès, enfant, auprès d'elle, Clara, la violoniste virtuose, d'ailleurs dans les compositions de Fleur, disait Fleur, on pouvait entendre cette voix en souvenir de la musique de Clara à son violon, on pouvait entendre, disait Fleur, ah, si seulement il possédait un studio, comme Paul le trompettiste, des outils technologiques avancés, si seulement, ainsi enfermé tout le jour, il ne cesserait jamais de travailler, il y aurait alors le mixage des voix, la puissance du chœur et, très isolées, ces notes stridentes du violon de Clara, il y aurait, disait Fleur, il ne parlait ainsi, pensait Kim, que lorsqu'il s'enivrait un peu du mauvais champagne de Brillant ou lorsqu'il fumait son cannabis de mauvaise qualité aussi, Brillant était le pourvoyeur de bien des pauvres comme eux, bien qu'il ne fît aucun trafic, ses offrandes venaient de ses promenades dans les bars de la rue Bahama, de ses liens d'amitié avec les mendiants noirs, et ceux qui étaient sans emploi et stagnaient sur le porche de leurs maisons, maintenant on pouvait entendre les clameurs des motocyclistes et de leur bruyante arrivée en ville, pour la semaine, c'était au loin, pensait Kim, mais de telles clameurs faisaient sursauter les quelques poules qui ne s'étaient pas encore envolées dans les arbres, avec leurs larges motos onéreuses, les motards faisaient trembler les murs, se garaient aux abords des plages, on pouvait maintenant les entendre jusqu'ici, pensait Kim, oui, pourquoi Rafael, qui d'habitude était calme, d'un optimisme indomptable, alors oui, pourquoi, pensait Kim, avait-il été si agité en disant, non, je vous en prie, n'allez pas sur ce bateau demain, non, et Eddy pensait à ses cauchemars de la nuit, ceux-ci allaient et venaient, il y avait ces importuns soldats, camarades du passé sous leurs casques qui faisaient sauter de leurs grenades les baleines, les bancs de requins dans le Pacifique, il y avait leur poursuite, quand soudain l'un d'entre eux disait au Vieux Marin, l'heure est venue, on va te faire sauter, toi aussi, Eddy avait toujours ses repaires, ses cachettes à l'ombre des rochers, s'éveillant mal de ces nuits, Eddy avait l'impression d'être observé, épié par quelque fantôme, oh, c'était récent, cette peur indéfinie, le bateau du Vieux Marin avait toujours été sa demeure, son havre de tranquillité, en quel lieu aurait-il été aussi libre au monde, aussi détaché et serein que sur son ambulante embarcation, son modeste bateau qu'il avait rafistolé lui-même, après une tempête, il y avait longtemps qu'il n'avait pas revu les photos de sa femme, de ses enfants, lesquelles étaient rangées entre les pages d'un livre dans le vieux coffre de bois, longtemps, oui, et à force de ne plus les regarder, les traits de ces visages, sur ces photos, sans doute s'étaient-ils dissous, mais comment vivaient-ils tous loin de lui, là-bas, il n'avait pas eu de filles, c'était trop de soucis, seulement des garçons, c'était bien ainsi, et ils se débrouillaient bien sans lui, plus des garçons, des hommes maintenant dont le Vieux Marin ne pouvait imaginer les corps ni les visages, tant leurs traits, sur les photos, s'étaient dissous comme si l'eau les avait épongés, et peut-être était-ce cela, l'eau arrive à tout éponger, comme pendant un naufrage en mer, mais c'était étrange, oui, qu'il n'y ait aujourd'hui aucune visite du héron gris sur la passerelle, pas même un petit signe de son vol autour sur les vagues, cela remuait toujours un peu à cette heure, sous les planches du bateau, et que se racontaient-ils, ces deux garçons dans la cabine, Eddy n'avait pas assez réfléchi en leur souhaitant la bienvenue sur son bateau, on lui avait bien dit, ils sortent d'un centre pour délinquants, des squatteurs, des voleurs, ses voisins, les marins, oui, lui avaient bien dit, mais Eddy n'agissait toujours que selon ses principes, la chance, c'est pour tous, pas pour un seul homme, jusqu'à présent il n'avait aucun ennui avec ses principes, la charité, c'est pour tous, pas pour un seul homme, quel homme pouvait se vanter d'avoir été longtemps heureux avec ses principes, tout en menant une existence libre sur son bateau, quel homme, hein, et c'était l'histoire du Vieux Marin dont il aurait bien pu se vanter, dommage qu'il y ait ces cauchemars la nuit, mais ce n'était pas si fréquent, cela allait et venait à la cadence des vagues qui secouent trop, non, ce n'était pas fréquent, et Adrien vit le cavalier-officier qui lui disait du haut de son cheval, monsieur Adrien, monsieur Adrien, le court de tennis sera bientôt fermé, mais je n'avais pas remarqué qu'il y avait ici des grilles, un grillage, avait répondu Adrien, dans son étonnement qu'il y eût soudain près de lui un homme à cheval, voici une bête fantastique, je voudrais bien pouvoir monter un cheval aussi fringant, monsieur Adrien, répétait l'officier sur son cheval, nous allons bientôt fermer, oui, que faites-vous encore ici à cette heure, après le soleil couchant, c'est que, pour un écrivain, le temps n'est qu'illusion, dit Adrien, voyez-vous, j'ai été très distrait par l'écriture de mon poème, justement, je cherchais le titre, les comptes, l'heure des comptes, voyez-vous, monsieur l'officier, pour nous, le temps n'existe pas, il y a la loi, répondit l'officier du haut de son cheval, la loi, monsieur Adrien, existe pour tout le monde, vous n'êtes pas une exception, monsieur Adrien, vous ne pouvez échapper au temps, les aiguilles qui courent sur le cadran d'une horloge courent pour tous, monsieur Adrien, alors que dois-je faire, demanda Adrien, vous devriez songer à partir, oui, avant que nous fermions toutes les grilles, dit l'officier, l'officier avait un ton menaçant, heureusement qu'en se posant sur son carnet un diaphane papillon blanc avait délivré Adrien de sa sieste, quant au cheval, c'était une bête fantastique, une agréable apparition, pendant une somnolence de fin d'après-midi, le plus rassurant, c'était de se réveiller en s'égayant de ce que tout cela ne fût qu'un rêve, de ce qu'il n'y eût aucun homme sur son cheval qui donnât des ordres à Adrien qui s'apprêtait en toute innocence à terminer son poème, sous l'ombre fraîche des palmiers argentés, assis sur son banc de pierre, comme il le faisait ici chaque soir, mais pourquoi ne rêvait-il plus de Suzanne, où était-elle, n'était-ce pas toujours dans l'espoir de la retrouver dans ses bras qu'il prolongeait ainsi ses siestes de fin de journée, elle n'était donc plus, même dans son sommeil, sa conseillère et son amie, Adrien pensait que Suzanne infusait un swing à ses pensées, sans elle, ses essais sur Voltaire et Racine étaient ennuyeux, et rien de plus affligeant à lire qu'un auteur ennuyeux, pensait Adrien, même si ses anciens étudiants lui étaient toujours redevables de ses découvertes, Suzanne était le swing désormais absent de ses écrits, c'est Suzanne qui avait défendu la mise en scène de Cyril, de son *Phèdre* en comédie musicale, ce qui est divin ne peut devenir une comédie musicale, avait répliqué Adrien, c'est de l'exagération outrée, et quelle prétention, ce Cyril, pour qui se prend-il, tout cela parce qu'il est l'amant d'un grand poète, et un amant de passage, c'est Frédéric, l'unique passion de Charles, Suzanne avait fait taire Adrien en disant que Cyril était un comédien et un jeune metteur en scène surdoué, d'une avant-garde trop subtile pour Adrien, qu'Adrien exprimait ici une opinion retardataire, quant à sa liaison avec Charles, celle-ci apportait dans la vie de Charles un point culminant dans son inspiration de poète, oui, un point culminant aussi dans son activité sexuelle, oubliant qu'Adrien était son mari, Suzanne défendait Charles comme s'il était l'époux incompris, n'ayant d'ardeurs que pour lui, eh bien, je vais te dire, répondait Adrien avec sa naturelle insolence, je vais te dire, ma chère Suzanne, que si Dieu existe, Il conviendrait très bien à Charles qui est plus près de Dieu qu'il ne l'est de la compagnie des hommes, que peut bien signifier pour un homme dans ses hautes sphères cérébrales comme l'est Charles une aventure avec Cyril, hein, la flatterie de l'aventure, du sexe libéré de toute entrave avec un jeune homme aventureux, rien de plus, quand Dieu, s'Il existe, nous n'avons de cela aucune preuve, quand vraiment Dieu lui conviendrait davantage, au moins à Celui-ci il peut parler en toute égalité le même langage quand parmi nous il est si seul, et songeant à Suzanne défendant Charles, Adrien se souvint d'eux tous, ces couples loyaux bien qu'avec quelques failles, ces couples, Jean-Mathieu et Caroline, Adrien et Suzanne, Tchouan et

Olivier, Charles et Frédéric, ce dernier couple placé à la fin étant un peu moins légitimé que les autres, pensait Adrien qui voyait son couple à lui parmi les plus sublimes, dans sa séculaire légitimité, oui, Adrien et Suzanne, quand il n'y avait plus de Suzanne et qu'elle ne le visitait plus dans ses rêves, sans doute elle qui admirait tant son ami Charles avait-elle élu le chemin solaire qui la mènerait à lui, et qu'ils étaient réunis dans ces sphères où se parlent les esprits et que, du même accord, Charles et Suzanne avaient oublié Adrien qui résidait beaucoup plus bas, dans ces étages de la connaissance, surtout la connaissance spirituelle qui lui était à peu près inconnue, pensait Adrien, touché que les tourterelles continuent de roucouler si tard, à quelques pas de son banc. Maman ou papa, pensait Lou, à qui pourrais-je dire que cela a été une erreur de renvoyer le professeur de mathématiques José, shérif et détective l'ont amené avec eux, menottes aux poings, Ari ou Ingrid, à qui le dire, ou bien je ferais mieux de me taire, arrêté et sans son salaire de la semaine, du mois, oui, arrêté, quand il n'avait rien fait, pensait Lou, après une enquête, disait-on à l'école, on pouvait prouver que le professeur José avait touché une élève de douze ans à la hanche, et moi qui connais l'élève, je sais que ce n'est pas vrai, elle a menti, elle s'appelle Sophia et elle a menti, nous ne pouvons tolérer de tels comportements dans nos écoles, a déclaré la directrice, ou bien devrais-je dire à la directrice que Sophia a menti, qu'elle ment toujours, elle a dit, il a posé sa main noire sur mon sein, ma hanche, pendant que nous étions au volleyball, oui, il m'a touchée là et là à plusieurs reprises, j'étais avec elle dans la cour pendant le volleyball et je peux dire que ce n'est pas vrai, moi, Lou, je peux dire que tout cela est faux, que c'est une fausse accusation, mais à qui le dire, ils ne me croiraient pas, car désormais c'est écrit dans le journal, c'est écrit partout que l'homme est coupable, nous ne pouvons tolérer de tels comportements dans notre école, laquelle est davantage une famille qu'une école, a dit la directrice, non, nous ne pouvons tolérer cela, c'est la loi de notre comté, de notre pays que de tels comportements ne soient pas tolérés, a-t-elle dit, en renvoyant ce professeur inconvenant, nous ne pensons qu'aux meilleurs intérêts de nos élèves, à leur sauvegarde et protection, c'était un mercredi, le jour de son arrestation, José ne sortira de prison que dans un an, ce n'était qu'une attitude amicale, se défendit José, mais je n'ai commis aucun de ces gestes que l'on me reproche, ou bien c'est ma jambe qu'il a touchée de manière inappropriée, a dit Sophia, elle ne savait plus où, ni comment, s'embourbant dans ses mensonges, pensait Lou, oui, tant de mensonges, pendant que l'homme était accusé, puis arrêté, sa carrière suspendue, pour toujours peut-être, et qu'avait-elle ajouté encore, il y avait ce mouvement dans le pantalon de l'homme pendant qu'il la touchait ici et là, la partie exacte de son corps, elle ne savait plus, une érection, oui, elle avait prononcé le mot, et tous avaient écouté avec stupeur, la directrice, les élèves, le shérif et son détective, l'avait-il violée, Sophia n'avait su que répondre, le viol, c'était quoi, elle avait accusé l'homme, le professeur de mathématiques José, de toutes les fautes de la terre, car elle ne l'aimait pas, mais le viol, elle ne savait trop ce que c'était, à qui confier que l'homme dont on disait qu'il avait touché la jambe, le sein, la taille de Sophia n'avait fait aucun de ces gestes dont on l'accusait, comment dire à tous en pleine classe, oui, il est innocent, j'étais avec Sophia qui n'est qu'une menteuse, mais il y a eu une érection devant l'enfant, disait la directrice, nous ne pouvons tolérer de tels comportements dans nos écoles, et trois autres élèves ont menti avec Sophia en disant pour le rapport de police, oui, nous avons tout vu, et c'est vrai ce que raconte Sophia, nous avons tout vu, quand, pensait Lou, rien n'était vrai de ce qu'elles avaient vu, quand ces trois filles n'étaient que des menteuses, le professeur José a touché Sophia, c'était un peu au-dessus du genou, ont-elles dit, et comment dire à tous que c'était faux, comment le dire à papa ou à maman, la croiraient-ils, et lorsqu'on avait interrogé Lou, dans le bureau de la directrice, c'était une femme officier, Lou avait dit à l'officier, Sophia ment, Sophia n'est qu'une menteuse, Sophia, je le sais, veut du mal à cet homme, elle a toujours dit qu'elle ne l'aimait pas, qu'elle n'aimait pas son odeur ni la couleur de sa peau, elle a toujours dit, pourquoi est-il professeur dans notre école distinguée, pourquoi, Sophia ment, rien de tout ce qu'elle a dit n'est vrai, comme elle était la seule à dire la vérité, personne ne l'avait crue, ni le shérif, ni le détective, ni la femme officier, ils avaient tous conclu que Lou était l'ennemie de Sophia à l'école, et à qui dire la vérité maintenant quand l'homme était déjà accusé, arrêté, oui, à papa ou à maman ou à personne, il y avait donc des hommes aussi fragiles que des femmes fragiles, il y avait donc peu de justice pour quiconque, pensait Lou, il y avait donc des mensonges qui tuaient, pouvaient tuer, et papa, que dirait-il, que Sophia, comme sa fille Lou, était un peu précoce, et maman, si Lou lui parlait des mensonges de Sophia, ne riposterait-elle pas que c'était à cause de l'école privée, elle n'avait jamais approuvé que Lou soit dans une école privée, et ils se disputeraient de nouveau, Ari et Ingrid, d'intolérables disputes au-dessus de la tête de Lou, ses parents se haïssaient, pensait Lou, toujours ces querelles, ces mots brutaux entre eux, des mensonges de Sophia ils ne voulaient rien savoir, elle ne dirait rien, bien que ce soit une injustice pour José de ne rien dire, déjà la femme officier ne l'avait pas crue, et Lou pensait aux vraies raisons des mensonges de Sophia, les vraies raisons, c'est qu'elle avait toujours la note C à l'école, le professeur José écrivait des C dans son cahier, il ne pouvait faire autrement, Sophia ne faisait jamais ses devoirs, c'était à cause des C dans son cahier, tous ces mensonges de Sophia, ces insinuations que le professeur l'avait touchée ici et là, à plusieurs reprises, était-ce au-dessus du genou, sous sa jupe, où était-ce donc, elle ne se souvenait plus, si menteuse, ce n'était pas la première accusation ou délation de Sophia, non, ce n'était pas la première, pendant un séjour à Cuba, elle avait accusé un homme de l'avoir prise sur ses genoux, de l'avoir, non, on ne pouvait avouer ce que l'homme avait fait, c'était le premier mensonge de Sophia, toujours elle mentait, son père, qui était cubain, avait battu l'homme, il y avait toujours quelqu'un de châtié avec Sophia, ses mensonges, elle devait mentir ainsi depuis très longtemps, à qui parler des mensonges de Sophia, pensait Lou, quand personne ne l'écoutait, Sophia était dans un monde innommable, celui du mensonge, et eux tous refusaient de comprendre que ses accusations étaient fausses, et José, à cause de Sophia, avait été arrêté, humilié devant toute la classe, quand la vraie raison des mensonges de Sophia, pensait Lou, c'était la cause, la vraie cause, oui, des mensonges de Sophia, des mensonges qui tuaient, de Sophia, et nul ne voulait écouter ni comprendre, pensait Lou, nul ne voulait savoir la vérité, pas même Ingrid ou Ari, personne, non. Et quand Asoka reviendrait-il, pensait Ari en allant quérir sa fille chez Rosie pour la semaine, seul Asoka, le parrain de Lou, serait d'une bénéfique influence auprès de son enfant, rien de plus apaisant qu'une pensée positive, sans artifices, écrivait jadis, du Sri Lanka, le moine pèlerin à Ari, c'est que je suis d'un caractère instable et ma fille aussi, avait répondu Ari, tout à l'instabilité de ses liaisons amoureuses et à sa mésentente avec sa femme, le chaste moine bouddhiste Asoka pouvait-il seulement concevoir ce qu'était la vie d'un homme, pensait Ari, un homme qui n'était pas chaste et que ne portait aucune exaltation vers le bien, un homme comme tant d'autres, y ajoutant l'insatisfaction de l'artiste devant ses sculptures en marbre noir, ou en aluminium peint, Asoka voyageait-il encore en Russie sans manteau, lui déjà si dénué de tout, sans doute dans sa modestie Asoka avait-il accepté un manteau de ses disciples russes, nos corps n'abritent qu'une vie éphémère, avait écrit Asoka à Ari, mais non, mais non, avait pensé Ari, il faut être plus résilient, apprécier sa propre vitalité, mais soudain c'était de l'Ouganda que lui écrivait Asoka, certes cette résilience à toute épreuve était la sienne, bien qu'il semblât si frêle, le voici qui luttait seul auprès de ces malheureux atteints de malaria, c'est dans ces géants marécages habités par les crocodiles et les étouffantes fleurs du lys et du papyrus que se propage le parasite, écrivait Asoka, mon cher Ari, sois béni, toi, Ingrid et Lou, soyez tous bénis de ne pas m'oublier, je vous bénis tous tendrement, ton aide matérielle, cher Ari, m'a permis l'achat de centaines de moustiquaires pour les enfants d'un camp de réfugiés, tout près du lac Kwania, ici le moustique des marécages fait partout sa sinistre apparition et se nourrit de chair humaine, il faut craindre même pour les survivants qui retournent pêcher dans le marécage qu'ils se réinfectent, écrivait Asoka, et tant de bébés meurent chaque jour, autant de malnutrition que de malaria, les villes peu à peu sont décimées, bien qu'il y ait ici plusieurs centres médicaux, et de nombreux bénévoles, sois béni, cher Ari, de ne pas m'oublier, sache que je serai bientôt près de toi et de ta fille, mais toujours rappelé à son œuvre de moine pèlerin, par le monde, quand Asoka reviendrait-il, pensait Ari, et comment Ari expliquerait-il à cet homme exemplaire l'imperfection de Lou, proche de la sienne, les maussaderies de son caractère à l'approche de la puberté, de même que ses secrets qui l'éloignaient de son père, peut-être ne se retrouvaient-ils, le père et la fille, que penchés sur une feuille de dessin ou inventant quelque visuel puzzle à leur ordinateur, quelle ère soupçonneuse s'élevait donc entre eux, devant tout ce déséquilibre glissant, Asoka n'eût-il pas reproché à Ari sa nature volage, sa passion pour les femmes, toute complaisance qui lui eût semblé inacceptable, quand Ari n'était que complaisance, pensait-il de lui-même, si complaisant, comme pouvait l'être un artiste chercheur de formes nouvelles, qu'il ne pouvait plus être apaisé par cette pensée positive dont parlait son ami, il était sans doute trop tard, pensait Ari, et qu'était-ce qu'une pensée positive, cela pouvait-il exister dans un tel tumulte, celui de la vie moderne, quelle joie, toutefois, quand il verrait sa fille l'attendre devant la maison de Rosie, de ses nombreux frères et sœurs, dont Lou se serait vite lassée, papa, crierait-elle en venant vers lui, papa, et ainsi ce serait le début de la semaine de Lou avec son père, serait-elle capricieuse ou gentille, ou ne cesserait-elle de téléphoner à sa mère, de son cellulaire, en disant à Ingrid, je veux être avec toi, maman, dans quel écartèlement allaient-ils vivre tous les deux, entre l'amour et la trahison, oui, en y songeant bien, Asoka eût été une influence bénéfique pour Lou, pour le père comme pour la fille, une influence bénéfique, pensait

Ari, les pères en ce monde n'étaient-ils pas voués à l'incompréhension, à une exaspérante solitude, pensait Ari, ces petits êtres têtus et si facilement irritables finissaient toujours par dépasser leurs parents, bien qu'ils en fussent inconscients, et c'était un malheur de se sentir ainsi dépassé, vaincu par ses enfants, en fait, ce qui manquait à Lou, de la part de son père, c'était la sévérité, et Ari serait plus sévère, pour cela aussi il était un peu tard, pensait-il, quand il avait tant choyé Lou, sans une direction concrète, ce serait, cette sévérité, comme vouloir immobiliser dans sa course un poulain sauvage, oui, ce serait ainsi, pensait Ari, et revenant au titre de ce poème, *L'Heure des comptes*, Adrien se demandait pourquoi il avait pris tant de plaisir autrefois à attaquer les livres d'Augustino, ce charmant jeune homme toujours mal peigné et mal habillé, était-ce son apparence qui semblait si attaquable, ne l'était-elle pas plus que ses livres, quant à ses livres, Adrien devait s'avouer qu'il les avait peu lus, s'en souvenait peu, une lecture superficielle qui était inexcusable, et Cyril, il était bon que Suzanne lui remît en mémoire, dans ses rêves, qu'il n'avait pas non plus été très élogieux à l'égard de Cyril, ses mises en scène, ses livrets, la fluidité de ses créations modernes qu'avaient louée d'autres critiques, mais que Cyril sortît Phèdre de son mythe, des fondations antiques d'Euripide et de Sénèque, puis de la tragédie racinienne où se déroulaient les drames de la fatalité et de la prédestination, pour en faire l'amante incestueuse d'un motard, c'était abusif, on ne pouvait tout détruire du classicisme, Cyril exagérait, et ce n'était pas là une absence de charité de la part d'Adrien, il avait bien agi, défendait ce qui était grand plutôt que ce qui était fou, comme il l'avait toujours fait dans son intégrité, mais voici que sa femme, lorsqu'il la voyait encore dans ses rêves, lui disait, n'y avait-il pas là dans ces critiques une sorte de méchanceté refoulée, mon cher Adrien, ou plus encore, n'étais-tu pas jaloux, oui, d'Augustino, de Cyril, n'étais-tu pas un peu jaloux de ce qu'ils aient tous les deux, chacun à leur façon, tant d'imagination, Adrien se réveillait toujours à temps de ces rêves qui lui causaient des soucis, ou quelque relent de culpabilité vague, longtemps il croyait entendre chanter à son oreille la voix de Suzanne, lui répé-tant, Adrien, mon cher Adrien, quand s'estompait dans la brume le visage bien-aimé et si jeune, dans ces rêves où il pouvait se retrouver lui-même avec l'ardeur de ses vingt ans, quels pièges, ces rêves, pensait-il, pour ne rien étreindre, Suzanne s'effaçant avec ses préoccupations loin de lui, car elle semblait avoir beaucoup à faire, à quoi pouvait-elle être si occupée dans un temps inamovible, à quoi donc, pensait Adrien, quand lui l'attendait toutes les nuits, et même le jour, pendant ses siestes de fin d'après-midi, sous les palmiers argentés du parc, après le tennis, oui, quand Adrien inlassa-blement attendait Suzanne, combien désespérée était cette attente, pourtant, comprendrait-il enfin que sa femme ne reviendrait plus, ni ce soir, ni demain, Adrien avait si peu l'habitude de la douleur, pensait-il que son âme demeurait confiante, joyeuse, car passerait bientôt dans l'allée la voiture de Charly, sa décapotable dans les lueurs du soleil couchant, quant à son poème, il en changerait le titre, il y avait là trop de lourdeur nébuleuse, il n'y aurait ni comptes, ni jugement de ses erreurs, une telle comptabilité de tous ses actes l'acca-blait, il éprouvait soudain un soulagement nouveau, il n'ou-blierait pas d'aller visiter le vieil Isaac dans son île, non, il n'oublierait pas, il fallait visiter ses amis quand il en restait si peu. Ils m'ont frappé, pensait le Vieux Marin, que font-ils,

ils me cognent avec une barre de fer, Yvan et Lukas, je n'aurais jamais dû, non, les autres me l'avaient dit, il n'y a aucune barre de fer sur le bateau, ou est-ce le balai, ou est-ce une arme, ils ont vu ma nuque longue et chétive, j'étais à mon poste de navigateur, me demandant si le héron gris viendrait aujourd'hui, ils ont dit, cassons le vieux, et surtout pas une goutte de sang, dit l'un, un coup sec suffira, on ne veut pas trop le tabasser, le fracasser, non, seulement l'étourdir, il faut trouver les clés du coffre, il les cache sur lui, ou dans les poches de son imperméable qui est accroché là, sur un clou de la cale, un seul coup ou peut-être deux de la barre de fer, pensait Eddy, sa vision se troublant, je n'aurais pas dû, non, les inviter ici, non, je n'aurais pas dû, est-ce mortel ce qu'ils m'ont fait, pourrai-je me relever, ils ne trouveront que ces photos jaunies, ma femme, mes enfants, et quelques billets de banque, il y a aussi la bicyclette, il faut prendre la bicyclette, dit Lukas, je t'ai dit de ne pas le tabasser, c'est un vieux, aussi bien en finir, dit Yvan, c'est comme les homards dans leurs casiers, aussi bien en finir, vieux comme il est, il ne ressent plus rien, on va la peindre en noir et la briser un peu, changer les pneus, oui, dit Lukas, n'oublie pas l'argent dans le coffre, n'oublie rien, arrête de le tabasser, je t'ai dit, il ne faut pas laisser de marques, tu vois bien qu'il respire à peine, il vaudrait mieux en finir, dit Yvan, comme ça il ne parlera pas, c'est moi qui donnerai le coup, c'est facile, dit Yvan, ma vision se trouble, pensait Eddy, combien ma vision se trouble, on dirait que les vagues vont bientôt me recouvrir, on dirait, pourquoi les ai-je invités ici, pourquoi, je n'aurais pas dû, je voulais qu'ils aient une chance, et voyez comment ils me traitent, vont-ils me tuer, au secours, murmurait le vieux marin Eddy, au secours, mais les mots n'émanaient plus de ses lèvres, ni ma voix, ni mes mots, pensait Eddy, on va le laisser sur la passerelle, dit Yvan, comme s'il s'était endormi après avoir bu ses cannettes de bière, voilà, comme si le vieux dormait, allons, dépêche-toi, Lukas, on doit s'en aller d'ici, je pense que le vieux vit encore, il râle ou pleure, je ne sais pas, dit Yvan, voilà pourquoi je voulais en finir, c'est assez, dit Lukas, c'est assez, je ne voulais que l'étourdir, veux-tu qu'on soit accusés d'un crime, non, repartons maintenant avec l'argent, la bicyclette, oui, repartons, c'est assez, je t'ai dit, ne le fracasse pas plus, c'est un vieux, allons-y pendant que la noirceur avance sur l'eau, allons-y, comment est-il, oui, le vieux, comment est-il, il dort, dit Yvan, c'est tout, il dort, partons d'ici, dit Lukas, partons, il dort bien, dit Yvan. Mes amies les rappeuses de La Nouvelle-Orléans seront là, disait Robbie à Petites Cendres, il y a bien longtemps qu'elles connaissent ce genre musical qui donne la parole aux gens de tous les jours, il faut bien que la révolte et le plaisir de vivre s'entremêlant éclatent et secouent les corps, pour un rappeur comme mon ami Fred, c'est sa manière d'exister, de vivre, cette danse acérée du corps, que vivent les artistes de la scène hip-hop, disait Robbie à Petites Cendres qui revoyait le blême visage d'Herman sous sa perruque orange, comme il l'avait aperçu du taxi, dans la rue, songeant à cette rappeuse Fred dont Robbie disait qu'elle avait tant dansé, tant chanté lors de ses spectacles secoués, dans ses vidéos, sur toutes les scènes remuantes des boîtes de nuit, Fred qui ne connaissait pas l'heure de la retraite, elle danserait, chanterait encore, vieille mais imperturbable, quand Herman qui était jeune, quand Herman en était sans doute à ses dernières prestations, bien qu'il fût si valeureux, si courageux, quand Yinn semblait le porter du bout de ses bras vers la scène, tant il pesait peu,

Petites Cendres rêvait-il que, si délétère que soit la vie, il y tenait comme Herman, de toutes ses forces, de toute sa volonté, ce qu'il avait oublié longtemps pendant qu'il se berçait dans son hamac, ou refusant de se lever, pendant ces mois où Mabel le veillait comme une mère, ce qu'il avait oublié, pensait Petites Cendres, cette volupté d'être vivant, laquelle lui revenait avec le goût de la nuit, et le souvenir de tant d'enivrantes camaraderies, au Saloon Porte du Baiser, mes amies rappeuses seront avec moi, ce soir, au couronnement, disait Robbie, ce sera la fête, oui, même Fred encore sur les planches, toujours aussi endiablé et provocant, et Martha avait peut-être raison lorsqu'elle disait à son fils que le Conseil musical et ses jurés seraient trop compétents pour Fleur, Fleur qui n'avait pas de résidence, qui vivait dans la rue et ses saletés, aurait-il le courage de leur soumettre sa composition, ce sont des personnes trop compétentes pour toi, disait Martha, de grands chefs d'orchestre, de grands musiciens, et ce que tu as écrit est une triste histoire de démolition, est-ce seulement de la musique, disait sa mère, et combien elle se plaisait à humilier Fleur, ce même enfant dont autrefois elle avait été si fière, dont elle avait vanté les dons à tous, il y aura ce vieux musicien Franz dont j'ai écouté le requiem, on dit qu'il encourage beaucoup les jeunes compositeurs, qu'il laisse désormais la direction de son orchestre symphonique à de jeunes femmes, elles seront la nouvelle génération de chefs d'orchestre, dit-il, quand ses musiciens ne sont pas en grève, Fleur s'était un peu écarté de Kim et Brillant, sur la plage, s'asseyant sur son tapis, le corps tapi sous son manteau, avec Damien toujours aux aguets, à ses côtés, reniflant l'air, les oreilles droites, posé sur ses pattes de devant dans une position stoïque comme s'il était encore dans la rue, brave

chien, murmurait Fleur, que serais-je sans toi, Kim pouvait
entendre le murmure de la voix de Fleur répétant, brave
chien, brave chien, jamais il n'avait été aussi affectueux en lui
parlant, pensait Kim, c'est aussi qu'il ne parlait pas à Kim ni
à personne, qu'il ne pouvait se confier, Kim entendait aussi
le bruit des vagues, qui la rassurait, quand toujours dans sa
poitrine elle éprouvait cette inexplicable sensation de peur,
il valait mieux ne pas penser au lendemain, ni à l'avenir, et
ces projets de Fleur, elle n'en savait rien, elle savait que
lorsqu'il allait chez sa mère, ce n'était que pour travailler à sa
musique, dans cette chambre d'enfant qui le représentait sur
les affiches, petit garçon auprès de la violoniste Clara, et Fleur
pensait à ces musiciens du Conseil musical qui soutenaient
les créateurs contemporains, peut-être y en avait-il deux ou
trois qui le comprendraient, souviens-toi qu'ils sont là, dans
ce Conseil, pour formuler des jugements sans pitié qui ne te
seront pas favorables, mon fils, avait dit Martha à Fleur, un
jury, tu ne sais pas même ce que c'est, peut-être à force de lire
et d'écouter de la musique sous ton casque es-tu devenu un
autodidacte sans aucune formation, un esprit qui s'éparpille
partout, avait dit Martha, mais souviens-toi que tu es un
ignorant pour ces juges, souviens-toi, mon fils, de qui tu es,
un enfant de la rue, et qui vit pieds nus et ne se lave pas,
quand ils te verront, mon fils, quand ils te verront, quelle
déception, mon fils, ce sera pour eux, comme moi, pensait
Fleur, un ou deux d'entre eux auront eu un contact dès leur
enfance avec la musique, bien sûr, je me vêtirai bien ce jour-
là, j'aurai des chaussures aux pieds, ils ne sauront rien de ma
vie dans la rue, ce sera le jour d'une autre naissance, il ne faut
pas qu'ils apprennent, non, je dirai à ma mère, nous vivons
dans la démolition, tout est démolition, la navette qui

explose dans le ciel avec ses astronautes, comme l'explosion des glaciers quand s'enfoncent avec eux les ours blancs, tout est implosion, démolition, et même l'air que je respire est saturé, ne le sais-tu pas, m'man, ne le sais-tu pas, le violon, le chant du violon, tel le violon de Clara, sera la note de pureté, d'espérance, et je peux entendre ce violon soliste, oui, une note de cristal dans la vitesse croissante des autres instruments, il y aura cadences de l'orchestre et rapidité, et pour tout structurer il y aura les voix, leur montée aiguë, il faut que cette anxiété soit ressentie, il faut, faudrait, pensait Fleur, sous son manteau à capuchon, que ces effets de l'accélération des instruments puissent produire un malaise, que les rythmes dérangent, car ce sera inhabituel que les instruments ne s'accordent pas entre eux, qu'ils explosent en sons dissociés, indépendants, un ou deux d'entre eux me comprendront, ayant eu dès l'enfance un contact avec la musique, oui, ils me comprendront, pensait Fleur, et si les sœurs de Lucia continuent de la persécuter, que deviendra donc la pauvre femme, pensait Brillant, toujours debout près du gril fumant et regardant le ciel s'obscurcir au-dessus des vagues, mon aimante Lucia qui ne veut que s'amuser un peu, fuir la tutelle de ses sœurs malveillantes, elles veulent me voler, tout ce que j'ai acquis pendant des années, mon commerce, mon magasin, mes bijoux, elles veulent m'enfermer et saisir tous mes biens, c'est une honte, un scandale, pensait Brillant, mais rien à craindre, moi, Brillant, je serai son protecteur, son défenseur, ma belle amie indigne, je saurai te défendre comme si j'étais ton fils, oui, rien à craindre, avec Misha je te protégerai toujours, car le vétérinaire me l'a dit, Misha va mieux, nous ne nous quitterons plus, non, Misha victime des eaux, des ouragans, mon Misha, nous serons bientôt ensemble et inséparables, et il n'y aura pas de Troisième, Quatrième Grande Dévastation, non, je pourrai retourner à ma chambre, sans qu'ils soient toujours à mes trousses, tous ces noyés, m'implorant de les rescaper tous, et parmi eux, mon frère, le fils de ma Nanny noire, mon frère, oh, que je ne revoie plus sa salopette bleue que gonfle l'écume, non, que je ne revoie plus son visage que les eaux ont rongé, et que je ne voie plus marcher sur ces eaux putréfiées ma mère, cette élégante dénaturée et pieuse qui m'a renvoyé mes fleurs le jour de son anniversaire, elle marche sur les eaux, indifférente à tous les malheurs, sur les têtes des noyés, elle marche, elle court, elle rit, et me dit, c'est bien ta faute si Victor s'est noyé, c'est bien ta faute, tout cela, que je ne te revoie plus dans ma maison, fils dévoyé, et ce bruit de tam-tam, c'est sans doute Jérôme l'Africain qui bat de ses baguettes ses seaux d'acier, dans la rue, et viennent jusqu'à nous près de la mer ces sons incantatoires et blessés, ne dirait-on pas des coups de fouet sonores, bang, bong, cela me fait tressaillir, ou bien c'est la foudre que l'on entend au loin, demain j'irai voir Misha, le ramènerai avec moi, demain, oui, c'est mon avenir et celui de Misha et de Lucia, il faut extirper mon aimante Lucia, celle qui aime m'embrasser, embrasser les stigmates de mes bras, mes cicatrices en disant, quelle mère atroce, funeste a pu faire fouetter son fils par sa servante noire, quelle mère atroce, oui, quelques baisers et tu guériras, un baiser ici et là, une caresse, et tout sera oublié, Brillant, mon beau Brillant, bien que je n'aime pas trop tes favoris, cela fait ancien sur un jeune homme comme toi, c'est pour mieux ressembler à Misha, dirait Brillant, il faut extirper Lucia de la surveillance, de la malfaisance de ses sœurs, oui, je le ferai, c'est moi qui irai parler au juge, je pourrai enfin rentrer chez moi avec Misha sans qu'ils soient toujours là à me suivre, ces noyés encore haletants, sous les marches de l'escalier, oui, pensait Brillant, car il n'y aura plus de dévastation, et Kim vint s'asseoir plus près de Brillant, sur son tapis, avec son chien Max frôlant le gril de son museau, il y avait dans l'air salin une odeur de fumée, Brillant était sautillant et drôle, et Kim se souvint de Rafael le devin déployant ses cartes de ses mains savantes, ici, pour toi, Fleur, la plus belle carte, le Monde, et pour toi, ma petite Kim, ne s'était-il pas tu soudain, couvrant de ses doigts la carte de la Maison en ruine, ce fut une journée sale et stupide, pensait Kim, quand on découvre le matin sur le trottoir un oisillon mort, on sait que ce sera une journée stupide et sans joie, oui, on le sait, on essaie de relever la petite tête qui se renverse davantage, on se demande comment cela est arrivé, cet oisillon ne chantait-il pas dès l'aube, on se demande, oui, on avait cru l'entendre, ce premier chant dans les frangipaniers, il fallait mettre l'oisillon à l'abri des regards, dans un buisson afin qu'il ait son repos, sa paix, tout en caressant la boule de plumes, on savait que c'était la fin, et que la journée serait stupide et sans joie, oui, pensait Kim, un signe, un très mauvais signe, on le savait, en apercevant l'oisillon tombé sur le dos avec ses pattes raidies, on le prenait dans ses mains pour le réchauffer sachant que c'était en vain, mais si l'oisillon était encore conscient, bien que sa tête fût toute molle et renversée, il se souviendrait de la bonté de Kim, là où il irait voler ailleurs, oui, il se souviendrait, pensait Kim, et souvent elle aurait l'impression de l'entendre chanter de nouveau dans les frangipaniers, ce ne serait plus lui mais un écho de son âme encore sur terre, et Rafael le devin mexicain avait dit à Fleur, pour toi la plus belle carte, Fleur, le Monde, la carte du triomphe, oui, et Kim pensa qu'elle avait eu la certitude, dès le matin, quand elle traînait Max par sa corde, sa laisse rugueuse qui n'était pas une laisse véritable, vers la zone de Fleur, oui, cette certitude qu'aujourd'hui serait une journée sale et stupide, mais c'était le soir, maintenant, et bientôt la nuit, les signaux verts des bateaux s'allumaient sur l'eau, au loin, ne se sentait-elle pas un peu mieux, même si la sensation de peur était toujours là, dans sa poitrine, il te faut une autre laisse pour Max, disait Brillant à Kim, un beau chien même bâtard mérite une laisse neuve, disait Brillant, et nous irons, toi et moi, Misha et Max, à la course des cyclistes, tu verras, Kim, nous serons les premiers, bois donc avec moi encore de ce champagne, Kim, disait Brillant à Kim, et si Fleur devait partir, pensait Kim, ils ne seraient plus une vraie famille, j'achèterai une laisse pour Max, disait Brillant à Kim, mais comme elle ne pensait qu'à Fleur, Fleur solitaire sous son manteau, dont la tête se dissimulait encore sous son capuchon, Fleur si lointain, Kim entendait à peine la voix de Brillant, Brillant qui était toujours le même garçon drôle et sautillant et qui racontait tant d'histoires que Kim ne savait plus lesquelles étaient vraies ou fausses, ou peut-être n'était-ce que la chaotique poésie d'un poète qui s'était un peu trop enivré, qui s'enivrait toujours trop, dans les tavernes et les bars, avec Brillant on ne pouvait former longtemps une vraie famille car il partait la nuit, vagabondait, errait, les mots sur les lèvres, les mots des livres qu'il n'écrirait pas, ou peut-être les écrirait-il, Kim ne pouvait savoir, pour eux tous, leur avenir, et même celui de Max et de Damien leurs compagnons, elle ne pouvait savoir, il fallait être plusieurs, chiens et famille et toujours aux aguets, couchés dans la rue ou debout, toujours à l'affût, oui, pensait Kim, et si Fleur partait, devait partir, comme l'oisillon à la tête renversée, n'en mourrait-elle pas, oui, ou irait-elle rejoindre Paul le trompettiste qui les narguait tous de son bonheur, auprès de lui, la joie était communicative, c'était vrai, avec une telle sensation de peur dans la poitrine, non, Kim, pensait-elle, ne pouvait savoir ce qui leur arriverait à tous, non, elle regardait partout dans la nuit noire, écoutant les rires de Brillant, dans la nuit, mais non, ne savait pas, ne pouvait savoir ce qui leur arriverait à tous, pensait Kim, ce qui était sûr, c'est qu'ils iraient demain sur le bateau du Vieux Marin, comme tous les samedis, et s'en irait avec le Vieux Marin cette détestable sensation de peur, lorsqu'il poserait sa main toute ridée sur la tête de Kim en disant, je sais que tu l'ignores, mais tu es une belle fille, tu sais, et si travaillante avec ça, et voici le cadeau de ma bicyclette, comme je t'ai promis, une belle fille, toi, oui, Kim. Et si la raison d'un tel retard, disait Laure à Daniel qui écrivait à son ordinateur, dans l'aérogare, si la raison était grave, très grave, disait la voix plaintive de Laure toujours privée de ses cigarettes, et n'en pouvant plus, disait-elle, sept heures, oui, nous sommes tous entassés ici depuis sept heures, si on avait tué un président, un vice-président, une présidente d'un pays, si c'était cela la raison de notre incarcération ici dans cet aéroport, y avez-vous pensé, Daniel, que la raison pourrait être très grave, ils ont bien d'autres problèmes à résoudre que nous, si c'est le cas, quant aux fumeurs, il faut les oublier, ce ne sont que des gens aux vicieuses habitudes, ils n'ont qu'à cesser leur addiction à la cigarette, c'est tout, ils empoisonnent les autres avec leur fumée et leur haleine, ce sont des misérables, n'est-ce pas ainsi que l'on parle de nous, de moi, car vous ne fumez pas, je le vois, oui, si la raison était très grave, comme l'assassinat d'un gouvernant, on nous laisserait confinés ici pendant plusieurs jours, car les passagers

278

d'un vol ne sont rien, si on pense à la gravité d'un assassinat, toutes les frontières alors seraient closes, alors, avez-vous pensé à cela, Daniel, que la raison d'un tel retard de tous les vols, sans compter qu'on vient de fermer l'aéroport, pourrait être très grave, car voyez le temps, il fait beau, s'écriait Laure dans une extrême agitation, et Daniel dit à Laure, comme s'il parlait à l'un de ses enfants, quoi qu'il arrive, il faut être calme, cela ne sert à rien de s'agiter ainsi, tout finit toujours par passer, il faut croire que nous partirons bientôt, oui, disait Daniel, l'homme paternel en toutes circonstances, c'était un homme et un père qui parlait à l'irritante Laure comme si elle était sa fille, quand elle avait peut-être son âge, un homme condescendant, pensait Laure, comme ils l'étaient tous, si elle était toujours célibataire, pensait-elle, c'est parce qu'ils étaient tous condescendants, comme l'était Daniel, et lui, malgré tout, était un homme aimable, pas irrésistible mais aimable, trop obsédé par ses pensées, un écrivain, peut-être n'était-il pas aussi condescendant qu'elle l'imaginait, peut-être pas car il s'adressait à Laure avec respect, et cette curiosité de l'écrivain qui était vive, chez lui, à ses yeux, pensait Laure, Laure était une femme intéressante, elle pouvait l'exaspérer sans que son intérêt pour elle s'émousse, et puis c'était la première fois qu'elle rencontrait un écrivain en chair et en os, sans doute ne ressemblait-il à personne, il avait apporté tous ses livres avec lui et lisait continuellement, prenait des notes, il était tranquille et absorbé, lorsqu'il n'écrivait pas à son ordinateur, le plus agaçant, c'est qu'il ne fumait pas, ne pouvait donc comprendre humainement la carence dont souffrait Laure, ne pouvait même partager avec elle cette complicité des fumeurs entre eux, et moins encore lui offrir une cigarette à la dérobée, mais ces paroles inventées de Laure le dérangeaient, vous croyez, demandait-il à Laure, qu'un tel événement pourrait avoir lieu, un président, une présidente, vous croyez, et que nous n'en serions pas avertis, et nous les premiers, avait-il prononcé ces paroles, ou bien avait-elle réussi à capter son regard, sous ses sourcils velus, quand il demeurait perplexe mais silencieux, tout en écrivant ou lisant, malgré son désarroi, Laure se sentait forte d'avoir troublé cet homme, n'était-ce pas son but, qu'il l'écoute enfin, qu'il voie comme elle dans leur situation une tragédie imminente, quelque dangereux rebondissement sur le point d'éclater, les anéantissant tous en quelques secondes, n'était-ce pas une illusion car Daniel calmement poursuivait sa lecture, à l'écran de son ordinateur, et de nouveau seule, Laure sentait l'irritation de l'ennui remonter dans sa gorge, avec le désir de fumer, c'est affreux, c'est trop affreux, s'exclama-t-elle, ne sachant pas que Daniel l'avait quand même entendue, qu'il entendait toujours tout, qu'il se demandait lui-même ce qui les attendait tous, peut-être rien, mais au pire sa dernière pensée serait pour ce bébé rose, de la chair rose, à la boucle rose sur la tête menue, que tenait une jeune mère sur sa poitrine, dans un sac de voyage d'où émergeaient les jambes roses du bébé, cette jeune mère qui dansait pour endormir le bébé, ce serait là une dernière vision de Mai ou de Rudie en ce temps où leurs parents les portaient ainsi sur leurs cœurs, tout en dansant pour les endormir, une danse un peu jazzée et lente, sur un pied et sur l'autre, une cadence douce, serait-ce là sa dernière pensée, si l'on imaginait comme Laure que soudain le pire, lequel avait plusieurs formes dans son anarchie délibérée, survenait, ou devait survenir, rayant toutes leurs existences d'une flèche de feu, la seconde pensée de Daniel serait, pensait-il, qu'il était encore trop jeune et inaccompli pour mourir, à part ses livres et ses enfants, qu'avait-il donc accompli d'assez immense pour se retirer de ce monde avec un certain contentement, rien d'aussi tangible, magnanime que cette œuvre de transformation sociale et politique qu'avait accomplie un homme comme Olivier, même si Olivier était de plusieurs décennies son aîné, qu'Olivier ne puisse plus contrôler son épuisement et ses corrosives dépressions, n'était-ce pas le résultat amer de sa vie donnée à tous, quand, jeune étudiant, il combattait déjà contre la ségrégation raciale à Birmingham, tant de fois il avait vu les églises noires, les maisons et les commerces être incendiés sous les bombes, devenu homme de loi, il fut sans peur devant la constante menace de la violence, même lorsqu'il fut enchaîné et battu, Daniel ne serait jamais le militant libérateur que fut Olivier, étrange qu'il pense à Olivier que paralysait désormais le mal de la dépression, Olivier qui pouvait à peine se lever le matin, comme si soudain toutes les maisons incendiées, les églises, les écoles de Birmingham, sa ville natale, comme s'il sentait tout ce poids de la haine sur ses épaules, comme s'il pensait, malgré tant de sacrifices, tout ne devait-il pas continuer comme avant, comme s'il avait perdu toute foi en la rédemption de cette haine ancestrale, laquelle l'oppressait, le torturait, car n'était-ce pas la haine globale d'une partie de l'humanité contre l'autre, n'était-ce pas, pensait Daniel, et soudain les mots de Samuel se mirent à briller sur l'écran de l'ordinateur, papa, mon cher papa, je songe à une seconde chorégraphie qui serait la suite de la première que tu as vue à New York, je t'écris pendant que Rudie joue avec ses avions-jouets sur la table, et que des avions planent autour de nous dans le ciel, comme s'ils allaient se poser sur la table de la cuisine, pour le plaisir de

Rudie, ne sont-ils pas partout présents, pour nous, en cet automne, je voudrais les voir ressortir tous dans cette chorégraphie, de leurs tombes de bitume et de ciment, la Vierge aux sacs, Tanjou, l'ami de notre famille, Tanjou le danseur qui était l'administrateur de sa troupe, et qui se trouvait dans l'un des bureaux des édifices, ce jour-là, la Vierge aux sacs s'envolant vers le parc où elle avait l'habitude de mendier, sa bible ouverte sur les genoux, dans sa jupe à plis, elle rejaillirait des pelletées de terre, reprendrait sa vie là où elle l'avait perdue, sous le lancer d'une pierre sur sa pauvre vie, quand tous se dispersaient par tourbillons dans les escaliers, elle était morte au hasard, écrasée, oubliée, au pied des gratte-ciel, après avoir dormi dans un parc, il lui faudrait un parc, un jardin pour sa résurrection d'un instant, et vois-tu, papa, aux barres des fenêtres, on verrait chacune, chacun s'envoler, dans les vêtements qu'ils portaient ce jour-là, tous s'envoleraient des trous des fenêtres, vers leurs familles et leurs vies d'avant le massacre, tels des anges, où les flammes d'un brasier humain s'unissant, et la musique, vois-tu, serait une cantate, où es-tu, cher papa, en Irlande, je crois, peux-tu m'écrire que tu es bien arrivé, ton fils Samuel, nous t'embrassons, cher papa, Rudie, Veronica et moi, que penses-tu de mon idée, dis-moi, cher papa, c'est toute l'intensité, la fièvre de la vie que je veux évoquer et que cela ne meurt pas, un indicible amour unit, rassemble toutes ces vies, cher papa, Samuel qui t'aime, en lisant ce message de Samuel à son écran, Daniel se reprocha d'avoir négligé d'écrire à Samuel depuis quelques mois, son inaptitude à suivre le parcours hiératique d'Augustino, le vide à combler par l'absence de Mai à la maison, il n'était plus là à attendre Mai dans son bureau, quand elle rentrait si tard, tomberait-elle de ses patins, de sa planche à roulettes, où pouvait-elle bien être à quatre heures du matin, aurait-elle rejoint Manuel, Augustino ou Mai, il n'avait longtemps pensé qu'à eux, se disant que Samuel, ayant son existence autonome, n'avait plus besoin de lui, mais qui sait si ce n'était pas Samuel, l'artiste et le chorégraphe novateur, qui fût le plus près de sa solitude, celle de l'écrivain qu'il était, Samuel, qui avait été son premier enfant à grandir près de lui, quand il écrivait dans un grand désordre intérieur ses *Étranges Années*, en ces jours où, l'âme dévastée, il sortait de son sépulcre de neige, le fantôme du grand-oncle Samuel fusillé en Pologne, fusillé à genoux, dans la neige, celui dont Samuel portait le nom, et peut-être la sensibilité, qui avait traversé l'enfer, car Samuel avait peut-être raison, nous n'étions jamais une seule personne, nous étions issus de tous, bien que ce rassemblement de nos expériences communes, nouvelles ou anciennes, ne se fît pas souvent dans l'amour, comme le croyait Samuel, non, bien au contraire, notre premier élan d'appartenir à une même communauté de vivants ne nous révoltait-il pas, mais il était normal que Samuel fût un peu naïf, qu'il eût encore cette idée d'un amour dominant l'humanité en péril, c'était bien comme un homme jeune de penser ainsi, pensait Daniel qui se sentait soudain tel un patriarche, et se faire couronner reine pendant une semaine carnavalesque, c'est bien divertissant aussi, disait Robbie à Petites Cendres, car en baissant la vitre de la portière du taxi, on voyait que commençaient déjà les défilés, dans la rue, on verra de tout pendant ces quelques jours, disait Robbie, déjà survolté par la fête, on verra des centaines d'Adam et Ève à peine habillés d'un mouchoir déambuler sur les trottoirs, des couples traditionnels boursouflés ou minces, qui se dévêtent de tous les carcans de l'obséquieuse pudeur pour danser au cerceau, s'esclaffer, s'amuser, au cours des mascarades et des bals, le jour, la nuit, partout des parties, des bals et des danses, à les regarder tous, tu te sentiras mieux, Petites Cendres, tu te réjouiras à ton tour de tant de délires et d'indécences, et quand je serai sur l'estrade avec la famille royale, tu m'applaudiras, Yinn annoncera l'heure du couronnement et l'ouverture du bal, être la reine d'une fête burlesque est peu de chose, mais j'en serai, moi, Robbie, très fier, sous ma couronne, Yinn dit que tous les bénéfices de notre nuit iront aux Jardins des Acacias, et pour la recherche médicale, il faut que cela soit un succès, tu m'entends, Petites Cendres, le couronnement et tout, il faut que ce soit un succès, et qu'il ne pleuve pas sur nos beaux costumes, nos fétiches, non, ce serait un désastre sur tous ces hommes et ces femmes aux corps peints de mille couleurs et dessins les plus fantasques, sous une pluie diluvienne nous serions vite dans un aquarium, disait Robbie à Petites Cendres, et son unique perroquet sur l'épaule, Mabel s'attristait de ce qu'il y eût tant de touristes en ville, même si cela était bon pour son commerce, la vente de ses boissons au citron et au gingembre et l'exhibition de ses perroquets, non, ils n'étaient plus deux, un seul, il n'y en avait plus qu'un, un seul à chérir désormais, à aimer, mais elle élèverait bientôt des colombes, ce qui plairait à Petites Cendres s'il était toujours son pensionnaire, ce qui n'était pas sûr à cause de l'état de sa santé, qu'était-ce que cette histoire de soins spéciaux pour Petites Cendres, à part sa paresse, il ne semblait souffrir de rien, sa langueur, sa paresse, pendant des mois, sa neurasthénie, oui, mais à part cela, de quoi pouvait-il bien se plaindre, Mabel avait enterré Merlin dans le sable, au cimetière des animaux, sans pleurer, car il ne fallait pas tacher de ses pleurs sa robe pour le voyage quand elle irait voir sa fille en Indiana, elle avait enterré le bien-aimé perroquet, le plus bel oiseau importé du Brésil, le sien, que le Tireur avait tué, et elle ne pensait qu'à sa vengeance quand elle trouverait le meurtrier, qu'elle le conduirait à un tribunal, se vengerait, mon bel oiseau des savanes tropicales, mon oiseau que le Tireur a ensanglanté, tué, pensait-elle, on y va, demandait Jerry, sur l'épaule de Mabel, on y va, mama, n'abîme pas mon crâne, ne tire pas sur mes cheveux, disait Mabel à Jerry, elle pouvait sentir contre sa joue la tête duveteuse du perroquet, Jerry, dit Mabel, nous allons, oui, sur les quais, mais il aurait mieux valu qu'il n'y eût pas de fête cette année, pas de carnaval, non, car nous n'avons plus notre Merlin, et Merlin était celui que tous chérissaient, les enfants, les petits enfants, dans les rues, sur les quais, et maintenant mes pensionnaires vont tous être soûls avant l'aube et vomir partout sur mes meubles, et toi, je n'ai plus que toi, Jerry, on y va, mama, demandait Jerry, mama, où est Merlin, oui, où est donc Merlin, répétait Mabel, oui, ils vont vomir partout, ils en oublient combien ils sont soûls, dansant toute la nuit, presque nus et souvent lascifs, si Jésus les voyait, mais les nuits de carnaval, on dit que Jésus ne voit rien, qu'il ne perd pas son temps à regarder ce qui se passe autour, car ces gens-là, lorsqu'ils reviendront dans leurs villes, ils seront aussi vertueux qu'ils l'ont toujours été, tu te souviens, Jerry, de son poitrail orange, Merlin si flamboyant, je disais à tous sur les quais, admirez celui qui me survivra de plusieurs années, admirez Merlin, j'ai déposé sur les ailes de Merlin, avant de l'enterrer dans le sable, toutes mes roses, nous n'aurons aucune rose à vendre aujourd'hui, mais l'anonyme bienfaiteur de Petites Cendres me paie bien, nous ne manquerons de rien, Jerry, mon Jerry, on y va, mama, dit Jerry, toujours il ne pensait qu'à son premier maître, le pêcheur de crevettes, le capitaine de bateau, toujours il avait la nostalgie du temps passé avec le premier maître, et je n'y pouvais rien, blanc comme neige est mon perroquet Jerry, dit Mabel, ne tire pas sur mes cheveux, Jerry, non, n'abîme pas mon vieux crâne, que serais-tu sans moi, tu te souviens des lignes brunes autour de son œil jaune perçant, mama, on y va, répétait Jerry, c'est la nuit, mama, on y va, on part, demandait Jerry, oui, on part, on y va, répondit Mabel, tu sais que je chanterai dans le Chœur Ancestral, dit Mabel, quand le médecin Dieudonné sera de retour, Dieudonné l'homme de Dieu qui ne demande jamais un sou aux pauvres en les soignant, quand il aura la médaille d'honneur de la ville, c'est Eureka la directrice de notre Chœur Ancestral qui remettra la médaille à Dieudonné, et la révérende Ézéchielle nous invitera tous à chanter dans son église, et toi, Jerry, tu seras sur mon épaule, oui, car avec le Tireur il faut se méfier, je te garderai toujours avec moi afin que tu sois en sécurité, oui, Merlin, mama, demanda soudain Jerry dans un cri strident, mama, où est Merlin. Je dirai à ces sommités en musique, ces musiciens, ces professeurs du Conseil musical, je leur dirai, pensait Fleur, assis sur son tapis de paille, devant l'océan, lequel lui semblait très noir et grondeur dans la nuit qui approchait, je leur dirai, oui, comme Gian Carlo Menotti, j'ai composé un opéra à treize ans, je leur dirai, oui, le thème était l'évocation des petites filles d'Hiroshima, en ce 6 août, comme si elles avaient chanté ce jour-là, leurs plaintes, comme si on avait pu les entendre, oui, était-ce le matin quand elles partaient pour l'école, aucune n'avait prévu ce jour du 6 août, aucune n'avait pu prévoir, et elles chantaient sur le chemin de l'école, et elles chantaient encore quand, c'était pour chœur d'enfants et violons, trois violons, je leur dirai, oui, comme Gian Carlo Menotti, j'ai composé mon premier opéra à treize ans, il est toujours chez ma mère, dans un tiroir, à moins qu'il n'ait été brûlé, que ma mère n'ait décidé de le brûler, non, le manuscrit est intact, tout est intact, c'est moi qui ai changé, ah, les étoiles scintillent dans le ciel, mais elles ne sont pas alignées pour tous, non, pensait Fleur, mais je leur dirai, peut-être l'un d'entre eux qui a eu un contact avec la musique dès son enfance me comprendra-t-il, je leur dirai, bien que peu de personnes se soucient de cela autour de moi, j'ai écrit mon premier opéra à treize ans, comme Gian Carlo Menotti, mais les étoiles, non, ne s'alignent pas pour tous, dans le ciel, et Ari demandait à Lou, pourquoi ne manges-tu pas le repas végétarien que j'ai préparé pour toi, une salade, des fraises, une limonade, je pensais que tu aimais les fraises, et tu ne fais que me regarder sans manger, ton coude sur la table, je t'ai déjà dit de ne pas tenir ainsi ta fourchette, ce n'est pas poli, il ne faut pas se tenir ainsi à table, j'ai bu ma limonade, dit Lou, la salade, les fraises, je ne peux pas, tu m'as dit que j'étais un peu ronde, je t'ai dit qu'il fallait manger sainement, pas comme chez ta mère, ce que j'ai dit, Lou, c'est que tu dois manger sainement, dit Ari de sa voix autoritaire, papa, je voulais te parler d'une fille à l'école qui s'appelle Sophia, dit Lou, tu as une nouvelle amie qui s'appelle Sophia, demanda le père de Lou, toujours déçu par l'impolitesse de Lou, devant son repas végétarien, non, dit Lou, non, alors, demanda Ari avec impatience, de quoi s'agit-il, rien, dit Lou, rien, rien, papa, ce sera bientôt l'heure que tu montes à ta chambre, dit Ari, ce sera bientôt l'heure de dormir, dit Ari, oui, papa, je sais, je suis dans mon pyjama, dit Lou en se levant, bonne nuit, papa, tu es sûre de n'avoir rien d'autre à me dire, demanda Ari, que tu m'aimes un peu, par exemple, avant de monter à ta chambre, rien, papa, bonne nuit, papa, dit Lou, et Ari s'inquiéta que le regard de Lou fût si brillant et froid, coupant, pensa-t-il, le regard de ces yeux bleus, sous la frange des cheveux blonds, maintenant que tu as terminé tes devoirs, tu peux monter, dit le père de Lou, elle ne m'a pas embrassé, elle ne m'aime plus, pensait Ari, c'est sans doute l'influence de sa mère, c'est sans doute cela, oui, je croyais que ce martini au café était ta préférence parmi les cocktails, disait Robbie à Petites Cendres, si j'avais des ciseaux je découperais ton jeans en rondelles, un jeans, vêtu de cisailles, comme pour les fêtards de la rue, allez, déguste ton martini, frère, nous irons bientôt retrouver ces altesses, ces princesses sur l'estrade pour mon couronnement, chaque homme sur cette terre a sa pente à remonter chaque jour, il faut que tu remontes la tienne, toi aussi, disait Robbie en observant de la terrasse où ils buvaient leurs cocktails toute une activité de fête sur l'eau, course de canots, parachutistes volant au-dessus des bateaux, et de rapides motomarines doublant les vagues, voilà qui est bien, dit Robbie, trop de gens, trop de bruit, dit Petites Cendres qui boudait son cocktail, c'est ainsi au temps du carnaval, dit Robbie, dans quel univers vis-tu, au fond des limbes, et soudain Robbie se revit autrefois auprès de Fatalité sur cette même terrasse, Fatalité qui buvait trop vite son champagne, Fatalité qui riait trop, Fatalité s'évadant par le rire, quand Petites Cendres était si sombre et ne souriait pas, Robbie revit Herman sous sa perruque orange, se tenant sur sa canne devant le Saloon, l'événement de Robbie, l'événement de son couronnement ce soir serait-il aussi heureux qu'il l'espérait, se demanda-t-il, qu'avaient-ils tous à être aussi ombrageux, Robbie serait la vingt-cinquième reine à être couronnée, il échangerait sa couronne en papier contre une couronne en or, en faux or, bien sûr, mais ce serait une couronne imposante sur sa tête à la longue chevelure brune bouclée, il avait offert l'ondulante perruque orange à Herman afin que personne ne remarquât combien Herman avait perdu de ses cheveux roux, lors de ses traitements, sous la perruque orange, cela ne se voyait plus, pensait Robbie, mais qu'avaient-ils tous à être aussi contraignants quand c'était le soir du couronnement de Robbie, il succédait à Yinn qui avait conservé son titre royal pendant plusieurs années, bien que ce ne fût pas là son intention, toujours elle était réélue, et c'était bien ainsi, pensait Robbie, c'était la reine mère, par sa distinction, son altière beauté, un sourire hésitant apparut sur les lèvres de Petites Cendres, il faut partir, on nous attend sur l'estrade, dit Petites Cendres, oui, toute la famille royale, dit Robbie en riant, allons, frère, dit Robbie en prenant le bras de Petites Cendres, allons, mon ami. Quand Nora avait-elle éprouvé qu'il ne reviendrait plus, ne serait jamais de retour, était-ce pendant le dîner sous l'arbre gombo émiettant ses fleurs sucrées sur la table lorsque les amis, peintres, écrivains, levaient leurs verres à leur santé, Nora, Christiensen, un couple parfait, adorablement parfait, de si généreux amis, était-ce à cet instant ou pendant les cauchemars de la nuit, la sensation avait été si précise, laquelle semblait si diffuse quand Nora cherchait à la définir, aujourd'hui, ce qui l'avait frappée aussi, c'est avec quelle tendresse indéfinissable il avait embrassé chacun de ses amis, mais surtout les femmes, était-ce à cet instant qu'elle avait tout compris, ou plus tard après avoir conduit Christiensen à l'aéroport, lorsqu'elle fut seule dans sa voiture, après qu'ils se furent longuement embrassés, comme autrefois, lorsqu'ils étaient très jeunes, autrefois, déjà bien longtemps, pensait Nora, et ce jour-là il lui avait dit, ce tableau a des qualités sublimes, transcendantes, oui, n'étaient-ce pas les dernières paroles qu'il avait prononcées, lorsqu'ils étaient encore dans le jardin, s'y attardant langoureusement, leurs mains enlacées, leurs amis les ayant quittés tôt afin qu'ils aient encore un peu de temps ensemble, jamais il n'avait décrit ainsi les tableaux de Nora, des qualités sublimes, transcendantes, elle aurait irradié de bonheur s'il avait été encore là, à ses côtés, si son trajet avait été différent, s'il avait été moins impétueux à vouloir partir pour cette mission, il disait, pourquoi es-tu si inquiète, je serai de retour dans une semaine, et elle répétait, j'ai l'intuition que cette fois tu ne devrais pas, pas cette fois, ce trajet était l'espace à parcourir de leur amour durable à la fin de leurs deux existences, car sans lui, tenait-elle encore à vivre, existait-elle vraiment, pensait Nora, un pays en guerre, toutes ces violences, ces divisions à l'intérieur d'un même pays, l'Afrique, la douloureuse Afrique, non, cette fois tu ne devrais pas partir, pense à tes enfants, tu prends de plus en plus de risques, je ne suis pas un soldat mais un diplomate, un économiste, disait Christiensen, il ne faut pas que cela continue, que les pauvres soient plus destitués encore, toujours les mêmes, il ne faut pas, il la taquinait aussi légèrement, une façon de la regarder, ce regard, elle ne pourrait jamais l'oublier, il avait regardé ses amies avec ce même regard détaché et moqueur pendant le dîner, comme s'il s'était résigné à un subit détachement, bien qu'involontaire, car jusqu'au dernier instant, même lorsqu'ils s'embrassaient et se disaient au revoir dans l'aérogare, il s'était lui-même posé cette question, si ce départ imprévu, oui, s'il devait partir, peut-être pas, c'est que l'air était lourd d'orage, et Christiensen parlait encore du tableau de Nora qu'il aimait tant, ce qui avait confirmé l'intuition, le pressentiment de Nora que semblaient appuyer les cauchemars de la nuit, sa plongée dans le néant, dans le rêve, sa frayeur, c'était que Tangie, le petit chien, un animal commun comme ceux que son mari ramenait si souvent à la maison, parmi les plus laids et les plus délaissés, c'est que Tangie, qui jappait fort, avait suivi Christiensen tout le jour, se jetant avec affolement contre ses jambes, et même lorsque Christiensen l'avait pris dans ses bras pour le calmer, le petit animal, cette boule de fourrure hérissée, avait exprimé par ses jappements et ses battements de queue tout l'effroi qu'il éprouvait à voir partir Christiensen, cela était si visible, pourquoi cette peur ne lui avait-elle pas été transmise, la peur de Nora, la peur de Tangie, l'air étant si lourd autour d'eux, oui, n'était-ce pas le signe, ou les signes, pourquoi n'écoutait-il jamais Nora, Nora qui avait des pressentiments, des prémonitions, comme si elle était un animal, elle aussi, quand, depuis son enfance en Afrique, elle n'avait jamais aimé les animaux, les craignait, ou, lorsqu'ils étaient dans sa maison, éprouvait quelque fine, féminine jalousie, qu'ils aient conquis le cœur de Christiensen, avant elle, c'était le souvenir peut-être aussi, pensait-elle, des hyènes défonçant la moustiquaire, tueuses des petits singes avec qui son jeune frère dormait la nuit, c'était ce souvenir soudain étouffant dans l'air chaud, ces cris, ces hurlements, et le jeune frère qu'elle ne parvenait pas à consoler, ce souvenir qui lui pesait, la raison de sa méfiance, de son hostilité envers les animaux, et surtout ces bêtes délaissées et laides comme Tangie, que Christiensen ramenait à la maison et dont elle devait prendre soin, lui qui partait si souvent, c'était cela, la raison, si cela était une raison excusable, mais quoi de plus mesquin que les sentiments de jalousie, d'envie, n'était-ce pas ce qu'elle disait hier à sa fille cadette, ne sois pas jalouse de Greta, c'est vilain, ma chérie, Nora regardait la table du dîner sous l'arbre gombo, la nappe de soie avait été défraîchie par l'orage, des plis gonflaient sous l'émiettement des pétales de fleurs, elle croyait entendre la voix de leurs amis, pendant qu'ils levaient leurs verres à leur santé, le cellulaire de Nora sonnait dans le silence, madame, c'est au sujet de votre mari, la voix de l'homme était étrangère, madame, ne soyez pas alarmée, ce n'est qu'un incident, madame, à sa façon modeste, votre mari n'était pas ce que vous croyez, non, c'était un agitateur politique, il se trouvait à l'heure du déjeuner en visite chez l'ambassadeur, l'ambassade est située en périphérie, mais s'il n'y avait pas de gardes ni de gardiens ce jour-là, c'est que, depuis quelque temps, l'ambassade ne pouvait plus défrayer ses services de sécurité, je regrette de vous ennuyer avec tous ces détails, madame, il y avait déjà eu quelques menaces d'attentat, car il est facile de venir par l'arrière du bâtiment, par la serre, y avoir accès, oui, par la muraille derrière la propriété, déjà la femme de l'ambassadeur avait été grièvement blessée, votre mari avait l'intention de déstabiliser l'économie, de là ce déjeuner chez l'ambassadeur, ces confidences, ces illégales complicités, c'est l'ambassadeur et sa femme qui étaient les cibles, pas votre mari, pas encore, pas cette fois, mais son plan était connu, et Nora dirait, non, c'est faux, mon mari n'avait aucune de ces affiliations secrètes, il parlait souvent de la dispersion des fortunes, de justice, du rétablissement de la justice financière, mais sa vie auprès de nous, sa famille, était transparente, oui, transparente, dirait Nora, c'est que vous ne savez pas, ne saviez pas, disait la voix étrangère, votre mari, votre mari, mais ce n'est qu'un incident, madame, il ne faut pas vous alarmer, la voix étrangère se taisait, il faudrait vite nettoyer cette nappe, pensait Nora, à moins que la pluie ne l'ait déjà gâtée, il faudrait, pensait Nora, immobile sous l'arbre gombo, oui, que j'appelle les enfants, que je leur apprenne, oui, que leur père avait une autre vie que celle que nous croyions, que leur père, non, tout cela est faux, il dort là-haut si tard le matin, parmi ses journaux, ses livres, ses sujets d'inquiétude qui causent son insomnie, après le bain dans la piscine, j'irai m'étendre comme tous les jours près de lui, très près de son corps brûlant, oui, c'est ce que je ferai, pensait Nora. Dans la chorégraphie, la danse, résidait tout l'avenir passionné de Samuel, pensait Daniel, car ce fils avait un avenir qu'il réalisait déjà, dépassant le stade des promesses, c'était comme son ami Arnie Graal, un artiste brillant, aux créations audacieuses, et que voyait Daniel à l'écran de son ordinateur, et au-delà de la baie vitrée, du calme apparent, du ciel et des eaux, la jonction de milliers d'écrans où se jouaient toutes les scènes du monde, des fenêtres de l'aérogare ne voyait-il pas tout ce qu'il ne pouvait plus se cacher à lui-même, que l'avenir appartenait à des jeunes gens sans avenir, à des légions de jeunes gens sans avenir, tel Augustino, car sans doute était-il parmi eux, bien qu'il n'aime pas les armes, à eux l'art de s'approprier leur capital géographique, en l'extirpant des mains des despotes, des dictateurs, à eux l'art de la révolution, mais ne fallait-il pas constater que cet art pour tant de jeunes gens aux âmes encore primaires, car sous l'oppression comment auraient-ils pu se raffiner par l'étude, la réflexion philosophique, pensait Daniel, l'oppression la plus perfide n'était-elle pas de les maintenir dans l'ignorance, afin qu'ils ne se révoltent pas, ne s'indignent pas, ne fallait-il pas constater la brutalité de cet art sans délicatesse ni nuances lorsqu'il s'agissait de piller et de tuer, comme l'avaient fait ceux-là mêmes qu'ils arrachaient du trône, du pouvoir à coups de couteau et de revolver sur la tempe, oui, ce serait ainsi, pensait Daniel, tous ces jeunes gens sans avenir se livreraient bientôt à des exécutions de plus en plus brutales, sans délicatesse, sans procès, sans nuances, car s'ils étaient sans pitié pour leurs oppresseurs, ils l'étaient aussi pendant ces printemps, ces étés de leurs flambantes révoltes et de leurs pillages incessants, ils l'étaient aussi dans une pureté sans mélange, dans la sauvagerie de leur jeune revanche, dans la destruction de leurs animaux comme dans celle de leur patrimoine archéologique, les offensives, les chars des coalitions avaient anéanti à leur tour les traces d'une Antiquité, laquelle, pour beaucoup de ces jeunes gens sans avenir, importait peu, l'art islamique y périrait aussi avec les chameaux, les chevaux, les moutons, pensait Daniel, tout périrait sous les bottes, ou les pieds nus de ces légions de jeunes gens sans avenir, lesquels seraient les princes en haillons de nouveaux pays, bâtis hier sur le sang, conquis demain par le sang aussi, dans cet art sans nuances ni délicatesse de la révolution où seule la brutalité est souveraine, on ne pouvait nier que ces révolutions seraient fertiles en religion comme en fanatisme religieux, abusives des femmes et des enfants, de la liberté de leurs pensées, de leurs droits, pensait Daniel, et si Mélanie pleurait la nuit sur la perte de sa mère, aux côtés de Daniel, mais presque silencieusement afin que Daniel ne la voie pas pleurer, elle pleurait aussi sur le sort de tant de femmes sous le joug de ces révolutions et de ces guerres, avec quelques autres elle savait qu'elle avait eu le privilège de naître avec tous les droits acquis, que cette injustice ou ce scandale n'étaient que trop flagrants quand on pensait à toutes les femmes nées sans même le droit de vivre, moins encore celui de voter, ou de se rallier à une association féministe, ou de jouer quelque rôle dans un parlement, un gouvernement, ces femmes, disait-elle, sous l'oppression religieuse fondée par leurs pères, leurs maris, leurs frères, naissaient avec le seul droit d'être tuées, dès qu'elles seraient coupables d'une première erreur, d'un premier essor vers la liberté individuelle, coupables d'aimer, d'adultère ou de désobéissance aux coutumes, ou à quelque barbare tradition, coupables elles le deviendraient vite, et elles n'auraient sous la lapidation, la fusillade par leurs pères, leurs frères, leurs amis, que ce droit, oui, le droit à la mort, le droit d'être tuées, et c'est sur elles que Mélanie pleurait la nuit, pensait Daniel, sur elles toutes qui seraient de plus en plus nombreuses et de moins en moins épargnées, oui, sur elles toutes, Mélanie pleurait la nuit, pensait Daniel. Enfin, voici mon heure, disait Robbie à Petites Cendres en gravissant les marches vers l'estrade, au-dessus de la foule houleuse des nuits de carnaval, me voici bien entouré, mais Robbie ne pouvait reconnaître qui était là près de lui, car tout cet auditoire semblait masqué et costumé, les uns portant des masques ressemblant à des têtes d'oiseaux, sous des auréoles de branchages, on eût dit qu'une forêt se déplaçait avec eux dans la rue, où sont Mabel, Merlin et Jerry, se demandait Petites Cendres, pourquoi ne sont-ils pas venus quand c'est le couronnement de Robbie, ils devaient être à la première place, avec tous les exposants d'oiseaux, et si cet événement n'était pas aussi heureux que je l'espère, pensait Robbie, ces hauts talons me font mal, j'ai les chevilles qui flanchent, et là sur le podium, Cheng va les éblouir tous, si jeune le Prince d'Asie que Yinn a formé à la danse, mais une danse qui sera tout en retenue, en austérité, oui, comme le veut Yinn, si tous ces jeunots aux oreilles percées s'attachent à moi, c'est que pour eux je suis leur père, non, plutôt leur frère, pensait Robbie, plusieurs sont ici ce soir pour admirer cette mystérieuse reine sous les étincelles de son couronnement, n'exagérons rien, je ne suis que leur frère, pensait Robbie, mais peut-être ont-ils remarqué ma taille qui s'épaissit, ne mange plus de ces pizzas, me dit Yinn, quand lui pouvait en dévorer une vingtaine et ne jamais perdre sa taille élancée, leur grand frère portoricain, voilà tout ce que je suis, et ce soir, une reine, en plus, ce qui les étonnera bien, ces jeunots, toujours dans les jupes de leurs mères, et après avoir passé une nuit avec moi, ils se marient, ces enfants gavés de tout, mais ainsi va la vie, pensait Robbie, c'est un banquet dans la rue, c'est une fête comme ce soir, je n'enlèverai pas ce point noir près des lèvres, car c'est sexy, m'a dit Yinn, tu es toujours la plus sexy, Robbie, répète Yinn, bon, mais comme Fred, toujours sur les planches, il faut que je maigrisse un peu, elle, Fred, quand elle secoue ses fesses en dansant, pendant ses harangues de rappeuse, des fesses, elle en a trop, c'est quand même une belle reine d'antan que tous respectent, et surtout parce qu'elle dit à tout le monde avec arrogance qu'elle ne cache rien, qu'elle ne vit dans aucun placard, et elle rit quand on l'applaudit, et tous seront là, même les *sugar daddies* qui m'ont brisé le cœur, quand je ne veux pas les voir, pensait Robbie, et maintenant Petites Cendres les voyait tous apparaître sur l'estrade, par rangs de noblesse, Yinn, dans sa robe blanche perlée, sur ses talons si hauts qu'elle pourrait bien en vaciller si quelqu'un la frôlait en passant, Yinn qui dominait la scène et que Petites Cendres feignait de ne pas voir, car il en tremblait d'émotion, comme s'il était encore sur son sofa rouge, au Saloon Porte du Baiser, et qui dansait pour lui pendant la nuit, avant les lueurs vertes de l'aube, l'érotique fantôme de Yinn, ou Yinn lui-même, qui sait, dans une ravageuse danse qui consumait Petites Cendres, en lenteur, car ces danses de Yinn n'étaient-elles pas toujours très lentes, Yinn était là guidant Cheng, le second Prince d'Asie, car Cheng, autrefois le Suivant, n'était toujours pas dépourvu de sa timidité enfantine, sous ses habits de soie, il fallut donc que Yinn le guide comme s'il était son maître, apparaissaient, plus fonceuses, la cuisse offerte sous l'échancrure de la robe orientale que Yinn avait confectionnée en quelques jours, les rayonnantes Geisha, Cœur Triomphant et son inséparable Je Sais Tout, Santa Fe et toutes les autres princesses, et derrière elles, traînant gracieusement le pas, voilant sa canne de sa robe vaporeuse, derrière elles toutes, Herman, sous sa perruque orange, en quelques instants, Yinn avait ouvert le bal, elle avait couronné de sa couronne en or la tête de Robbie, disant à l'oreille de Robbie, ce point noir sur les lèvres, il faut l'enlever, quand Robbie gardait sa position statique, son attitude de reine, car il lui faudrait bientôt parler, énoncer avec éloquence à qui iraient les bénéfices de cette nuit, il avait ajouté qu'il visiterait les orphelins pendant la nuit de Noël, ce qui n'était pas dans le texte que Yinn lui avait appris à réciter, mais en tant que reine il lui semblait que tout était permis, Robbie serait une reine charitable, et serait dans sa magnanimité l'honneur de sa ville, il apporterait des paniers de nourriture, des festins de Noël aux familles de la rue Bahama, aux femmes dont le mari était chômeur, Robbie ne comprit qu'il était temps de se taire que lorsque Yinn lui fit un signe, on n'avait jamais vu une Reine aussi bavarde, souvent les reines ne faisaient que se laisser admirer en clignant de leurs yeux de fauve, et puis soudain Robbie entendit un son bizarre, toutes se retournaient sur scène, c'était Herman qui venait de tomber, Yinn se précipitait vers lui en disant, que se passe-t-il, encore givré, non, pas encore, pas cette fois, tout se brouillait vite dans l'esprit de Robbie, n'avait-il pas pressenti que son couronnement ne serait pas ce bonheur qu'il avait espéré, sa couronne perchée sur la tête, il accourait maintenant, avec les autres filles, vers Herman gisant sur la scène, dans sa robe verte vaporeuse, la maman d'Herman était là aussi qui disait à son fils, il faut te réveiller, mon chéri, il faut te réveiller, puis tout se déroulant plus vite encore, la maman d'Herman avait demandé que son fils fût transporté dans la maison qu'elle avait louée, avec véranda, laquelle était située près du Saloon, c'est là que voulait être son fils, dit-elle, aucune hospitalisation, non, rien, auprès de sa mère, de son frère et de sa sœur dans la petite maison qu'elle avait louée afin qu'il n'eût pas à marcher longtemps avant les représentations de la nuit, il avait pensé à tout, l'avait dit à sa mère, et, sa couronne sur la tête, Robbie s'était retrouvé avec elles toutes, les reines d'hier, les princesses d'aujourd'hui, et Yinn, dans sa robe blanche, sur ses hauts talons, dans la chambre louée où Herman allait exhaler son dernier souffle, mais on n'en savait rien encore, sinon qu'il était givré, très givré, disait Yinn, mais si son cœur s'arrêtait, disait Yinn, si son cœur s'arrêtait, si givré, gelé, c'est ainsi qu'il l'aurait voulu, dirait la mère d'Herman, c'est ainsi, ce serait sa volonté, dirait la mère d'Herman, bien qu'elle eût l'espoir que son fils sortît vivant de ce coma, bien qu'elle en doutât, aussi, étant peut-être la seule à savoir déjà, elle qui connaissait bien son fils, au cas où cela surviendrait, la mère d'Herman avait demandé à ses autres enfants de chauffer le café, le thé, elle avait préparé une collation de sandwichs car il fallait penser à tout, il y aurait tant d'amis dans cette maison louée pour cette veillée, les mots, il valait mieux ne pas penser aux mots, ces mots-là, un dernier soir, un soir de couronnement, un soir de fête, pensait la mère d'Herman, surtout pas un dernier soir, pas une dernière nuit, et soudain la maison louée était pleine, une cohorte d'amis envahissait la véranda, puis le petit salon, la cuisine et la chambre, eût-il été conscient, pensait Robbie, qu'Herman se fût bien réjoui de voir tout ce monde autour de son lit, et pourquoi était-ce un si petit lit, un lit d'enfant sur lequel Herman étendu prenait toute la place, s'en aller tout seul, si loin, et complètement givré, pensait Robbie en s'asseyant sur le lit, palpant, massant de ses doigts énergiques les mains d'Herman qui lui semblaient glacées, inertes, debout près du lit, dans leurs robes à fleurs voyantes, sous leurs blondes perruques, Geisha, Santa Fe, Cœur Triomphant et Je Sais Tout, toutes, comme si elles étaient prises de vertige, regardaient Herman sans comprendre, que s'était-il donc passé, que se passait-il donc, murmuraient-elles, quand à leur rimmel se mêlaient les larmes, c'est Yinn qui les avait écartées toutes en disant, il faut le ranimer, il faut le ranimer, se couchant d'un bond sur la poitrine d'Herman qu'il se mit à presser de toute la vigueur de ses mains, poussant, poussant de la paume de ses mains jusqu'à ce qu'il soit épuisé, quand de la bouche à peine entrouverte d'Herman aucune respiration ne semblait passer, rien, pas un souffle, Robbie émit de gros sanglots qui brisèrent le silence, non, dit Yinn à Robbie, pense à la mère d'Herman, à son frère, à sa sœur, pense à eux, dit Yinn, je suis enrhumé, dit Robbie en sanglotant plus encore, je suis très enrhumé, dit Robbie, Herman ne peut pas nous faire cela, non, il ne peut pas, non, il ne peut pas, répétait Robbie, ah, moi, sous la pression des doigts de Yinn, ne dirait-on pas un ange, pensait Petites Cendres, avec les pans de sa robe blanche qui se soulèvent autour de son corps mince, les plis empesés de la robe formant des ailes autour de lui, un ange ou un grand oiseau, moi, sous le glissement de ces doigts sur ma poitrine, je me réveillerais sans tarder, je me réveille déjà, je me sens revivre, où va donc Herman, où s'en va-t-il donc ainsi, mais Yinn, pensait Petites Cendres en s'assombrissant, avec Yinn, de quel ange s'agit-il, celui de la vie ou celui de, non, celui de la vie, celui de la vie, c'est cet idiot d'Herman qui refuse de se réveiller, on entendit la mère d'Herman qui disait à tous, non, ne le dérangeons plus, ne le dérangeons plus vainement, se rapprochant du lit, elle disait en caressant le front de son fils, bonne nuit, mon petit garçon, bonne nuit, quelques instants plus tard, Robbie déposait sa couronne en or sur l'oreiller, tout contre la tête osseuse d'Herman, Yinn ayant soigneusement enlevé la perruque orange, la tête, le visage aux joues creusées d'Herman étaient soudain ascétiques, quand continuaient de pleurer en silence tous les autres, Yinn et la mère d'Herman, eux, non, ne pleuraient pas, comme s'ils étaient possédés par le maintien d'une extrême rigueur, en cette si astreignante cérémonie où longtemps, pendant plusieurs heures, ils seraient au chevet d'Herman, jusqu'à l'aube peut-être, pensait Petites Cendres. Mais le fils le plus discret n'était-il pas Vincent, pensait Daniel, celui qui guérirait, apaiserait, pallierait demain la douleur, ne lui fallait-il pas d'abord vaincre la sienne, celle de ses crises aiguës, de ses maux physiques, avant qu'il ne soit capable de guérir chez les autres ce qui en lui était toujours la même latente souffrance, le souffle qui manquait, mais ce fils dont on avait dit que l'avenir serait éphémère ou qu'il n'aurait pas d'avenir avait surpassé dans son acharnement à ses études, ce qu'il ferait aussi demain dans ses travaux de recherches, le maladif verdict sur son avenir, étant le plus vivant des fils de Daniel, le plus confiant en ce présent qui lui était donné et dont il estimait chaque seconde, le plus reconnaissant aussi à ses parents de lui avoir tant de fois sauvé la vie, qu'il aurait sans doute l'avenir le plus honorablement rempli, et le plus prometteur, n'était-ce pas singulier qu'il en soit ainsi, car nous ne savions jamais, pensait Daniel, que savions-nous vraiment de nos enfants, soudain Daniel sentit une main qui tapait sur son épaule, nous allons enfin partir, dit Laure, oui, n'avez-vous pas entendu, on a annoncé notre vol, nous partons dans quelques minutes, tels ces personnages sur leurs chaises inconfortables qui regardaient une partie de football sur les multiples écrans de télévision, Daniel, se dégourdissant les jambes, sortait comme eux d'un songe épais, non, je n'ai rien entendu, dit-il à Laure, c'est l'heure de monter à bord de l'avion, dit Laure, soudain très amicale avec Daniel, quel plaisir cela a été de vous rencontrer, dit-elle, oui, vous avez été si patient avec moi, peut-être nous reverrons-nous un jour, oui, peut-être, dit Daniel avec le même élan d'amitié que l'on peut éprouver pour des inconnus, tandis que son regard se dirigeait au loin vers un jeune homme en habit noir, encadré par deux douaniers, par deux policiers, sans menottes toutefois, car il feuilletait d'un air pieux un livre entre ses mains, celui-ci, le jeune homme en habit noir, n'aurait pas accès à la passerelle vers l'avion, aucun accès, ni à l'avion, ni à la passerelle, il était grand et maigre, avec une expression sur son visage qui semblait inoffensive et figée, il ne pouvait oser un mouvement, même tourner les pages de son livre, sans qu'on l'encadre davantage par une surveillance étroite, Daniel crut reconnaître Lazaro, mais était-ce lui, se demanda-t-il, si c'était Lazaro, l'ami d'enfance de Jermaine, Olivier avait eu raison de tant le redouter, car on soupçonnait Lazaro de crimes violents, ou bien était-ce la bande à laquelle appartenait Lazaro qui commettait ces crimes haineux, mais ce n'était peut-être aussi qu'une feinte ressemblance, et Daniel se trompait, oui, il pouvait bien en être ainsi, et Kim reprit son sac à dos, en commandant à Max de la suivre, chacun irait seul dans la nuit, pensait-elle, quand grondait la mer sous un ciel étoilé, chacun irait seul, avec son chien, toujours aux aguets, à l'affût, chacun irait seul, pensait Kim, mais demain elle retrouverait Fleur sur le bateau du Vieux Marin, oui, elle le retrouverait.

CRÉDITS ET REMERCIEMENTS

Les Éditions du Boréal reconnaissent l'aide financière du gouvernement
du Canada par l'entremise du Fonds du livre du Canada (FLC) pour
leurs activités d'édition et remercient le Conseil des Arts du Canada
pour son soutien financier.

Les Éditions du Boréal sont inscrites au Programme d'aide aux entreprises
du livre et de l'édition spécialisée de la SODEC et bénéficient du Programme
de crédit d'impôt pour l'édition de livres du gouvernement du Québec.

En couverture : Omen, *Largest Graffiti in Yukon* (détail).

Ce livre a été imprimé sur du papier 100 % postconsommation,
traité sans chlore, certifié ÉcoLogo
et fabriqué dans une usine fonctionnant au biogaz.

MISE EN PAGES ET TYPOGRAPHIE :
LES ÉDITIONS DU BORÉAL

ACHEVÉ D'IMPRIMER EN MARS 2012
SUR LES PRESSES DE MARQUIS IMPRIMEUR
À CAP-SAINT-IGNACE (QUÉBEC).